한눈에 살펴보는 비영리세무회계

한눈에 살펴보는 비영리세무회계 [2024개정판]

발 행 | 2018년 10월 10일
          2021년 7월 9일 개정판발행
          2024년 6월 24일 개정판발행
저 자 | 장진혁
펴낸곳 | 주식회사 부크크
출판사등록 | 2014.07.15.(제2014-16호)
주 소 | 서울특별시 금천구 가산디지털1로 119 SK트윈타워 A동 305호
전 화 | 1670-8316
이메일 | info@bookk.co.kr

ISBN | 979-11-410-9085-2

www.bookk.co.kr

한눈에 살펴보는 비영리세무회계

장진혁 지음

머 리 말

경제가 발전하면서 비영리단체의 역할은 증가하고 있으며, 우리나라는 전쟁 등 어려운 시기를 겪었음에도 불구하고 비교적 짧은 기간 동안 눈부신 경제발전을 이룩하면서 대기업뿐만 아니라 자수성가한 중견기업 사업자들이 노블레스 오블리주(noblesse obligc)를 실천하기 위해 비영리법인을 설립하고 있어 그 수는 계속 증가하고 있다.

이제는 주변에서도 비영리단체를 흔하게 볼 수 있다. 하지만 비영리단체의 경우 대부분 그 규모가 작아 별도로 회계 담당자를 두지 않고 회계에 별다른 지식이 없는 자가 다른 업무와 병행하여 관리하다 보니 회계 및 세무가 정확하게 처리되지 않는 경우가 많다.

하지만 비영리단체에 대한 관심도가 증가함에 2017년 7월에는 한국회계기준원에서는 비영리조직회계기준을 제정하였으며, 기획재정부에서는 2017년 11월 공익법인회계기준으로 제정하여 2018년 이후부터 일정요건에 해당하는 공익법인에게 적용하도록 하고 있다.

이처럼 비영리단체의 수가 늘어나고 사회 전반적으로 그에 대한 관심은 증가하는데 비해 비영리단체에서 회계 및 세무에 대해 느끼는 중요성은 아직 부족한 편이다. 그리고 비영리회계 및 세무에 대해 그동안 출간된 책들도 전문적 지식이 없는 일반인을 대상으로 하지 않고 전문가들을 위한 책들이 대부분이어서 실무에서 회계 및 세무업무를 담당하는 자에게는 쉽게 다가가기 어려움이 많다.

이 책에서는 비영리법인 설립부터 비영리법인을 운영하면서 실무자들에게 필요한 내용을 보다 쉽게 설명하기 위해, 중소기업을 운영하고 있는 이동후가 회사의 고문세무사인 장세무사의 도움을 받아 장남인 이재화와 함께 비영리법인을 설립하고 회계팀장인 장보리가 장세무사의 도움을 받아 비영리법인의 회계와 세무를 처리해 나아가는 과정을 이야기 형태로 풀어냈다.

PART 1.은 비영리법인이란 무엇이며, 비영리법인을 설립하는 방법에 대해 알아본다.

PART 2.은 비영리법인을 운영하면서 발생하는 회계에 대해 알아본다.

PART 3.은 비영리법인을 운영하면서 발생하는 세무에 대해 알아본다.

이 책을 통해 조금이나마 비영리회계 및 세무에 대해 고민하고 있는 독자들에게 도움이 될 수 있으면 하는 바램이다.

끝으로 본서를 출간하는 데 도움을 주신 ㈜부크크 임직원들에게 깊은 감사를 드리며, 세무법인다림 식구들에게도 감사의 말씀을 드린다. 마지막으로 뒤에서 항상 응원해주는 사랑하는 나의 가족 아내 현정, 아들 민준이와 딸 윤서에게 이 지면을 통해 깊은 감사의 마음을 전한다.

2018년 10월

저 자

차 례

PART 01 ··· 비영리법인의 설립

PART 02 ··· 비영리법인의 회계

PART 03 ··· 비영리법인의 세무

PART 01

비영리법인의
설립

비영리법인의 설립 방법에 대해 알아보자

•등장인물 가계도1)•

비영리 전문 세무사로 이동후 및 이재화를 도와 비영리법인
을 설립하고 회계팀장인 장보리에게 비영리법인 세무회계를
자문해준다.

장세무사

건설회사를 운영하고 있으며 오랜기간 사업에만 몰두하다
60대 중반에 이르러 회사의 담당세무사인 장세무사의 도움
을 받아 비영리법인을 설립한다.

이동후

이동후의 큰 아들. 아버지를 도와 경영지원팀 이사로 근무하
면서 장세무사의 도움을 받아 비영리법인을 설립하고 비영
리법인을 운영해 나간다.

이재화

이재화의 배우자로 시아버지가 만든 비영리법인에서 회계팀
장으로 근무하면서 장세무사의 도움을 받아 비영리 회계와
세무에 대해 하나씩 배워나간다.

장보리

김화연

이동후의 배우자. 이동후가 출연한 공익법인 이사장으로 근
무한다.

---

1) icon designed by eucalyp from Flaticon

Chapter 01

비영리법인이란?

이동후는 6.25 전쟁이 일어난 1950년에 태어나 어려운 유년기를 거치면서 어린 나이부터 공사장을 돌아다니며 기술을 배웠다. 낮에는 일을 하고 밤에는 야학을 다니며, 열심히 노력한 덕분에 30대에는 조그만 건설회사를 운영하면서 건설공사의 하청 일을 해왔다. 그러던 중 70~80년도 중동 건설 붐에 편승해 오일 달러를 벌었고 지금에 와서는 어엿한 중견기업의 사장이 되었다. 하지만 최근에 세계 경기 침체가 지속되면서 건설업 경기도 어려워져 신규 건설 수주가 감소하고 사업이 조금씩 침체되기 시작하였다. 그러나 이동후는 그동안의 인맥과 과거의 탄탄한 실적을 통해 많지는 않지만 신규 계약을 통해 회사를 유지해 오고 있었다.

이동후는 그동안 정신없이 앞만 보고 달려왔지만 70대에 이르게 되자, 주변을 다시 한번 돌아보면서 정리가 필요하다는 생각에 세무자문을 해주고 있는 장세무사에게 연락을 취한 다.

"세무사님, 잘 지내셨죠? 다름이 아니라 시간 되실 때 만나 뵙고 드릴 말씀이 있는데 언제 한번 시간 좀 내주시죠."
이동후

"네, 사장님, 알겠습니다. 시간 괜찮으시면 다음 주 초에 연락 드리고 찾아뵙도록 하겠습니다."
장세무사

며칠이 지나고 장세무사는 이동후를 찾아간다.

"사장님, 안녕하세요. 갑자기 연락을 다 주시고 무슨 일 있으신가요?"
장세무사

"무슨 일이 있는 건 아니고, 세무사님 얼굴 본 지도 오래된 거 같고 겸사겸사 식사나 같이 할까 해서 연락했습니다."
이동후

"네, 사장님. 그런데 요즘 사업은 좀 어떠신가요? 뉴스를 보면 건설업 경기가 어려운 거 같던데요?"
장세무사

"그러게요. 요즘 전반적으로 경기가 안 좋은 거 같습니다. 제가 세무사님을 만나자고 한 이유도 그 때문이기도 합니다. 그동안은 사업을 키우겠다는 생각으로 앞만 보고 달려오다 보니 미리 준비해 놓지 않은 일들이 한두가지가 아닌 거 같습니다. 이제부터 세무사님의 도움을 받아 하나씩 준비를 해 나갔으면 합니다."
이동후

"제가 도움이 될 일이 있다면 도와드려야죠."
장세무사

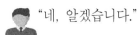 "그렇게 말씀해 주시니 감사합니다. 이제 제가 나이가 들어가다 보니 건강도 예전 같지 않고 친구들 중에 갑작스럽게 세상을 떠나는 친구들이 생기더군요. 요새 경기가 어렵다곤 하지만 그래도 회사는 어느 정도 안정화되어 가는 거 같습니다. 그래서 오래전부터 고민해 왔었는데 재산 일부를 사회에 환원한다는 취지에서 비영리법인을 하나 만들고 싶습니다."

"네, 좋은 일이지만 어려운 결정을 하셨네요. 그런데 혹시 가족분들과 상의는 해보셨나요? 사장님이 어렵게 일군 재산이지만 이러한 결정을 내리실 때는 가족분들의 동의가 중요할 거 같은데요?"

"안 그래도 이 일을 결정하기 전에 가족들의 의견을 들어보았습니다. 다행히도 가족들이 흔쾌히 동의해 주었습니다. 그리고 저도 처음부터 무리할 생각은 없습니다. 차근차근 규모를 키워나갈 생각입니다. 어려우시겠지만 세무사님이 많은 조언 부탁드리겠습니다. 세부적인 내용은 경영지원팀을 맡고 있는 이재화이사와 진행해 주시면 감사하겠습니다."

"네, 알겠습니다."

전쟁 등 어려운 시기를 겪으면서 우리나라는 눈부신 경제발전을 이룩하였고 자수성가한 사업자들이 노블레스 오블리주를 실천하기 위해 비영리법인을 설립하고 있어 그 수는 계속

증가하고 있다. 비영리법인 설립부터 관리 및 운영 등 전반적인 부분에 대해 세무회계적인 측면에서 알아보도록 하자.

며칠 후 경영지원팀에서 일하고 있는 이동후의 큰아들 이재화는 장세무사를 만나기 위해 장세무사 사무실이 있는 문정동으로 찾아간다.

🧑 "안녕하세요, 세무사님. 그동안 잘 지내셨죠? 오랜만에 뵙네요."
이재화

🧑 "안녕하세요, 이사님. 지난번에 사장님 뵙느라 회사에 갈 일이 있어서 찾아뵙는데 외근 중이라고 하셔서 못 뵙고 그냥 왔네요. 이사님도 그동안 잘 지내셨죠."
장세무사

🧑 "네, 잘 지내고 있습니다. 그런데 요새 경기가 안 좋아서 신규 거래처 확보하랴 기존 거래처 관리하랴 정신이 좀 없네요."
이재화

🧑 "그러시군요. 고생이 많으시네요."
장세무사

🧑 "이 시기만 잘 견디면 좀 나아질 거 같습니다. 세무사님, 이렇게 갑자기 찾아뵌 건 지난번에 아버님이 말씀하신 비영리법인 설립과 관련해서입니다. 이제 준비를 해야 할 거 같아서요."
이재화

🧑 "네, 잘 오셨습니다. 우선 비영리법인의 설립 절차를 확인하기에 앞서서 비영리법인이 무엇인지부터 알아보는 게 좋을 거 같습니다."
장세무사

비영리법인이란 일반적으로 학술, 종교, 자선, 기예, 사교 기타 영리 아닌 사업을 목적으로 하는 사단 또는 재단으로서 주무관청의 허가를 얻어 설립한 법인을 말한다. 여기서 영리 아닌 사업을 목적으로 한다는 것은 이윤추구를 통하여 얻은 경제적 이익을 구성원에게 분배하지 않는다는 것을 말하며, 따라서 해산 시에도 비영리법인의 이사 또는 청산인은 주무관청의 허가를 얻어 그 법인의 목적에 유사한 목적을 위해서만 그 재산을 처분할 수 있다.

비영리법인은 영리법인과 달리 영리사업을 하지 못하는 것으로 인식하는 경우가 많지만 비영리법인의 경우에도 목적사업을 위한 재원 마련을 위해 그 비영리법인의 본질에 반하지 아니하는 범위 내에서 수익사업을 하는 것이 가능하다. 다만, 영리법인과 달리 경제적 이익을 구성원에게 분배하지 않는다는 것이다.

강세무사 "비영리법인을 설립하기 위해서는 일반적으로 일정 부분 재산을 출연1)하게 되는데 이렇게 출연된 재산은 목적사업을 위해 직접 사용할 수도 있지만 수익사업으로 운용하여 발생된 소득을 목적사업에 사용할 수도 있습니다. 이 경우 수익사업에서 발생된 소득을 목적사업에 사용하지 않고 출연자가 배당 등의 형태로 출연한 재산을 회수하려는 경우가 있는데 이는 원칙적으로 허용되지 않습니다. 비영리법인은 이윤추구를 통하여 얻은 경제적 이익을 분배하지 못하기 때문입니다. 만약 이를 위반한 경우에는 세법에서는 배당소득으로 보아 과세하게 되며, 상속세 및 증여세법에 따라 상속세 또는 증여세가 발생합니다. 또한 주무관청의 행정처분이 있을 수 있으니 주의가 필요합니다."

● 비영리법인에는 어떤 것이 있나요?

1) 민법 제32조의 규정에 의하여 설립된 법인

　학술, 종교, 자선, 기예, 사교 기타 영리 아닌 사업을 목적으로 하는 사단 또는 재단으로서 주무관청의 허가를 얻어 설립한 법인

2) 사립학교법이나 그 밖의 특별법에 따라 설립된 법인으로서 민법 제32조에 규정된 목적과 유사한 목적을 가진 법인

　사립학교법 제10조에 의하여 설립된 법인, 의료법에 의한 병원, 사회복지사업법에 의한 병원, 국립대학교병원설치법에

---

1) 민법상 출연이라 함은 본인의 의사에 의하여 자기의 재산을 감소시키고 타인의 재산을 증가시키는 효과를 가져 오는 행위를 말하며, 상속세 및 증여세법상 출연이라 함은 기부 또는 증여 등의 명칭에 불구하고 공익사업에 사용하도록 무상으로 재산을 제공하는 행위를 말한다.

의한 대학병원, 서울대학교병원설치법에 의한 서울대학병원, 서울대학교치과병원설치법에 의한 서울대학교 치과병원, 지방공기업법에 의하여 지방자치단체가 법인을 설립하여 경영하는 기업, 사내근로복지기금법에 의한 사내근로복지기금 등 기타 특별법에 의하여 설립된 법인으로서 민법 제32조에 규정된 목적과 유사한 목적을 가진 법인

3) 주주·사원 또는 출자자에게 이익을 배당할 수 있는 법인은 원칙적으로 비영리법인에서 제외하나 다음의 조합법인은 법인세법상 비영리법인으로 본다.

① 농업협동조합법에 따라 설립된 조합(조합공동사업법인을 포함한다)과 그 중앙회

② 소비자생활협동조합법에 따라 설립된 조합과 그 연합회 및 전국연합회

③ 수산업협동조합법에 따라 설립된 조합과 그 중앙회

④ 산림조합법에 따라 설립된 산림조합(산림계를 포함한다)과 그 중앙회

⑤ 엽연초생산협동조합법에 따라 설립된 엽연초생산협동조합과 그 중앙회

⑥ 중소기업협동조합법에 따라 설립된 조합과 그 연합회 및 그 중앙회

⑦ 신용협동조합법에 따라 설립된 신용협동조합과 그 연합회 및 중앙회

⑧ 새마을금고법에 따라 설립된 새마을금고와 그 중앙회

⑨ 염업조합법에 따라 설립된 대한염업조합

4) 국세기본법 제13조 제4항에서 정하고 있는 다음의 법인

다음의 단체는 비록 법인등기가 이루어지지 않았더라도 수익을 구성원에게 분배하지 않는 경우 법인세법에 의하여 법인으로 보고 있으며, 법인세법상 비영리법인으로 취급한다.

① 주무관청의 허가 또는 인가를 받아 설립되거나 법령에 따라 주무관청에 등록한 사단, 재단, 그 밖의 단체로서 등기되지 아니한 것

② 공익을 목적으로 출연된 기본재산이 있는 재단으로서 등기되지 아니한 것

③ 다음 각 호의 요건을 갖춘 것으로서 대표자나 관리인이 관할세무서장에게 신청하여 승인을 받은 것

㉠ 사단, 재단, 그 밖의 단체의 조직과 운영에 관한 규정을 가지고 대표자나 관리인을 선임하고 있을 것

㉡ 사단, 재단, 그 밖의 단체 자신의 계산과 명의로 수익과 재산을 독립적으로 소유·관리할 것

조세특례제한법 제104조의 7 【정비사업조합에 대한 과세특례】

① 2003년 6월 30일 이전에 주택건설촉진법(법률 제6852호로 개정되기 전의 것을 말한다) 제44조 제1항에 따라 조합설립의 인가를 받은 재건축조합으로서 도시 및 주거환경정비법 제38조에 따라 법인으로 등기한 조합(이하 이 조에서 "전환정비사업조합"이라 한다)에 대해서는 법인세법 제3조에도 불구하고 전환정비사업조합 및 그 조합원을 각각 소득세법 제87조 제1항 및 같은 법 제43조 제3항에 따른 공동사업장 및 공동사업자로 보아 소득세법을 적용한다. 다만, 전환정비사업조합이 법인세법 제60조에 따라 해당 사업연도의 소득에 대한 과세표준과 세액을 납세지 관할세무서장에게 신고하는 경우 해당 사업연도 이후부터는 그러하지 아니하다.

② 다음 각 호의 어느 하나에 해당하는 조합(이하 이 조에서 "정비사업조합"이라 한다)에 대해서는 법인세법 제2조에도 불구하고 비영리내국법인으로 보아 법인세법(같은 법 제29조는 제외한다)을 적용한다. 이 경우 전환정비사업조합은 제1항 단서에 따라 신고한 경우만 해당한다.

1. 도시 및 주거환경정비법 제35조에 따라 설립된 조합(전환정비사업조합을 포함한다)

2. 빈집 및 소규모주택 정비에 관한 특례법 제23조에 따라 설립된 조합

● 비영리법인의 사업

1) 목적사업

비영리법인은 학술, 종교, 자선, 기예, 사교 기타 영리 아닌 사업으로 본래 의도적으로 경제적 이익을 도모하지 아니하는 비영리사업을 목적으로 한다. 그리고 비영리법인은 사단 또는 재단의 형태로 성립한다.

2) 수익사업

영리법인은 영리를 목적으로 하는 법인으로 의도적·계획적·조직적인 이윤동기를 위하여 활동하여, 주로 구성원의 이익을 꾀하고 법인의 이익을 구성원에게 분배하여 경제적 이익을 주는 것을 목적으로 하는 법인이다. 영리사업이란 법인세법에 의한 수익사업을 영위하는가에 불구하고 그 사업의 출자자 또는 출연자가 지분에 의하여 이익의 배당 또는 잔여재산의 분배에 참여하는 등 이윤추구 목적을 가진 사업을 말하는 것이다. 그리고 영리법인의 일반적인 형태는 상법상의 회사이다.

비영리법인이 영위하는 사업은 정관에 목적사업이란 명칭으로 표시되므로 비영리법인이 운영하는 사업은 모두 목적사업으로 오해하는 경우가 많다. 하지만 비영리법인이 정관상 목적사업을 운영하더라도 해당 사업이 법인세법에 따른 수익사업에 해당하는지 판단이 필요하며, 법인세법상 수익사업에 해당할 경우 수익사업개시신고를 통해 고유번호증을 반납하고 사업자등록증으로 교부 받아야 한다.

Tip 비영리법인의 수익사업개시신고

비영리 내국법인과 비영리 외국법인(국내사업장을 가지고 있는 외국법인만 해당)이 새로 수익사업을 시작한 경우에는 그 개시일부터 2개월 이내에 다음 각 호의 사항을 적은 신고서에 그 사업개시일 현재의 그 수익사업과 관련된 재무상태표를 첨부하여 납세지 관할세무서장에게 신고하여야 한다.

① 법인의 명칭
② 본점이나 주사무소 또는 사업의 실질적 관리장소의 소재지
③ 대표자의 성명과 경영 또는 관리책임자의 성명
④ 고유목적사업
⑤ 수익사업의 종류
⑥ 수익사업 개시일
⑦ 수익사업의 사업장

다만, 새롭게 사업장을 설치하고 수익사업 개시신고를 하는 경우에는 사업자등록신청서를 별도로 제출해야 한다.

법인의 구분

비영리법인은 민법 제32조의 규정에 의거 학술, 종교, 자선, 기예, 사교 기타 영리 아닌 사업을 목적으로 설립되는 법인을 말하며, 사단법인과 재단법인이 있다. 비영리법인은 원칙적으로 구성원의 경제적 이익을 목적으로 하거나 공익을 저해

하는 사업에 참여할 수 없다. 법인의 종류는 분류기준에 따라 다양하게 나누어지고 있으며, 일반적으로 다음과 같이 분류하고 있다.

1) 구성요소에 의한 분류 : 사단법인, 재단법인

　일정한 목적과 조직 아래에 결합한 사람의 단체와 일정한 목적에 바쳐진 재산이라는 실체에 대하여 법인격(권리능력, 권리의무의 주체)이 주어지는 때에 법인이 되며, 전자를 사단법인, 후자를 재단법인이라 한다. 사단법인이 단체의사에 의하여 자율적으로 활동을 하는데 반해, 재단법인은 설립자(출연자)의 의사에 의하여 타율적으로 구속되는 점이 강하다는 본질적 차이가 있다. 이 때문에 설립행위·목적 내지 정관의 변경·의사기관·해산사유 등에 차이가 있게 된다.

구 분	사단법인	재단법인
정 의	일정한 목적을 위하여 결합한 사람의 집단을 실체로 하는 법인	일정한 목적을 위하여 출연된 재산을 실체로 하는 법인
실 체	사람의 집단	재산의 집단
기 본 요 소	구성원의 단체의사와 목적에 따른 공동사업	설립자의 설립의지와 기본재산
활 동	사원총회를 통해 단체의 의사를 결정하여 자율적으로 활동	설립자의 의사에 구속되어 타율적으로 활동

2) 설립근거에 의한 분류 : 민법법인, 공익법인, 특수법인

민법법인은 민법 제32조의 규정에 의거 학술, 종교, 자선, 기예, 사교 기타 영리 아닌 사업을 목적으로 설립되는 법인을 의미하고, 영리법인에 대응하여 포괄적인 용어로서 통상 비영리법인이라고 통칭되며, 각 부처의 부령이 정하는 바에 의하여 설립허가와 감독이 이루어진다.

공익법인은 공익법인의 설립·운영에 관한 법률(이하 공익법이라 한다) 제2조의 규정에 의거 사회일반의 이익(불특정 다수인의 이익, 즉 공익)에 공여하기 위하여 학자금·장학금 또는 연구비의 보조나 지급, 학술, 자선에 관한 사업을 목적으로 하여 설립되는 법인을 의미하며, 공익법 제1조는 이 법은 법인의 설립·운영 등에 관한 민법의 규정을 보완하는데 목적이 있다고 규정하고 있어, 광의로 보면 공익법인 전체가 민법 제32조에 규정된 비영리법인에 포함된다. 따라서 여기서 비영리법인이라고 하면 공익법인을 포함하는 뜻으로 사용하고 있다. 일반법인 민법에 대해 공익법은 특별법이라고 볼 수 있어 특별법 우선 적용의 원칙에 따라 공익법인은 공익법을 우선하여 적용하고, 해산에 관한 규정 등 공익법에 규정되지 않은 부분은 민법의 규정을 따라야 한다.

특수법인은 비영리법인 중에서 민법 제32조의 규정에 의하

지 않고 각종 개별법에 근거하여 설립된 법인을 통칭하며, 사립학교법에 의한 학교법인, 사회복지사업법에 의한 사회복지법인, 의료법에 의한 의료법인, 각종 조합 및 연합회 등이 이에 해당된다.

공익법인의 설립근거법[2]

공익유형	설립근거법
종교	민법, 기타 특별법 등
학술, 장학, 자선	민법, 공익법인의 설립·운영에 관한 법률 등
사회복지	사회복지사업법
교육	사립학교법 등
의료	의료법
문화·예술	문화예술진흥법
기타	민법, 기타 특별법 등

3) 영리성에 의한 분류 : 영리법인, 비영리법인

영리법인은 경제적 이익을 목적으로 설립되고 이윤의 극대화를 위해 노력하며 그 과실을 구성원이나 사원 개개인에게 배분하는 것을 기본 원리로 한다. 영리법인은 모두 사단법인체로 모두 상법상의 회사인 합명회사·합자회사·주식회사·유한회사 등이 해당되고, 영리를 목적으로 한 재단법인의 설립은

---

2) 공익법인 세무안내, 국세청, 2024.2., p35

허용되지 않으며, 민법 제39조에 의하면 그 설립을 상법의 규정에 따르도록 규정하고 있다.

비영리법인은 민법 제32조의 규정에 의거 학술, 종교, 자선, 기예, 사교 기타 영리 아닌 사업을 목적으로 설립되는 법인을 말하며, 원칙적으로 구성원의 경제적 이익을 목적으로 하거나 공익을 저해하는 사업에 참여할 수 없다. 다만, 비영리법인이라고 해서 반드시 불특정 다수인을 위한 공익활동에 적극적으로 참여해야 하는 것은 아니며, 공익을 저해하지 않는 정도면 족한 것으로 해석되고 있다. 즉 비영리법인은 법인이나 구성원을 위해 의도적이거나 계획적으로 이윤을 추구하지 않으며 사적 소유에 속하는 지분이 없다. 따라서 원가 회수를 위한 노력을 필요로 하지 않는 일방적인 소비활동을 하게 되며 공공성과 사회성을 조직 활동의 기본으로 삼는다.

구 분	영리법인	비영리법인
특 징	지분이 존재하며 잔여재산에 대한 배분이 필수적임 · 이윤동기 · 회수이론에 적합한 회계측정 구조	지분이 존재하지 아니하며 잔여재산은 국가 또는 유사 목적의 비영리법인에게 귀속됨 · 비이윤동기원칙 · 원가 회수를 기대하지 아니하는 일방적 소비·지출에 적합한 회계 구조

구 분	영리법인	비영리법인
특 징	· 배분회계가 필요 · 모든 자원을 종합·운영·관리함 · 예산이 임의적임(투기적인 방법에 의하여 운용 가능) · 이윤에 의한 기간 성과의 측정으로 수탁책임평가 · 세무회계에 의한 과세소득의 계산이 필수적임	· 배분회계가 필요 없음 · 사업목적별 기금회계로 분리 운영(일반회계와 특별회계의 분리) · 예산에 의하여 규제되고 제약(이윤동기에 의한 투기적 운용이 어려움) · 예산의 준수·집행여부에 의하여 기금별 사업목적을 수행하고 효과적인지를 평가 · 채산성이 없더라도 공익성 측면에서 필요성이 인정되면 회계실체의 존속이 가능

4) 법인의 형태

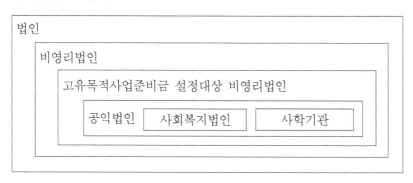

5) 법인의 관계

Chapter 02

비영리법인의 설립

"비영리법인은 영리법인과 이러한 차이가 있군요. 그리고 비영리법인이 사단법인과 재단법인으로 나뉜다는 사실을 새롭게 알게 되었네요. 비영리법인은 다 똑같은 줄 알았는데."

"네, 그렇습니다. 비영리법인은 일반적으로 사단법인과 재단법인으로 구분할 수 있습니다. 이러한 비영리법인은 고유목적사업과 관련된 주무관청의 인가·허가 등을 받아 설립등기 과정을 거치게 됩니다. 이 경우 당해 단체가 법인세법상의 수익사업을 영위하는 경우에는 사업자등록까지 이루어져야 하며, 수익사업을 영위하지 않는 경우에는 고유번호를 세무서로부터 부여받아야 합니다. 그럼 비영리법인 설립을 위한 허가부터 알아보도록 하겠습니다."

비영리법인 설립허가받기

"학술, 종교, 자선, 기예, 사교 기타 영리 아닌 사업을 목적으로 하는 법인의 설립허가를 받으려면 해당 목적사업과 관련된 주무관청의 허가를 받아야 합니다. 그러므로 하고자 하는 목적사업을 주관하는 행정관청이 어디인지 확인이 선행되어야 합니다."

예를 들어 학교법인을 설립하고자 하는 자는 일정한 재산을 출연하고, 정관을 작성하여 교육부장관의 허가를 받아야 한다. 그리고 의료법인을 설립하려는 자는 정관과 그 밖의 서류를 갖추어 그 법인의 주된 사무소의 소재지를 관할하는 시·도지사의 허가를 받아야 하며, 의료법인은 그 법인이 개설하는 의료기관에 필요한 시설이나 이러한 시설을 갖추는 데에 필요한 자금을 보유해야 한다. 비영리법인의 설립허가에 관한 구체적인 기준은 해당 주무관청마다 비영리법인의 설립 및 감독에 관한 규칙을 통해 정하고 있다. 비영리법인의 설립허가를 할 것인지 여부는 주무관청의 정책적 판단에 따른 재량에 맡겨져 있으므로 정관작성 등의 설립행위를 하기 전에 우선 주무관청의 담당 공무원에게 법인 설립의 목적 등을 설명하고 허가의 가능성 여부를 먼저 문의해 보는 것이 필요할 수 있다. 구체적으로 법인의 목적사업을 관할하는 주무관청의 확인은 정부조직법에 적시된 소관 사무를 보고 판단할 수 있다[3].

---

3) 공익법인 세무안내, 국세청, 2024.2., p37

주무관청	소관사무
기획재정부	중장기 국가발전전략수립, 경제·재정정책의 수립·총괄·조정, 예산·기금의 편성·집행·성과관리, 화폐·외환·국고·정부회계·내국세제·관세·국제금융, 공공기관 관리, 경제협력·국유재산·민간투자 및 국가채무에 관한 사무
교육부	인적자원개발정책, 학교교육·평생교육, 학술에 관한 사무
과학기술정보통신부	과학기술정책의 수립·총괄·조정·평가, 과학기술의 연구개발·협력·진흥, 과학기술인력 양성, 원자력 연구·개발·생산·이용, 국가정보화 기획·정보보호·정보문화, 방송·통신의 융합·진흥 및 전파관리, 정보통신산업, 우편·우편환 및 우편대체에 관한 사무
외교부	외교, 경제외교 및 국제경제협력외교, 국제관계 업무에 관한 조정, 조약 기타 국제협정, 재외국민의 보호·지원, 재외동포정책의 수립, 국제정세의 조사·분석에 관한 사무
통일부	통일 및 남북대화·교류·협력에 관한 정책의 수립, 통일교육, 그 밖에 통일에 관한 사무
법무부	검찰·행형·인권옹호·출입국관리 그 밖에 법무에 관한 사무
국방부	국방에 관련된 군정 및 군령과 그 밖에 군사에 관한 사무
행정안전부	국무회의의 서무, 법령 및 조약의 공포, 정부조직과 정원, 상훈, 정부혁신, 행정능률, 전자정부, 개인정보보호, 정부청사의 관리, 지방자치제도, 지방자치단체의 사무지원·재정·세제, 낙후지역 등 지원, 지방자치단체간 분쟁조정, 선거·국민투표에 관한 사무, 안전 및 재난에 관한 정책의 수립·총괄·조정, 비상대비, 민방위 및 방재에 관한 사무
문화체육관광부	문화·예술·영상·광고·출판·간행물·체육·관광, 국정에 대한 홍보 및 정부발표에 관한 사무

주무관청	소관사무
농림축산식품부	농산·축산, 식량·농지·수리, 식품산업진흥, 농촌개발 및 농산물 유통에 관한 사무
산업통상자원부	상업·무역·공업·통상, 통상교섭 및 통상교섭에 관한 총괄·조정, 외국인 투자, 산업기술 연구개발정책 및 에너지·지하자원에 관한 사무
보건복지부	보건위생·방역·의정(醫政)·약정(藥政)·생활보호·자활지원·사회보장·아동(영·유아 보육을 포함)·노인 및 장애인에 관한 사무
환경부	자연환경, 생활환경의 보전 및 환경오염방지에 관한 사무
고용노동부	고용 정책의 총괄, 고용보험, 직업능력개발훈련, 근로 조건의 기준, 근로자의 복지후생, 노사관계의 조정, 산업안전보건, 산업재해보상보험과 그 밖에 고용과 노동에 관한 사무
여성가족부	여성정책의 기획·종합, 여성의 권익증진 등 지위향상, 청소년 및 가족(다문화가족과 건강가정사업을 위한 아동업무를 포함)에 관한 사무
국토교통부	국토종합계획의 수립·조정, 국토 및 수자원의 보전·이용 및 개발, 도시·도로 및 주택의 건설, 해안·하천 및 간척, 육운·철도 및 항공에 관한 사무
해양수산부	해양정책, 수산, 어촌개발 및 수산물 유통, 해운·항만, 해양환경, 해양조사, 해양자원개발, 해양과학기술연구·개발 및 해양안전심판에 관한 사무
중소벤처기업부	중소기업 정책의 기획·종합, 중소기업의 보호·육성, 창업·벤처기업의 지원, 대·중소기업 간 협력 및 소상공인에 대한 보호·지원에 관한 사무

　　정부조직상 주무관청의 업무는 행정권한의 위임 및 위탁에 관한 규정에 의해, 비영리법인의 설립허가 및 취소, 정관변경허가, 해산신고의 수리, 그 밖의 지도·감독 업무가 지방자치단체의 장이나 하급행정기관의 장에게 위임되어 있으므로 반드시 행정권한의 위임 및 위탁에 관한 규정을 확인해야 한다4).

주무관청	소관사무
과학기술정보통신부	우정사업본부장(우정사업관련 비영리법인) 국립전파연구원장 및 중앙전파관리소장 국립과천과학관장(서울특별시, 경기도 및 강원도 소재 과학기술 관련 비영리법인) 국립중앙과학관장(그 외 소재 과학기술 관련 비영리법인)
교육부	교육감
외교부	특별시장·광역시장·특별자치시장·도지사 또는 특별자치도지사
행정안전부	특별시장·광역시장·특별자치시장·도지사 또는 특별자치도지사
소방청	특별시장·광역시장·특별자치시장·도지사 또는 특별자치도지사
문화체육관광부	특별시장·광역시장·특별자치시장·도지사 또는 특별자치도지사
문화재청	특별시장·광역시장·특별자치시장·도지사 또는 특별자치도지사

---

4) 공익법인 세무안내, 국세청, 2024.2., p38

주무관청	소관사무
농림축산식품부	특별시장·광역시장·특별자치시장·도지사 또는 특별자치도지사
농촌진흥청	특별시농업기술센터소장, 광역시농업기술센터소장, 도 농업기술센터소장, 특별자치시농업기술센터소장, 특별자치도농업기술센터소장
산림청	특별시장·광역시장·특별자치시장·도지사 또는 특별자치도지사
산업통상자원부	특별시장·광역시장·특별자치시장·도지사 또는 특별자치도지사
보건복지부	특별시장·광역시장·특별자치시장·도지사 또는 특별자치도지사
환경부	특별시장·광역시장·특별자치시장·도지사 또는 특별자치도지사
고용노동부	지방고용노동청장 또는 지청장
여성가족부	특별시장·광역시장·특별자치시장·도지사 또는 특별자치도지사
국토교통부	특별시장·광역시장·특별자치시장·도지사 또는 특별자치도지사
해양수산부	특별시장·광역시장·특별자치시장·도지사 또는 특별자치도지사(수산 및 해양 레저스포츠 분야)
중소벤처기업부	지방중소벤처기업청장

Tip 설립허가여부 (대법원 95누18437, 1996.9.10.)

민법은 제31조에서 "법인은 법률의 규정에 의함이 아니면 성립하지 못한다."고 규정하여 법인의 자유설립을 부정하고 있고, 제32조에서 "학술, 종교, 자선, 기예, 사교 기타 영리 아닌 사업을 목적으로 하는 사단 또는 재단은 주무관청의 허가를 얻어 이를 법인으로 할 수 있다."고 규정하여 비영리법인의 설립에 관하여 허가주의를 채용하고 있으며, 현행 법령상 비영리법인의 설립허가에 관한 구체적인 기준이 정하여져 있지 아니하므로, 비영리법인의 설립허가를 할 것인지 여부는 주무관청의 정책적 판단에 따른 재량에 맡겨져 있다. 따라서 주무관청의 법인설립 불허가처분에 사실의 기초를 결여하였다든지 또는 사회 관념상 현저하게 타당성을 잃었다는 등의 사유가 있지 아니하고, 주무관청이 그와 같은 결론에 이르게 된 판단과정에 일응의 합리성이 있음을 부정할 수 없는 경우에는, 다른 특별한 사정이 없는 한 그 불허가처분에 재량권을 일탈·남용한 위법이 있다고 할 수 없다.

주무관청을 확인하자

👤 "이사님, 사장님은 어떤 사업을 생각하고 계시나요?"

장세무사

👤 "아버지는 어린 시절 힘들게 공부하셔서 가정형편이 어려운 이개화 학생들이 지속적으로 학업을 유지하고 다양한 경험과 심리적 안정감을 주기 위한 문화 활동을 지원해 주시고자 합니다."

"그렇다면 크게 장학사업과 문화사업을 생각하고 계신 거 같네요. 장학사업의 경우 현재 허가는 지방교육청에서 하고 있으며, 문화와 관련해서는 관할 시에서 허가를 담당하고 있습니다. 그러므로 현재 비영리법인을 설립하시고자 하는 지역이 어디신지요?"

"아버지 고향에 설립할까 고민도 했지만 관리 측면에서 아무래도 회사가 있는 서울이 좋을 거 같습니다."

"그러시다면 장학사업은 서울시 교육청에, 문화사업은 서울시청에 하셔야 합니다. 하지만 이처럼 법인의 목적이 두 개 이상의 주무관청 소관사항인 경우에는 해당 주무관청으로부터 모두 허가를 받아야 할 수 있습니다. 하지만 장학사업의 경우 공익법인의 설립·운영에 관한 법률(이하 공익법이라 한다)을 적용받으며, 해당 법률 시행령에서는 공익법인의 사업이 둘 이상의 주무관청의 소관에 속하는 경우에는 그 주된 사업을 주관하는 주무관청에 법인설립허가를 신청하도록 하고 있습니다. 그러므로 장학사업이 주된 사업이 되는 경우 서울시 교육청에 법인설립허가를 신청하여야 하며, 문화사업이 어느 정도 비중이 있다면 서울시 교육청에서 문화사업과 관련하여 서울시청에 협의하여 설립허가 여부를 정할 수도 있습니다. 그리고 두 사업이 상당 정도 대등한 경우에는 두 곳 모두의 설립허가가 필요할 수 있으니 사전에 주무관청에 확인이 필요합니다."

● 구비서류는 어떻게 될까?5)

비영리법인의 설립허가를 받고자 하는 자는 법인설립허가 신청서에 다음 각 호의 서류를 첨부하여 주무관청에 제출하여야 한다. 하지만 법인설립허가 신청시 첨부서류에 대해 주무관청마다 약간에 차이가 있을 수 있으므로 제출 전에 해당 주무관청에 확인이 필요하다.

법인별 구비서류		비영리법인 (민법)		공익법인 (공익법)		비고
		사단	재단	사단	재단	
1	비영리법인 설립허가 신청서(비영리법인용, 공익법인용 구분)	○	○	○	○	공통
2	설립취지서(임의서식으로 작성)	△	△	○	○	공통
3	설립발기인의 인적사항(성명·주소·약력) ※설립발기인이 법인인 경우에는 그 명칭, 주된 사무소의 소재지, 대표자의 성명·주민등록번호·주소와 정관을 적은 서류	○	○	○	○	공통
4	임원 취임 예정자의 성명·주민등록번호·주소·약력을 적은 서류	○	○	○	○	공통
5	임원 취임승낙서(서명·날인요함)	○	○	○	○	공통

---

5) 2017 실무자를 위한 비영리·공익법인 관리·감독 업무 편람 (법무부 p32 ~ p33)

법인별 구비서류		비영리법인 (민법)		공익법인 (공익법)		비고
		사단	재단	사단	재단	
6	특수관계 부존재 각서(※사후 발견시 임원취임 취소)	×	×	○	○	공익 법인
7	창립총회회의록(회의록 내용상의 별첨서류 첨부·간인) ※설립발기인이 법인인 경우에는 법인의 설립에 관한 의사의 결정을 증명하는 서류	○	×	○	×	사단 법인
8	정관(필요적 기재사항 확인)	○	○	○	○	공통
9	법인조직 및 상근임직원 정수표	△	△	○	○	공통
10	재산목록(※재단법인의 경우에는 기본재산과 보통재산으로 구분하여 기재)	○	○	○	○	공통
11	재산출연증서(기부신청서)	△	△	○	○	공통
12	재산증명서(부동산·예금·유가증권 등 주된 재산에 관한 등기소·금융기관 등의 증명서)	△	△	○	○	공통
13	회비징수 예정명세서 또는 기부신청서	△	×	○	×	사단 법인
14	사원명부(성명·주소) ※100명이 넘을 경우 "이상 100명 외 ○○명"으로 총수 기재서류	△	×	○	×	사단 법인
15	당해연도 사업계획서 및 수지예산서	○	○	×	×	비영리 법인

법인별 구비서류		비영리법인 (민법)		공익법인 (공익법)		비고
		사단	재단	사단	재단	
16	사업개시예정일 및 사업개시이후 2사업년도 분의 사업계획서 및 수지예산서	×	×	○	○	공익 법인
17	사무실 확보증명서(※건물사용 승낙서 또는 임대차계약서, 건물소유권 입증서류 등)	△	△	△	△	공통

○ : 근거법령에 의한 제출서류

△ : 근거법령에 규정되어 있지 않으나 설립허가 검토시 필요한 서류

× : 제출하지 않는 서류

● 정관은 어떻게 작성할까?

정관은 법인의 유지·운영을 위하여 준수하여야 할 기본이 되는 규칙이므로 향후 법인운영에 필요한 사항을 망라하고 관계법규에 어긋남이 없도록 하여 발기인 전원이 기명날인 하여야 하며, 정관의 면과 면 사이에 발기인 전원이 간인하여야 한다. 또한 목적사업은 구체적이고 실현가능해야 하며, 사업계획서에 구체적인 사업계획이 작성되어야 하고 예산이 확보되

어야 한다.

<정관에 포함될 사항 예시>

① 총칙 부분

 – 명칭, 목적, 사무소의 소재지, 목적사업(목적사업은 구체적
   이고 실현 가능해야 하며, 사업계획서에 구체적인 사업계획
   이 작성되어야 함)

 – 무상이익의 원칙, 수혜평등의 원칙(공익법인만 해당)

② 재산 및 회계 구분

 – 재산의 구분, 재산의 관리, 재원, 차입금, 회계연도, 업무
   보고, 세계잉여금, 임원의 보수 등

③ 회원부분(사단법인만 해당)

 – 회원의 자격, 회원의 권리, 회원의 의무, 회원의 탈퇴와 제
   명 등

④ 임원부분

 – 임원의 종류와 정수, 임원의 임기, 임원의 선임, 임원의 결
   격사유, 임원의 직무, 임원의 해임

 – 이사장의 직무대행(재단법인만 해당)

   ·재단법인 : 이사장

   ·사단법인 : 회장

⑤ 총회부분

- 총회의 구성, 대의원, 총회의 구분과 소집, 총회 소집의 특
  례, 총회의 의결사항, 의결정족수, 의결제척 사유

⑥ 이사회 부분

- 이사회의 구성, 이사회의 소집, 이사회의 의결사항, 이사회
  의결 제척사유, 이사회의 개의와 정족수, 이사회의 회의록
  등

⑦ 사무국 부분

- 사무국의 직원 및 직제, 운영, 직원의 임용 및 보수 등

⑧ 수익사업 부분

- 수익사업, 수익사업의 기금관리 등

⑨ 보칙부분

- 정관변경, 해산, 청산인, 청산종결의 신고, 잔여재산의 처
  리, 운영규정, 준용규정 등

⑩ 부칙부분

- 시행일, 설립당시의 임원선임에 대한 경과조치

⑪ 별지부분

- 별지1 : 기본재산 목록

⑫ 설립발기인 기명날인 부분 : 법인설립을 위한 설립발기인
  의 정관작성 의사표시

- 정관은 별지1까지 이므로 별지1 다음 장에 아래와 같이

설립발기인 전원이 기명날인하고 간인을 함

위 사단/재단법인 ○○○을 설립하기 위하여 이 정관을 작성하고 설
립발기인 전원이 이에 기명날인한다.
　　　　　　　　　　○○○○년 ○월 ○일
　　　　　　　　　　　　　　설립발기인　○○○ (인)
　　　　　　　　　　　　　　설립발기인　○○○ (인)
　　　　　　　　　　　　　　설립발기인　○○○ (인)
　　　　　　　　　　　　　　설립발기인　○○○ (인)

Tip 민법에 규정된 정관 본문 기재사항

① 목적
② 명칭 : 기존 법인과 유사명칭은 사용금지
③ 사무소의 소재지 : 읍·면·동 번지까지 기재
④ 자산에 관한 규정
⑤ 이사의 임면에 관한 규정
⑥ 회원자격의 득실에 관한 규정(사단법인만 해당)
⑦ 존립시기나 해산사유를 정하는 때에는 그 시기 또는 사유

※ 정관은 별지의 기본재산 목록까지만 포함하여 허가하므로 기본재산
변경(증감)시 반드시 정관변경 필요

● 비영리법인의 설립절차

"비영리법인 설립 시에는 필요서류가 많고 주무관청마다 조금씩 다를 수 있으니 작성 전에 미리 확인해 보셔야 합니다. 그리고 사단법인인지, 재단법인인지 여부와 민법에 의해 설립되는지 공익법에 의해 설립되는지 여부에 따라 필요서류가 다르므로 이에 대한 확인이 선행되어야 합니다."

"그렇군요. 그런데 어떻게 구분할 수 있나요?"

"사단법인의 경우에는 사람의 단체를 실체로 하는 법인이며, 재단법인은 출연된 재산을 실체로 하는 법인입니다. 그러므로 장학단체가 일정한 회원을 두고 회원들의 회비로 장학사업을 한다면 사단법인에 해당하며, 출연자인 설립자가 재산을 출연하고 해당 재산으로 장학사업을 한다면 재단법인에 해당합니다."

"아버지가 재산을 출연하고 그 재산을 운영하여 발생된 소득으로 장학사업을 한다면 재단법인이겠네요. 그리고 설립시 민법에 의해 설립되는지 공익법에 의해 설립되는지는 어떻게 알 수 있을까요?"

"공익법은 재단법인이나 사단법인으로서 사회 일반의 이익에 이바지하기 위하여 학자금·장학금 또는 연구비의 보조나 지급, 학술, 자선에 관한 사업을 목적으로 하는 법인에 대하여 적용하도록 하고 있습니다. 그러므로 장학사업의 경우 공익법 적용대상에 해당하므로 공익법에 따라 정관 등 법인설립 구비서류를 준비하고 주무관청에 접수를 하면 됩니다. 이렇게 서류를 접수하면 주무관청에서는 비영리사업을 목적으로 하며 해당 사업이 실현가능한지, 목적사업 수행능력과 재정적 기초 확립이 가능하고 다른 법인과 동일한 명칭 아닌 지 등을 확인하여 설립허가 여부를 결정하게 됩니다."

● 설립허가 기준은 어떻게 될까?

1) 비영리법인의 목적과 사업이 실현가능할 것

목적과 사업은 구체적이고 실현 가능하며, 특히 공익법인은 적극적으로 공익을 유지·증진하여야 한다. 이는 신청시 제출한 설립취지, 정관상 목적과 사업, 사업계획서, 수지예산서로 확인한다.

2) 목적사업 수행능력과 재원의 확보

목적하는 사업을 수행할 수 있는 충분한 능력이 있고, 재정적 기반이 확립되어 있어야 한다. 이러한 재정적 기반은 재단법인의 경우 출연재산과 출연재산에서 발생 가능한 이자, 배당금, 임대수익금 등이며, 사단법인의 경우 회원들의 회비와 기부금 등이 된다. 예를 들어 장학재단의 경우 설립시 출연재산의 최소 기준이 있으며, 출연재산은 기본재산과 보통(운용)

재산으로 구분된다. 기본재산의 기준은 다음과 같다.

구 분	사단법인	재단법인
비영리법인	–	5억원 이상

기본재산의 경우 처분 및 사용에 제한이 있기 때문에 이러한 기본재산 이외에 설립 후 제세공과금 등 창립비용과 운영경비 등으로 사용할 수 있는 보통재산을 별도로 출연해야 한다. 공익법에서는 정당한 사유 없이 설립허가를 받은 날부터 6개월 이내에 목적사업을 시작하지 아니하거나 1년 이상 사업실적이 없을 때에는 공익법인에 대한 설립을 취소할 수 있으므로 공익법을 적용받는 비영리법인의 경우에는 당해 연도 목적사업을 수행할 수 있는 경비가 보통재산에 포함되어야 한다.

기본재산	보통재산
· 법인의 재정적 기반이 되는 재산으로 설립시 기본재산으로 출연한 재산 · 정관과 법인등기부에 등재되는 재산 · 보통재산 중 이사회에서 기본재산으로 편입할 것을 의결한 재산 · 주무관청의 허가 없이 처분·사용 불가	· 기본재산이외의 모든 재산 · 기본재산의 이자수입 및 배당금 등 과실소득, 회비수입을 말함 · 목적사업수행 및 운영비로 사용 ☞ 공익법인은 보통재산, 비영리법인은 운영재산이라고 함

3) 다른 법인과 동일한 명칭이 아닐 것

　법인의 명칭이 기존에 설립된 법인의 명칭과 동일한 경우에는 법인설립이 불허되므로 주의가 필요하다.

출연재산 뭐로 할까?

이재화는 장학재단 설립을 위해 주무관청인 서울시 교육청 담당공무원을 만나 필요서류를 확인하고 법무사의 도움을 받아 정관 등 구비서류를 작성하다 장세무사를 찾아온다.

"세무사님, 안녕하세요. 제가 찾아뵌 건 출연재산 때문입니다. 처음에 세무사님께 말씀드릴 때는 출연재산을 아버님이 보유하고 현금으로 한다고 했었는데 현재 아버님이 보유하신 재산을 현금화하는데 문제가 좀 있어서 불가피하게 회사 주식이 일부 포함될 수 있을 거 같습니다. 이런 경우에 문제가 될 수 있을까요?"

"현행 상속세 및 증여세법에서는 공익법인의 주식취득 및 보유에 대해 제한을 두고 있습니다. 그러므로 출연재산을 주식으로 하는 경우에는 세법규정을 꼼꼼하게 살펴봐야 합니다."

"그렇군요. 그럼 출연재산을 주식으로 하는 건 불가능한건가요?"

"꼭 그렇지는 않습니다. 세법에서 정하는 범위 내에서 주식을 취득하고 보유하는 것은 가능하므로 해당 법률 규정을 확인하여 준수하시면 됩니다. 그럼 어떤 제한이 있는지 살펴보도록 하겠습니다."

Tip 출연재산이란

민법상 출연이라 함은 본인의 의사에 따라 자기의 재산을 감소시키고 타인의 재산을 증가시키는 행위를 말한다. 상속세 및 증여세법상 출연이라 함은 기부 또는 증여 등의 명칭에 불구하고 공익사업에 사용하도록 무상으로 재산을 제공하는 행위를 말하며, 그 출연행위에 따라 제공된 재산을 출연재산이라고 한다. 즉, 공익법인이 무상으로 얻은 재산이 출연재산이 되는 것이며, 대가를 수반하여 제공받은 재산은 출연재산으로 볼 수 없다.

● 출연재산에 상속세 및 증여세가 과세된다.

"상속세 및 증여세법에서 증여란 유증6)과 사인증여7)를 제외하고 그 행위 또는 거래의 명칭·형식·목적 등과 관계없이 직접 또는 간접적인 방법으로 타인에게 무상으로 유형·무형의 재산 또는 이익을 이전(현저히 낮은 대가를 받고 이전하는 경우를 포함)하거나 타인의 재산가치를 증가시키는 것을 말하며, 비영리법인이 출연받은 재산은 상속세 및 증여세 납세의무가 발생합니다. 하지만 비영리법인 중 공익법인은 국가가 해야 할 사회일반의 이익을 사업목적으로 하고 있으므로 공익법인 등이 출연받은 재산의 가액은 상속세 및 증여세를 부과하고 있지 않습니다."

---

6) 유언자의 유언에 의하여 유산의 전부 또는 일부를 무상으로 타인에게 증여하는

🧑 "출연재산에 세금이 발생한다는 사실은 미처 생각하지 못했네요. 하지만 저희는 공익법인이라 세금이 부과되지 않겠네요."
이재화

🧑 "그렇지 않습니다. 장학재단의 경우 공익법에 의해 설립된 법인이지만 상속세 및 증여세법상 공익법인에 해당하지는 않습니다. 장학재단의 경우 세법 개정으로 기부금단체로 지정을 받아야 상속세 및 증여세법상 공익법인에 해당하여 상속세 및 증여세가 부과되지 않습니다. 그리고 상속세 및 증여세법상 공익법인에 해당한다고 무조건 상속세 및 증여세가 부과되지 않는 것은 아닙니다."
장세무사

🧑 "그럼 상속세 및 증여세법상 공익법인인 경우에도 상속세 및 증여세가 부과되는 경우가 있나요?"
이재화

🧑 "세법에서 출연재산에 대해 상속세 및 증여세를 부과하지 않는 이유는 공익법인의 공익사업을 지원하기 위함이므로 과세관청은 사후관리 규정을 두고 있습니다. 만약, 공익법인이 이러한 제도의 취지에 맞지 않게 공익사업을 성실하게 수행하지 않거나 조세회피 또는 탈루의 수단 등으로 사용하고 각종 보고의무 등을 이행하지 않는 경우 상속세 및 증여세와 가산세를 과세합니다. 또한, 공익법인이 동일 내국법인의 의결권 있는 주식을 출연받은 경우로서 그 내국법인의 의결권 있는 발행주식총수 등의 5%(10%, 20%)를
장세무사

행위
7) 증여자의 생전에 당사자 합의에 의하여 증여계약이 체결되어 증여자의 사망을 법정조건으로 효력이 발생하는 증여. 이러한 유증과 사인증여는 상속세 및 증여세법에서는 상속에 해당한다.

초과하여 보유하는 경우에는 초과분에 대해 증여세가 과세되며, 공익법인의 총재산가액 중 특수관계에 있는 내국법인의 주식 등의 가액이 30%(50%)를 초과할 경우에는 그 초과하는 가액에 대하여 가산세를 적용하니 주의가 필요합니다."

"그렇군요. 출연재산에 대해 증여세를 부과받지 않기 위해 기부금단체로 신청이 필요하고, 출연재산을 주식으로 하는 경우에는 좀 더 신경을 써야겠네요."

● 상속세 및 증여세가 과세되지 않는 공익법인

(1) 공익법인의 범위

상속세 및 증여세가 과세되지 않는 공익법인의 범위는 다음과 같다.

1) 종교의 보급 기타 교화에 현저히 기여하는 사업

종교의 보급 기타 교화에 현저히 기여하는 사업은 주무관청의 허가여부 및 법인등록여부와 관계없이 당해 단체가 수행하는 정관상 고유목적사업에 따라 판단하여야 하며, 종교활동을 위한 인적·물적시설이 있어야 한다. 다만, 국외에 주된 사무소가 있는 종교단체는 공익법인이 아니다.

2) 초·중등교육법 및 고등교육법에 의한 학교, 유아교육법에 따른 유치원을 설립·경영하는 사업

① 유치원

유아교육법에 따른 유치원이란 유아의 교육을 위하여 이 법에 따라 설립·운영되는 학교를 말하며, 이러한 유치원은 국립유치원, 공립유치원, 사립유치원으로 구분한다. 그러므로 사립유치원의 경우에도 공익법인에 해당한다.

② 평생교육시설

근로자직업능력 개발법에 의한 기능대학, 평생교육법 제31조 제4항에 따른 전공대학 형태의 평생교육시설 및 같은 법 제33조 제3항에 따른 원격대학 형태의 평생교육시설의 경우 고등교육법에 의한 학교에 해당하지는 않지만 법인세법 시행령 제39조 제1항 제1호 각목의 규정에 의한 기부금단체 등에 해당하므로 공익법인에 해당한다.

Tip 어린이집

어린이집의 경우 영유아보육법의 적용을 받으므로 위 2)에 따른 공익법인에 해당하지 않으나, 2018년 2월 13일 법인세법 개정으로 영유아보육법에 따른 어린이집의 경우에도 기부금단체에 포함되어 아래 6)에 따라 상속세 및 증여세법상 공익법인에 해당한다.

3) 사회복지사업법의 규정에 의한 사회복지법인이 운영하는 사업

4) 의료법에 따른 의료법인이 운영하는 사업

5) 법인세법 제24조 제2항 제1호에 해당하는 기부금을 받는 자 (특례기부금)가 해당 기부금으로 운영하는 사업

6) 법인세법 시행령 제39조 제1항 제1호 각 목에 따른 공익법인 등 및 소득세법 시행령 제80조 제1항 제5호에 따른 공익단체가 운영하는 고유목적사업. 다만, 회원의 친목 또는 이익을 증진시키 거나 영리를 목적으로 대가를 수수하는 등 공익성이 있다고 보기 어려운 고유목적사업을 제외하며, 설립일부터 1년 이내에 법인세 법 시행령 제39조 제1항 제1호 바목에 따른 공익법인으로 고시된 경우에는 그 설립일부터 공익법인에 해당하는 것으로 본다.

7) 법인세법 시행령 제39조 제1항 제2호 다목에 해당하는 기부금 을 받는 자가 해당 기부금으로 운영하는 사업. 다만, 회원의 친목 또는 이익을 증진시키거나 영리를 목적으로 대가를 수수하는 등 공익성이 있다고 보기 어려운 고유목적사업은 제외한다.

Tip 그 밖의 비영리법인

2018년 12월 31일까지 다음에 해당하는 법인은 2020년 12월 31일까지 상속세 및 증여세법상 공익법인으로 보았으나 2021년부터는 이에 해당

하지 않는다.

(1) 공익법인의 설립·운영에 관한 법률의 적용을 받는 공익법인이 운영하는 사업

(2) 예술 및 문화에 현저히 기여하는 사업 중 영리를 목적으로 하지 아니하는 사업으로서 관계행정기관의 장의 추천을 받아 기획재정부장관이 지정하는 사업

(3) 공중위생 및 환경보호에 현저히 기여하는 사업으로서 영리를 목적으로 하지 아니하는 사업

(4) 공원, 기타 공중이 무료로 이용하는 시설을 운영하는 사업

(5) 정부로부터 허가 또는 인가를 받은 학술연구단체·장학단체·기술진흥단체

(2) 상속세 및 증여세법에 의한 지원

1) 상속세 과세가액 불산입

상속재산 중 피상속인이나 상속인이 공익법인에게 출연한 재산으로 상속세 과세표준 신고기한(법령상 또는 행정상의 사유로 공익법인의 설립이 지연되는 등 대통령령으로 정하는 부득이한 사유가 있는 경우에는 그 사유가 없어진 날이 속하는 달의 말일부터 6개월까지를 말한다)까지 출연한 재산의 가액은 상속세 과세가액에 산입하지 아니한다.

① 피상속인이 출연하는 경우

공익법인의 이사장 및 이사와 피상속인 또는 상속인과의 특수관계 여부에 불구하고 출연재산에 대하여 상속세 과세가액에 산입하지 아니한다.

② 상속인이 출연하는 경우

상속인의 의사(상속인이 2명 이상인 경우에는 상속인들의 합의에 의한 의사로 한다)에 따라 상속세 과세표준 신고기한 이내에 출연하되, 상속인이 출연받는 공익법인의 이사 현원(5명에 미달하는 경우에는 5명으로 본다)의 5분의 1을 초과하여 이사가 되지 아니하여야 하며, 이사의 선임 등 사업운영에 관한 중요사항을 결정할 권한이 없어야 한다.

2) 증여세 과세가액 불산입

공익법인이 출연받은 재산의 강개은 증여세 과세가액에 산입하지 아니한다.

● 기부금단체로 지정받기

"법인 설립시 초·중등교육법에 의한 학교, 사회복지사업법에

잘세무사 의한 사회복지법인 등은 설립과 동시에 상속세 및 증여세법상

공익법인이 되나, 대부분의 비영리법인은 설립 절차 이외에 기부금단체로 지정을 받아야 공익법인이 될 수 있습니다. 이처럼 비영리법인이 기부금단체로 별도로 지정을 받지 않은 상태에서 출연을 받은 경우 출연자는 기부금공제를 받을 수 없을 뿐만 아니라 출연받은 법인은 상속세 및 증여세를 신고 납부해야 합니다. "

1) 신청방법

기부금단체로 지정받고자 하는 법인은 관련서류를 준비하여 국세청[8])에 기부금단체 추천을 요청하고 국세청에서는 관련서류를 검토한 후 매분기말의 직전 달 10일까지 추천서를 공문으로 기획재정부로 제출한다.

① 신청시 제출서류

㉮ 공익법인 등 추천 신청서

㉯ 법인의 설립을 증명할 수 있는 다음의 서류

구 분	제출서류
민법상 사단·재단 법인, 공공기관 또는 법률에 따라 직접 설립된 기관	법인설립허가서
사회적 협동조합	사회적협동조합 설립인가증 및 법인등기사항증명서

8) 2021.1.1.이후부터 주무관청에서 국세청(주사무소 및 소재지 관할세무서장) 추천으로 변경

비영리외국법인	외국의 정부가 발행한 해당법인의 설립에 관한 증명할 수 있는 서류(영문서류는 한글 번역서류도 포함하여 제출)

㉐ 정관

㉑ 최근 3년간 결산서 및 해당 사업연도 예산서9)

㉒ 지정일이 속하는 사업연도부터 향후 3년10) 동안 기부금을 통한 사업계획서

㉓ 법인 대표자의 공익법인 등 의무이행준수 서약서

㉔ 기부금 모금 및 지출을 통한 공익활동보고서

※ 신규신청시 : ㉮~㉓제출, 재지정 신청시 ㉮~㉒, ㉔제출

② 신청 절차

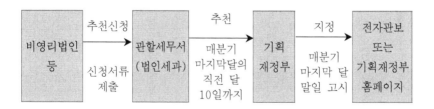

③ 접수기간

---

9) 제출일 현재 법인 설립기간이 3년이 경과하지 아니한 경우에는 제출이 가능한 사업연도의 결산서, 해당 사업연도 예산서, 추천을 신청하는 날이 속하는 달의 직전월까지의 월별 수입·지출 내역서를 제출

10) 재지정 신청의 경우 5년

구 분	분기별 신청기간	국세청 추천기한	기재부 지정일
1분기	전년도 10/11 ~ 당해연도 1/10	2/10	3/31
2분기	당해연도 1/11 ~ 4/10	5/10	6/30
3분기	당해연도 4/11 ~ 7/10	8/10	9/30
4분기	당해연도 7/11 ~ 10/10	11/10	12/31

2) 신청 대상법인

① 다음의 구분에 따른 요건

㉮ 민법상 비영리법인 또는 비영리외국법인의 경우 : 정관의 내용상 수입을 회원의 이익이 아닌 공익을 위하여 사용하고 사업의 직접 수혜자가 불특정 다수일 것

㉯ 사회적협동조합의 경우 : 정관의 내용상 협동조합 기본법 제93조 제1항 제1호부터 제3호까지의 사업 중 어느하나의 사업을 수행하는 것일 것

㉰ 공공기관 또는 법률에 따라 직접 설립된 기관의 경우 : 설립목적이 사회복지·자선·문화·예술·교육·학술·장학 등공익목적 활동을 수행하는 것일 것

② 해산하는 경우 잔여재산을 국가, 지방자치단체 또는 유사한 목적을 가진 다른 비영리법인11)에게 귀속하도록 한다는 내용이 정관에 포함되어 있을 것. 다만, 사회적협동조

---

11) 가능한 정관에 상기 문구를 그대로 인용하여 규정 [잘못된 사례] 유사한 다른 비영리단체, 유사한 다른 법인, 유사법인 또는 유사한 다른 단체

합이 협동조합 기본법 제104조에 따라 해산시 잔여재산의 처리를 정관에 규정한 경우 인정

③ 인터넷 홈페이지(카페, 블로그 인정 안됨)[12]가 개설되어 있고, 홈페이지를 통해 연간 기부금 모금액 및 활용실적을 공개한다는 내용이 정관에 포함[13]되어 있으며, 법인의 공익위반 사항을 관리·감독할 수 있는 국민권익위원회, 국세청 또는 주무관청 중 1개 이상의 곳에 제보가 가능하도록 공익위반사항 관리·감독기관이 개설한 인터넷 홈페이지와 해당 법인이 개설한 홈페이지가 연결되어 있을 것

④ 비영리법인으로 지정·고시된 날이 속하는 연도와 그 직전 연도에 해당 비영리법인의 명의 또는 그 대표자의 명의로 특정 정당 또는 특정인에 대한 공직선거법 제58조 제1항에 따른 선거운동[14]을 한 사실이 없을 것

⑤ 지정이 취소되거나 지정이 제한된 경우에는 지정취소를 받은 날 또는 지정기간 종료일부터 3년이 경과하였을 것. 다만, 지정취소(재지정제한)의 사유가 위 ①~③ 미충족 사유에만 한정되는 경우에는 해당되지 아니함

---

12) 다만, 포털사이트 검색이 가능하고 연중 자료열람에 제한이 없는 등 홈페이지 기능을 하는 경우 예외적으로 허용. 홈페이지 주소를 추천 신청서에 기재
13) 기부금 모금액이 없는 경우에도 기부금 모금액 및 활용실적명세서를 공개해야 하며, 재지정신청의 경우 매년 기부금 모금액 및 활용실적을 해당 비영리법인 및 국세청 홈페이지에 각각 공개하였을 것
14) 당선되게 하거나 되지 않게 하기 위한 행위

3) 지정기간

신규지정의 경우에는 지정일이 속하는 연도의 1월 1일부터[15] 3년간, 지정기간이 끝난 후 2년 이내 재지정되는 경우에는 재지정일이 속하는 연도의 1월 1일부터 6년간

4) 의무이행 및 사후관리

① 신청 대상법인 요건 ①~③을 모두 충족할 것

② 수입을 회원의 이익이 아닌 공익을 위하여 사용하고, 사업의 직접 수혜자가 불특정 다수일 것

③ 기부금 모금액 및 활용실적을 매년 사업연도 종료일부터 4개월 이내에 공익법인 및 국세청 홈페이지에 각각 공개할 것. 다만, 결산서류 등을 표준서식에 따라 공시한 경우 기부금 모금액 및 활용실적 공개 의무를 이행한 것으로 인정

④ 공익법인의 명의 또는 그 대표자의 명의로 공직선거법에 따른 선거운동을 한 사실이 없을 것

⑤ 각 사업연도 수익사업의 지출을 제외한 지출액의 80% 이상을 직접 고유목적사업에 지출할 것

⑥ 사업연도 종료일 기준 최근 2년 동안 고유목적사업의 지출 내역이 있을 것

---

15) 연도 중에 지정을 받은 경우 해당 연도 전체를 지정기간으로 인정

⑦ 공익법인 전용계좌를 개설하여 사용할 것

⑧ 결산서류 등을 사업연도 종료일부터 4개월 이내에 공익법인 및 국세청 홈페이지에 각각 공시할 것. 다만, 간편서식에 따른 공시대상의 경우 제외

⑨ 공익법인 등에 적용되는 회계기준에 따라 주식회사 등의 외부감사에 관한 법률 제2조 제7호에 따른 감사인에게 회계감사를 받을 것. 다만, 학교법인 등 외부 회계감사 의무 적용대상에 해당하지 않는 경우 제외

5) 기부금단체 지정취소 사유

① 상속세 및 증여세법상 위무의반으로 사업연도별로 1천만원 이상(가산세 포함) 추징된 경우

② 다음의 어느 하나에 해당하는 경우

㉮ 공익법인이 목적 외 사업을 하거나 설립허가의 조건에 위반하는 등 공익목적을 위반한 경우

㉯ 법인세법상 지정요건 및 의무사항을 위반한 경우(전용계좌 개설·사용, 결산서류 등 공시, 외부 회계감사의무 제외)

㉰ 의무의 이행 여부에 대한 주무관청의 보고요구에도 불구하고 이를 보고하지 아니한 경우

③ 불성실기부금수령단체로 명단이 공개된 경우

④ 공익법인의 대표자, 임원, 대리인, 직원 또는 그 밖의 종업원이 기부금품의 모집 및 사용에 관한 법률을 위반하여 법인 또는 개인에게 징역 또는 벌금형이 확정된 경우

⑤ 공익법인이 해산한 경우

그리고 지정기간이 끝난 후 그 단체의 지정기간 중 기부금단체 지정취소 사유 중 어느 하나에 해당하는 사실이 있었음을 알게 된 경우에는 지정기간 종료 후 3년간 그 법인에 대하여 재지정이 배제됩니다.

"기부금단체 지정이 필요한 비영리법인은 신청요건을 갖추어 법인설립을 하는 것이 중요하며, 신청기한이 정해져 있으므로 설립시기도 고려해야 합니다. 상속세 및 증여세법에서는 설립일부터 1년 이내에 기부금단체로 지정을 받는다면 공익법인에 해당하여 상속세 및 증여세가 발생하지 않습니다. 하지만 기부를 하는 입장에서는 기부한 연도에 해당 비영리법인이 기부금단체로 지정을 받지 못한하면 기부금영수증을 발행할 수 없으므로 기부에 따른 세제적 혜택을 받지 못합니다. 그러므로 기부금단체로 지정이 필요한 비영리법인의 경우에는 하반기보다는 상반기에 법인설립을 하거나 부득이하게 하반기에 설립을 해야 하는 경우에는 설립시 출연금을 최소화하고 지정 이후에 추가로 출연받는 것을 고려해야 합니다."

비영리법인으로 설립 후 기부금단체로 지정받을 경우

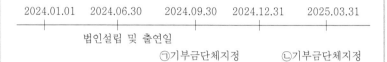

ㄱ 출연일과 동일한 연도인 2024.09.30.에 기부금단체로 지정받은 경우

> 2024.01.01.부터 기부금단체 및 공익법인에 해당

ㄴ 출연일이 속하는 다음연도인 2025.03.31.에 지정기부금단체로 지정받은 경우

> 2024.06.30.부터 공익법인에 해당

> 2025.01.01.부터 기부금단체에 해당

※ 법인설립일부터 1년 이내에 기부금단체로 지정받을 경우 법인설립일부터 공익법인에 해당하지만 설립일 이후 차년도에 기부금단체로 지정을 받은 경우에는 차년도 1월 1일부터 기부금단체에 해당하므로 설립시 출연받은 재산에 대해서는 기부금영수증을 발행할 수 없다.

출연받은 연도에 지정기부금 단체로 지정받지 못한 경우 증여세 예외 사항

[제 목] 지정기부금단체로 지정 받기 전 출연재산에 대한 증여세 과세가액 불산입 가능 여부

[문서번호] 재산세과−615, 2009.02.23.

[답변내용] 귀 질의의 경우와 같이 타인으로부터 재산을 출연 받아 설립된 비영리법인이 해당 재산을 출연받은 날부터 2월여 만에 법인세법 시행령 제36조 제1항 제1호 사목에 따라 기획재정부장관으로부

터 지정기부금단체로 지정을 받은 경우, 해당 비영리법인이 출연받은 재산의 가액은 상속세 및 증여세법 제48조 제1항에 따라 증여세 과세가액에 산입하지 아니함.

※ 상속세 및 증여세법 시행령 제12조 단서조항이 신설되어 비영리법인 설립 후 1년 이내에 기부금단체 등으로 고시된 경우에는 그 설립일부터 공익법인에 해당하는 것으로 본다.

공익법인으로 지정받기 전 수령한 기부금에 대한 영수증 발급방법

[제   목] 공익법인으로 지정·고시된 날이 속하는 사업연도의 직전 사업연도에 수령한 기부금에 대해 기부금 영수증을 발급 가능여부
[문서번호] 사전-2021-법령해석법인-0661, 2021.06.21.
[답변내용] 민법 제32조에 따라 주무관청의 허가를 받아 설립된 재단법인에 대하여 기획재정부장관이 2021년 3월31일 공익법인으로 지정하여 고시한 경우, 해당 재단법인은 법인세법 시행령 제39조 제1항 제1호 단서에 따라 공익법인으로 인정되는 기간인 2021년 1월1일부터 3년간(지정받은 기간이 끝난 후 2년 이내에 재지정되는 경우에는 재지정일이 속하는 사업연도의 1월1일부터 6년간) 기부금 영수증을 발급할 수 있는 것이므로 2020년에 수령한 기부금에 대하여는 기부금 영수증을 발급할 수 없는 것임.

법인 설립등기하기

이재화는 장세무사와 법무사의 도움을 받아 서울시 교육청으로부터 법인설립허가를 받았다.

"세무사님. 제가 모르는 게 너무 많았는데 장세무사님 덕분에 허가업무가 좀 수월했습니다. 감사드립니다."

"제가 도움이 되셨다니 다행입니다. 그런데 법인설립허가를 받은 후에도 추가적인 절차가 있습니다."

"네. 법인설립허가증을 받으면서 담당공무원을 통해 설명은 대략적으로 들었는데, 생각보다 해야 될 일이 많더라구요."

"네. 그렇습니다. 비영리법인 설립허가 후에는 해당 법인은 그 주된 사무소의 소재지에서 설립등기를 해야 합니다. 법인 설립허가를 받은 자는 법인 설립허가가 있는 때로부터 3주간 내에 주된 사무소소재지 관할 법원(등기소)에 설립등기 및 대표자인감등록을 하여야 합니다. 법인설립등기는 법무사의 도움을 받으시면 됩니다. 그리고 법인은 법인설립등기를 완료한 날로부터 10일 이내(공익법인은 7일 이내)에 그 사실을 주무관청에 보고하여야 합니다."

Tip 법인등기

1) 등기사항

목적, 명칭, 사무소, 설립허가 년월일, 존립 시기나 해산사유를 정한 때에는 그 시기 또는 사유, 자산의 총액(기본재산만 해당), 출자방법, 이사의 성명·주소, 이사의 대표권을 제한한 때에는 그 제한 사항

2) 등기비용

등록면허세, 교육세, 기타부대비용(공증료, 등기신청수수료, 법무사수수료, 기타 실비상당액)

3) 법인등기의 세율

법인이 법인등기부에 등기를 할 때에는 법인에 따른 등록면허세를 납부하여야 한다.

① 설립과 납입 : 납입한 출자총액 또는 재산가액의 1,000분의 2

② 출자총액 또는 재산총액의 증가 : 납입한 출자 또는 재산가액의 1,000분의 2

하지만 다음 어느 하나에 해당하는 등기를 할 때에는 그 세율을 위 세율에 100분의 300으로 한다. 다만, 대도시에 설치가 불가피하다고 인정되는 업종으로서 대통령령으로 정하는 업종에 대해서는 그러하지 아니하다.

㉠ 대도시에서 법인을 설립(설립 후 또는 휴면법인을 인수한 후 5년 이내에 자본 또는 출자액을 증가하는 경우를 포함한다)하거나 지점이나 분사무소를 설치함에 따른 등기나 분사무소를 설치함에 따른 등기 ㉡ 대도시 밖에 있는 법인의 본점이나 주사무소를 대도시로 전입(전입 후 5년 이내에 자본 또는 출자액이 증가하는 경우를 포함한다)함에 따른 등기. 이 경우 전입은 법인의 설립으로 보아 세율을 적용한다.

등록면허세 3배 중과세 적용이 제외되는 대통령령이 정하는 업종은 지방세법 시행령 제26조 제1항 각호의 어느 하나에 해당하는 업종을 말하며, 지방세특례제한법 제21조 제1항에 따른 청소년단체, 지방세특례제한법 제45조 에 따른 학술연구단체·장학단체·과학기술진흥단체 및 지방세특례제한법 제52조에 따른 문화예술단체·체육진흥단체가 그 설립 목적을 위하여 수행하는 사업의 경우 중과세 제외업종에 해당한다.

구 분	일반세율	중과세율
영리법인	0.4%	1.2%
비영리법인	0.2%	0.6%

4) 출자금액

등록면허세의 납부기준이 되는 출자금액의 범위는 법인장부상의 금액으로 판단하는 것이 아니라 법인등기부상의 자본금란에 기재되어 있는 자본금 또는 그 증가액을 의미하는 것이다. 비영리법인의 출연재산은 기본재산과 보통재산으로 구분되며, 기본재산의 경우 법인의 존립기초가 되므로 법인이 기본재산의 변경 및 처분의 경우 주무관청의 허가와 변경등기가 있어야 하므로 법인 설립시 출자금액은 기본재산으로 표시하는 것이 바람직하다. 보통재산의 경우 수시로 변동되며, 보통재산까지 출자금액에 포함하여 법인등기를 할 경우 등록면허세가 증가하기 때문이다.

법인 설립신고 및 사업자등록하기

"법인 설립등기를 한 후에는 설립등기를 한 날로부터 2개월 이내에 사업장 소재지 관할 세무서에 법인 설립신고를 하여야 합니다. 그리고 비영리법인이 법인세법에 따른 수익사업을 시작한 경우에는 그 개시일부터 2개월 이내에 수익사업 개시신고를 하여야 하며, 부가가치세 과세사업을 운영할 경우에는 그 개시일로부터 20일 이내에 사업장 관할세무서에 등록하여야 합니다."

"그렇군요. 수익사업을 영위하는 경우와 영위하지 않는 경우에 절차가 다르네요."

"네, 그렇습니다. 만약 수익사업을 영위하지 않는다면 우선 법인 설립신고를 통해 고유번호증을 교부 받으면 되며, 추후에 수익사업을 시작하게 되면 수익사업개시신고를 통해 기존 고유번호 증을 반납하고 사업자등록증을 교부받으면 됩니다. 하지만 법인세 법에서는 수익사업을 시작할 경우 그 개시일부터 2개월 이내 수익 사업 개시신고를 하도록 하고 있으나, 만약 해당 수익사업이 부가가 치세 과세사업에 해당한다면 부가가치세법에서는 과세사업을 운영 할 경우에는 그 개시일부로부터 20일 이내에 등록하도록 하고 있습 니다. 그리고 공급시기가 속하는 과세기간이 끝난 후 20일 이내에 등록을 신청한 경우 그 과세기간 내 매입세액은 공제받을 수 있습니 다. 일반적으로 수익사업을 개시하기 전에 해당 사업을 위해 비품 등을 구입하게 되며, 이 경우 해당사업이 과세사업일 경우 수익사업 과 관련하여 구입한 물품에 포함된 매입세액을 공제받을 수 있습니 다. 하지만 과세기간이 끝난 후 20일이 지나 등록을 신청할 경우에 는 매입세액을 공제받을 수 없으니 주의가 필요합니다."

"그렇다면, 저희는 출연받은 부동산은 우선 재단사무실로 사 용하고 추후에 부동산을 임대목적으로 추가로 구입하여 발생 한 수입을 장학사업에 사용할 예정입니다. 이런 경우에는 어떻게 해 야 하나요?"

"만약, 처음부터 수익사업을 영위할 경우에는 법인 설립신고 시 사업자등록증으로 교부받으면 되며, 그렇지 않을 경우에는 고유번호증으로 교부받으시면 됩니다."

"그럼 저희는 어차피 수익사업을 영위할 예정이니 처음부터 사업자등록증으로 교부받아도 될까요?"

"네, 가능합니다. 하지만 이 경우 수익사업이 없음에도 불구하고 사업자등록증으로 교부받을 경우 법인세 및 부가세 신고를 해야 하는 번거로움이 발생할 수 있습니다. 그러므로 수익사업을 영위하지 않는다면 고유번호증을 교부 받았다가 수익사업을 영위하는 시점에 수익사업 개시신고를 통해 사업자등록증으로 교부받으시면 됩니다.

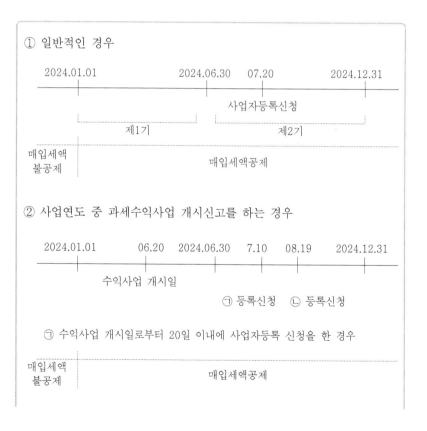

※ 제1기 과세기간 종료일로부터 20일 이내인 2024.07.20.까지 사업자등록신청을 하는 경우 2024.01.01. 매입분부터 매입세액을 공제 받을 수 있다.

ⓛ 수익사업 개시일로부터 2개월 이내에 사업자등록 신청을 한 경우

매입세액불공제	매입세액공제

※ 법인세법에 따라 수익사업 개시일로부터 2개월이 되는 시점인 2024.08.19.에 수익사업 개시신고를 통해 사업자등록증을 교부 받는 경우 제1기 과세기간에 부가가치세가 과세되는 수익사업과 관련된 매입세액이 있더라도 매입세액을 공제 받을 수 없으므로 주의가 필요하다.

Tip 인허가사업

법인설립등기 후 사업자등록을 신청하는 경우 해당 사업이 법령에 의하여 허가를 받거나 등록 또는 신고를 해야 하는지 확인이 필요하다. 해당 사업이 인허가 대상인 경우에는 사업자등록 신청시 인허가 관련서류가 첨부되지 않을 경우 사업자등록을 할 수 없기 때문이다. 그러므로 인허가 대상인 경우 인허가 절차를 사업자등록 신청 전에 해야 한다. 일반적으로 사업의 인허가 신청은 관할 시·군·구청의 민원실, 해당부서에서 신청서 양식과 첨부서류를 작성한 후 제출하면 관할 관청은 현지답사나 서류심사를 통해 결정하고 승인·허가를 통지해 주며, 일부 업종의 경우 시설기준 및 자격요건 등을 규정하고 있으므로 수익사업을 영위하고자 하는 경우에는 법인설립 전 해당 사업이 관련법에 의해 허가, 등록 또는 신고가 필요한 업종인지를 파악하여 법인설립을 해야 한다.

<등기소 등기 및 세무서 신고 구비서류>

등기소 등기	세무서 신고
① 등기신청서	① 법인 설립신고 및 사업등록신청서
② 법인설립허가서	
③ 정관	② 법인등기부등본
④ 이사 취임승낙서	③ 정관 사본
⑤ 주민등록등(초)본(이사)	④ 법인설립 허가서 사본 및 인허가
⑥ 인감증명서(이사)	사업의 경우 사업허가·등록·신고필
⑦ 위임장(대리인)	증 사본
⑧ 법인인감신고서	⑤ 임대계약서 사본
⑨ 공증 받은 창립총회(발기인)회의록	
⑩ 등록세영수필확인서	

● 재산 이전 등 이행결과보고하기

"공익법인은 법인의 설립허가를 받은 후 지체 없이 출연재산을 법인에 이전하고 3월 내에 재산이전 보고서를, 설립등기를 완료한 날로부터 7일 이내에 등기부등본을 주무관청에 제출해야 합니다. 그리고 비영리법인의 경우에는 법인의 설립허가를 받은 후 지체 없이 출연재산을 법인에 이전하고 1월 내에 재산이전보고서를, 설립등기를 완료한 날로부터 10일 이내에 등기부등본을 주무관청에 제출해야 합니다. 이러한 제출서류는 법인등기부등본, 법인인감

증명서, 고유번호증(또는 사업자등록증), 재산이전 보고서입니다."

구 분	재산이전보고	등기보고
공익법인	허가 후 3월 내	등기완료한 날로부터 7일 이내
비영리법인	허가 후 1월 내	등기한 날로부터 10일 이내

"이러한 이행결과 보고 시 출연재산에 따라 부동산의 소유권 이전등기, 예금 등의 법인 명의로 금융기관예치, 주식의 명의 개서, 각종 재산권의 권리이전 등 적절한 방법에 의하여 법인소유로 이전하고, 법인명의로 이전된 예금잔고증명, 부동산등기부등본, 주식소유증명서, 기타 권리증명 증빙서류를 첨부하여야 하며, 출연하기로 한 보통재산을 설립등기 비용 등으로 사용하여 차액이 발생한 경우 증빙자료를 제출하여야 합니다."

비영리법인 관리 및 운영

1) 재산관리

법인의 재산은 기본재산과 보통재산으로 구분하여 관리하도록 하고, 기본재산의 목록은 정관에 포함시켜야 한다. 또한 법인은 목적사업의 달성을 위하여 그 재산을 선량한 관리자의 주의를 다하여 관리하여야 한다. 기본재산을 취득한 때에는 지체 없이 이사회의 의결을 거쳐 기본재산에 편입조치하고, 정관변경 절차를 거쳐야 한다. 또한, 기부에 의하거나 기타 무상으로 취득한 재산의 경우 원칙적으로 기본재산으로 편입하여야 하나, 기부목적에 비추어 기본재산에 편입하기 곤란한 경우 기본 재산편입 예외승인을 주무관청으로부터 받아 보통재산으로 편입하여 사용할 수 있다.

<기본 재산편입 예외승인 신청시 필요서류>

① 기본재산편입예외 기부금사용승인 신청 공문 및 사유서

② 기부증서 사본

③ 기부금 사용계획서

④ 재산권리 증명서

⑤ 이사회 회의록 및 총회 회의록

기본재산을 처분(매매, 교환, 증여 등을 포함한다)하고자 할 때에는 사전에 반드시 주무관청의 허가를 받아야 하며, 기본재산 처분 후 기본재산 목록 또는 총액이 변경된 경우에는 정관변경의 절차를 거치도록 되어있다.

<기본재산 처분 신청시 필요서류>

① 기본재산 처분 허가신청 공문 및 처분사유서

② 기본재산 처분허가 신청내역서

③ 이사회 회의록 및 총회 회의록

④ 취득예정재산의 소유권 증명서류

⑤ 기타 기본재산의 처분에 필요한 부속서류 : 감정평가서, 지가 확인서, 상품 설명서, 신용평가자료 등

기본재산을 담보로 제공하거나 차입하려는 금액을 포함한 장기차입금의 총액이 기본재산 총액에서 차입 당시의 부채 총액을 공제한 금액의 5%에 상당하는 금액 이상을 장기차입을 하고자 할 때에는 사전에 반드시 주무관청의 허가를 받아야 한다.

<기본재산 담보 또는 장기 차입시 필요서류>

① 기본재산 담보(장기차입) 허가신청 공문

② 담보(장기차입) 사유서

③ 담보(장기차입) 내역서 : 담보(장기차입)에 제공할 재산목록, 피담보채권액(장기차입금), 담보권자(장기차입처)

④ 상환방법 및 상환계획서

⑤ 이사회 회의록 및 총회 회의록

⑥ 기타 담보(장기차입)에 필요한 부속서류

기본재산의 사용용도를 변경하고자 할 때에는 사전에 반드시 주무관청의 허가를 받아야 한다.

<기본재산 용도 변경시 필요서류>

① 기본재산 용도변경 등 허가신청 공문

② 용도변경 등 사유서

③ 용도변경 등 내역서

④ 이사회 회의록 및 총회 회의록

⑤ 기타 용도변경 등에 필요한 부속서류

Tip 상속세 및 증여세법 제16조 제2항에 따른 성실공익법인

성실공익법인이 기본재산의 20% 범위에서 기본재산의 증식을 목적으로 하는 매도·교환 또는 용도변경하거나 담보로 제공하는 경우 및 기본재산의 10% 범위에서 기본재산의 운용수익이 감소하거나 기부금 또는 그 밖의 수입금이 감소하는 등의 사유로 정관에서 정한 목적사업의 수행이 현저히 곤란하여 기본재산을 보통재산으로 편입하려는 경우(다만, 직전 편입이 있는 말부터 최소 3년이 경과하여야 함)에는 주무관청에 대한 신고로 갈음할 수 있다(공익법 제11조 제4항).

2) 정관관리

정관이란 설립자가 법인의 근본규칙을 정하여 작성하고 기명날인한 문서로서 관계 법률이 정하는 범위 내에서 작성하여야 한다. 이러한 정관을 변경 시에는 재단법인은 설립자가 결정한 근본규칙에 따라서 운영되는 타율적 법인으로 법인의 활동을 자주적으로 결정하는 기관(예를 들어 사단법인의 총회)을 가지고 있지 않으므로 정관을 변경하지 못하는 것이 원칙

이지만 정관변경을 전혀 인정하지 않을 경우 사회적 실정에 맞는 활동을 기대할 수 없으므로 일정한 제약 하에 정관변경을 허용하고 있다. 민법 제42조 제2항, 제45조 제3항 또는 제46조의 규정에 의한 정관변경의 허가를 받고자하는 법인은 정관변경허가신청서에 구비서류를 첨부하여 신청하여야 한다.

<정관변경의 대상>

① 정관의 전문
② 주소의 변경, 기본재산의 목록의 변경도 해당
※ 기본재산을 처분하는 경우에도 사전 정관변경허가를 얻어야 함(매도, 교환, 증여 등 포함)

<필요서류>

① 법인정관변경허가 신청서 1부
② 변경사유서 1부
③ 개정될 정관(신·구조문대비표를 첨부한다) 1부
④ 정관의 변경에 관계되는 총회 회의록 또는 이사회의 회의록 사본 1부
⑤ 기본재산의 처분에 따른 정관변경의 경우에는 처분의 사유, 처분재산의 목록, 처분의 방법 등을 기재한 서류
⑥ 소재지 변경에 따른 정관변경의 경우에는 임대계약서 사

본, 건물주의 사용승락서, 소유권 입증서류

3) 임원관리

법인의 임원에는 이사와 감사가 있으며, 법인의 임원은 출연된 재산을 선의로 관리하고 법인의 설립취지에 따라 목적사업을 성실히 수행해야 한다.

이 사	감 사
· 각자 대외적으로 법인을 대표 · 대내적으로 법인의 업무를 집행 · 등기부등본에 등기 · 이사회에 출석하여 심의·의결함 · 이사회 참석자만 회의록에 서명함	· 대외적으로 법인 대표기능 없음 · 대내적으로 법인 사무집행에 대한 감독 · 등기부등본에 등기하지 않음 · 이사회 의결에는 참여할 수 없음 · 이사회 참석여부와 상관없이 회의록에 서명함

법인에서 임원을 선임한 때에는 등기를 완료하고 주무관청에 보고하여야 한다.

<임원 선임보고 시 필요서류>

① 임원취임승인신청 공문

② 임원 신·구 대비표

③ 이력서[등록기준지(본적) 기재, 필요시 겸직동의서 첨부]

④ 임원취임예정자 취임승낙서

⑤ 임원취임예정자의 특수관계 부존재 확인서 또는 특수관계 내용설명서

⑥ 해임과 관련된 증빙서류

⑦ 기타 주무관청이 허가 시 필요하다고 인정하는 서류

⑧ 이사회 회의록 또는 총회 회의록

4) 업무보고 등

법인은 주무관청에 매 회계연도가 시작되기 전 1개월 전까지 다음 해에 실시할 사업계획 및 수지예산서 등을 제출하고, 매 회계연도가 끝난 후 2개월 이내(공익법인의 경우 3개월 이내)에 당해 회계연도의 사업실적 및 수지결산서 등을 제출하여야 한다. 이러한 업무보고는 주무관청에 따라 매 회계연도 실시여부가 달라질 수 있다. 또한 주무관청은 민법 제37조의 규정에 의한 법인사무의 검사 및 감독을 위하여 법인에게 관계서류·장부 기타 참고자료의 제출을 명하거나, 소속공무원으로 하여금 법인의 사무 및 재산상황을 검사하게 할 수 있다.

PART 02

비영리법인의
회계

비영리법인의 회계처리 방법에 대해 알아보자

Chapter 01

비영리법인의 재무제표

회계란 무엇인가?

이재화는 공익법인 설립 후 장학사업을 운영하기 위한 준비를 시작하였다. 장학재단의 이사장은 이동후의 배우자인 김화연이 맡았으며, 회계 및 운영은 재단법인이 안정화되기 전까지 마케팅팀에서 근무경험이 있는 이재화의 배우자 장보리가 맡기로 하였다. 이재화는 장학재단 회계관리를 위한 자문을 위해 배우자 장보리와 함께 장세무사를 찾아간다.

 "세무사님. 안녕하세요."
이재화

"이사님. 안녕하세요. 오늘은 사모님이랑 같이 오셨네요."
장세무사

"안녕하세요. 세무사님. 잘 지내셨죠? 오랜만에 뵙네요."

장보리

"네. 잘 지내고 있습니다. 결혼식에서 뵙고 꽤 오랜만에 뵙는

장세무사 거 같습니다."

"그렇게 오래되었나요? 결혼 후 와이프가 회사업무에서 손을

이재화 떼는 바람에 그동안 만나 뵙지 못한 거 같네요. 다름이 아니라 아직은 장학재단이 시작단계라 어느 정도 자리를 잡을 때까지 제 와이프가 회계운영팀장을 맡아 재단업무를 도와주기로 했습니다. 그런데 회계분야 쪽 일은 처음이라 장세무사님이 옆에서 도와주셨 으면 합니다."

"네. 알겠습니다. 그런데 문제가 되는 부분이 있습니다. 상속

장세무사 세 및 증여세법에서는 출연자 또는 그의 특수관계인이 공익법 인의 현재 이사 수의 5분의 1을 초과하여 이사가 되거나 그 공익법 의 임·직원이 되는 경우에는 가산세를 부과하고 있습니다. 현재 재 단의 이사 5명 중 출연자인 아버님과 특수관계자인 어머님이 이사 장으로 계셔 5분의 1일 초과하고 있지 않습니다. 하지만 사모님이 이사로 추가하신다면 이사 6명 중 2명이 특수관계에 해당하게 됩니 다."

"세무사님, 제 와이프가 이사로 등기하는 것은 아닙니다. 임원

이재화 이 아닌 회계운영팀장으로 일하는 것은 상관없지 않나요?"

"아닙니다. 출연자와 특수관계인의 경우에는 이사와 달리 인원 제한 규정 없이 몇 가지 예외되는 사항을 제외하고는 임·직원으로 등록 할 수 없습니다."

"세무사님. 재단이 어느 정도 자리를 잡을 동안은 그래도 어느 정도 도움이 필요할 꺼 같은데 다른 방법은 없을까요?

"공익법에서는 특수관계에 있는 자가 이사 현원의 5분의 1을 초과할 수 없도록 하고 있으며, 저희처럼 주식을 출연받은 경우에는 특수관계에 있는 자가 이사 현원의 5분의 1을 초과하는 경우 주식 보유 한도가 줄어들게 됩니다. 그리고 이사가 아닌 직원의 경우에는 사모님을 위하여 지출된 급료, 판공비, 차량유지비 등 직·간접 경비 상당액 전액이 가산세로 부과되지만 이러한 직·간접 경비가 지출되지 않는다면 가산세 부과대상에 해당하지 않습니다."

"그렇다면 재단에서 직·간접 경비를 지출하지 않고 봉사를 한다면 가능하겠네요."

"잘 부탁드리겠습니다. 세무사님."

"아닙니다. 제가 잘 부탁드리겠습니다. 문의사항 있으시면 언제든지 편하게 말씀해주세요."

장보리는 업무에 필요한 기본적인 회계를 공부하기 위해 약속을 잡고 며칠 뒤 장세무사를 찾아간다.

강보리

"세무사님. 안녕하세요."

"팀장님. 안녕하세요. 오늘은 지난번에 부탁하신 회계에 대한 기본부터 천천히 배워나가도록 하겠습니다. 우선 회계란 무엇인지 먼저 살펴보도록 하겠습니다. 회계는 개인, 기업 등의 경제활동에 대한 돈의 흐름을 측정하고 기록하여 보고하는 일련의 과정입니다. 회계는 회계정보의 이용자가 기업실체와 관련하여 합리적인 의사결정을 할 수 있도록 재무상의 자료를 일반적으로 인정된 회계원칙에 따라 처리하여 유용하고 적정한 정보를 제공하는 것을 목적으로 합니다. 즉, 정보이용자가 경제적 의사결정을 할 수 있도록 경제적 실체에 관한 재무적 정보를 식별, 측정하여 전달하는 과정인 것입니다."

1) 정보이용자에 따른 회계 구분

① 기업외부의 정보이용자들이 기업과 관련된 경제적 의사결정을 위한 회계 : 재무회계

② 기업내부의 경영자가 관리적 의사결정을 위한 회계 : 관리회계

③ 법인세 계산을 위한 회계 : 세무회계

2) 법인유형에 따른 회계 구분

① 영리법인회계 : 경제적 의사결정을 하는데 유용한 법인의 재무상태, 경영성과 및 현금흐름(또는 재무상태의 변동)에 관한 정보를 투자자, 채권자 등 이해관계자에게 전달

② 비영리법인회계 : 비영리법인의 설립목적에 맞춰 자금지출이 적정하게 이루어지고 있는지 여부를 출연자 등 이해관계자에게 전달

● 일반적으로 인정된 회계원칙

"이러한 회계는 기준이 필요한데요. 일반적으로 인정된 회계원칙은 거래나 사건을 측정하고 보고하는 기준으로, 기업외부의 다수 이해관계자에게 제공되는 일반목적 재무제표가 편의 없이 공정하고 완전한 회계정보를 전달하는 역할을 하기 위한 재무제표의 작성기준입니다. 영리법인의 경우 기업회계기준이 있으나, 비영리법인의 경우에는 그동안 회계기준이 존재하지 않아 실무적으로는 비영리법인의 설립근거 법률 또는 감독기관에서 정하고 있는 해당규정에 따라, 이러한 규정도 없는 경우에는 기업회계기준을 준용하여 재무제표를 작성하였습니다. 하지만 한국회계기준원에서는 비영리조직의 공익사업 활성화와 이를 뒷받침하는 건전한 기부문화 조성을 위해서는 비영리조직의 회계투명성 제고가 필요하다는 사회적

인식이 확산되면서, 모든 비영리조직에 일반적으로 적용될 수 있는 통일된 비영리조직회계기준을 2017년 7월에 제정하였습니다."

일반적으로 비영리조직은 의결기관의 승인, 감독기관에 대해 투명한 재무보고 및 납세의무이행 등에 관심과 노력을 집중하는 경향이 있어, 이와 같이 재무보고 목적이 감독에만 치우치게 되면 그 수단으로 극도로 상세한 예·결산자료와 명세서 등이 활용되는 경우가 많고 재무제표를 활용하더라도 감독목적에 맞추어 개조하는 경우가 많아 일반 기부자들의 눈높이에 최적화된, 쉽고 유익한 정보를 생산하기가 어렵다.

그로 인해 감독만을 위한 재무보고를 넘어서서 비영리조직에 자금을 제공하는 일반 기부자를 포함한 다양한 이해관계자들이 쉽게 이해하고 활용할 수 있는 재무정보가 생산될 수 있도록 제도적 대전환이 필요해졌고, 따라서 비영리조직의 재무보고는 여러 이해관계자들의 정보수요를 공통적으로 충족시킬 수 있는 필요 최소한의 기본정보를 체계적이고 이해 가능한 방식으로 제공하는 데 초점을 맞추어 비영리조직회계기준이 제정되었다.

장보리 "세무사님, 비영리법인의 경우에도 회계기준이 새로 생겼으니, 앞으로 이 기준으로 회계처리를 하면 되겠네요."

"네, 그렇습니다. 앞에서 말씀드린 비영리조직회계기준 이외에 세법에서는 공익법인회계기준을 두고 있습니다."

"그렇다면 비영리조직회계기준과 공익법인회계기준은 서로 다른 건가요?"

"네. 우선 적용대상이 다릅니다. 비영리조직회계기준은 법인격 유무에 관계없이 영리를 목적으로 하지 않고 사회 전체의 이익이나 공동의 이익을 목적으로 하는 모든 형태의 비영리조직에 적용하고 있으나, 공익법인회계기준은 상속세 및 증여세법 제50조 제3항에 따라 주식회사의 외부감사에 관한 법률 제3조에 따른 감사인에게 회계감사를 받아야 하는 공익법인과 상속세 및 증여세법 제50조의3에 따라 결산서류 등 공시의무가 있는 공익법인(종교법인 제외)이 대상이 됩니다. 다만, 의료법에 따른 의료법인과 사립학교법에 따른 학교법인, 그 밖의 이와 유사한 공익법인(서울대학교, 인천대학교)은 공익법인회계기준 적용에서 제외됩니다."

"적용대상에 차이가 있군요. 그럼 내용도 차이가 있나요?"

"내용상 큰 차이는 없습니다. 다만, 고유목적사업준비금의 경우 비영리조직회계기준에서 인정하지 않지만, 공익법인회계기준에서는 고유목적사업준비금을 인정하는 점 등에서 차이가 있습니다."

단식부기와 복식부기

"이제 회계에 대해서 보다 자세히 알아보겠습니다. 실무적으로 부기라는 말을 쓰는데요. 혹시 부기란 말을 들어보셨나요?"

장세무사

"대학교 다닐 때 회계원리 과목을 수강해 본 적이 있습니다. 그때 들었던 기억이 나는데요."

장보리

"부기는 장부에 기입한다는 말로 모든 법인의 경영활동에서 일어나는 자산과 부채, 자본의 증가와 감소를 일정한 원리와 원칙에 따라 계산, 기록, 정리하여 그 결과를 명백하게 재무제표에 작성하는 절차를 말하며, 회계의 일부분에 해당합니다. 이러한 부기는 단식부기와 복식부기로 구분됩니다."

장세무사

단식부기는 일정한 원리원칙이 없고 현금의 수입 지출 및 타인과의 채권, 채무관계를 기록하는 단순한 계산방식으로 현금출납부와 가계부 등이 이에 해당한다. 이에 반해 복식부기는 거래의 이중성을 통해 하나의 경제적 사건을 일정한 원리원칙에 따라서 자산, 부채, 자본의 증감 및 변화하는 과정과 그 결과를 계정과목을 통하여 차변과 대변으로 구분하여 이중기록, 계산이 되도록 하는 부기형식을 말하는 것으로 자산, 부채, 자본을 인식한다는 점에서 단식부기와 상대되는 개념이다. 단식부기는 현금주의에 따라 작성하며, 복식부기는 발생주의에 따라 작성된다.

현금 주의	현금이 들어올 때 수입, 현금이 나갈 때를 지출이라고 정함
발생 주의	현금 수입, 지출과 무관하게 거래가 발생하면 매출을 모두 수입 으로 잡고 비용을 계산해서 이익을 잡는 것

"또한 비영리법인의 경우 영리법인과 달리 일반회계와 별도로 예산회계를 관리하고 있으며, 일반회계보다 예산회계를 더 중요시 하는 경향이 있습니다. 그리고 일반회계의 경우 발생주의에 의해 작성되지만 예산회계의 경우 현금주의에 의해 작성되므로 두 회계 간의 차이가 발생하게 됩니다."

<근거규정>

① 학교법인의 회계 처리방법

사립학교법 제32조·제33조 및 제51조 단서의 규정에 따라 학교법인·공공단체 이외의 법인과 이들이 설치·경영하는 학교 및 사인이 설치·경영하는 학교의 재무와 회계의 운영에 관하여 필요한 사항을 규정함을 목적으로 사학기관 재무·회계규칙이 제정되어 있으며, 동 규칙 제27조에는 학교에 속하는 회계와 법인의 업무에 속하는 회계는 복식부기에 의한다. 다만 그 규모와 실정에 따라 법인의 업무에 속하는 회계와 유치원은 단식부기에 의할 수 있다고 규정하고 있다. 또한 사립학교 및 이를 설치·경영하는 학교법인의 특성에 맞는 예산·회계 및 결산에 관한 사항을 정하기 위하여 제정된 사학기관 재무·회계규칙에 대한 특례규칙 제15조에 따르면 이사장 및 학교의 장은 복식부기원리에 따라 회계처리하고, 재무제표를 작성하도록 되어있다.

② 사회복지법인 및 사회복지시설의 회계 처리방법

사회복지사업법 제23조 제4항 및 제45조 제2항의 규정에 따라 사회복지법인 및 사회복지시설의 재무·회계 및 후원금관리에 관한 사항을 규정하여 재무회계 및 후원금관리의 명확성·공정성·투명성을 기함으로써 합리적인 운영을 목적으로 제정된 사회복지법인 및 사회복지시설 재무·회계규칙 제23조에서는 회계는 단식부기에 의하며 다만, 법인회계와 수익사업회계에 있어서 복식부기의 필요가 있는 경우에는 복식부기에 의한다고 규정하고 있다.

③ 의료기관의 회계 처리방법

의료법 제62조에 따라 의료기관의 개설자가 준수하여야 하는 의료기관 회계기준을 정함으로써 의료기관 회계의 투명성을 확보함을 목적으로 의료기관 회계기준 규칙이 제정되어 있으며, 100병상 이상의 종합병원의 개설자는 의료기관 회계기준을 준수해야 한다. 병원의 개설자인 법인회계와 병원의 회

계는 이를 구분하여야 하며, 법인이 2이상의 병원을 설치·운영
하는 경우에는 각 병원마다 회계를 구분하여야 한다. 동 규칙
제4조에는 병원의 재무상태와 운영성과를 나타내기 위하여 복
식부기에 의한 재무제표를 작성하도록 하고 있다.

④ 법인세법의 규정

법인세법 제112조에서는 비영리내국법인이 법인세법 제4
조 제3항 제1호 및 제7호의 수익사업을 영위하여, 법인세 납
세의무가 발생한 경우에는 해당 법인은 장부를 갖추어 두고
복식부기 방식으로 장부를 기장하여야 하며, 장부와 관계있는
중요한 증명서류를 비치·보전하도록 하고 있다. 그러므로 비영
리법인이 개별 법규에 의하여 복식부기의 의무를 부여하지 아
니하는 경우라도 수익사업을 영위하는 경우라면 법인세법의
적용을 받으므로 복식부기에 의해 회계 처리하여야 한다.

⑤ 상속세 및 증여세법의 규정

상속세 및 증여세법 제50조의4에서는 의료법에 따른 의료
법인 또는 사립학교법에 따른 학교법인, 국립대학법인 서울대
학교 설립·운영에 관한 법률에 따른 국립대학법인 서울대학교,
국립대학법인 인천대학교 설립·운영에 관한 법률에 따른 국립
대학법인 인천대학교를 제외한 공익법인은 주식회사의 외부감
사에 관한 법률 제3조에 따른 감사인에게 회계감사를 받거나

결산서류 공시의무를 이행하는 경우 공익법인회계기준을 따르도록 하고 있으며, 공익법인회계기준 제4조에서는 회계처리 및 재무제표를 작성할 때는 발생주의 회계원칙에 따라 복식부기 방식으로 하도록 하고 있다.

⑥ 일반 비영리조직의 회계 처리방법

한국회계기준원에서 제정한 비영리조직회계기준 제4조에서는 재무제표를 작성할 때에는 복식부기회계와 발생주의회계를 적용하도록 하고 있다.

구분	회계규칙	근거법률
사학기관	사학기관 재무·회계규칙 사학기관 재무·회계 규칙에 대한 특례규칙	사립학교법
사회복지기관	사회복지법인 및 사회복지시설 재무·회계 규칙	사회복지사업법
의료기관	의료기관 회계기준 규칙	의료법
공익법인 (일부제외)	공익법인 회계기준	상속세 및 증여세법
종교단체	교회회계와 재무처리기준(기독교) 사찰예산회계법(불교)	N/A
기타비영리단체	비영리조직회계처리기준	N/A

● 회계 처리 과정

"지난번에 회계는 회계정보의 이용자가 기업실체와 관련하여 합리적인 의사결정을 할 수 있도록 재무상의 자료를 일반적으로 인정된 회계원칙에 따라 처리하여, 유용하고 적정한 정보를 제공하여 정보이용자가 경제적 의사결정을 할 수 있도록 경제적 실체에 관한 재무적 정보를 식별, 측정하여 전달하는 과정이라고 말씀드렸습니다. 이러한 회계 흐름은 다음과 같습니다."

(1) 회계 처리의 흐름도

거래의 발생 → 분개 → 회계전표의 작성 → 원장의 기록 → 총계장원장 마감 → 재무제표 작성

(2) 회계 처리의 과정

> 2024년 1월 2일 다림으로부터 입회비 1,000,000원이 법인통장에 입금되었으며, 세미나 회의실 대관료로 대산에 500,000원을 송금하고 세금계산서를 교부받았다. 그리고 사무용품 50,000원을 법인카드로 구입하였다.

1) 회계상 거래의 발생과 파악

① 거래

법인이 사업을 하게 되면 비품 등을 구입하거나 사업비나 급여를 지급함에 따라 자산·부채·자본, 즉 재산의 증감을 가져

오는 행위를 회계에서는 거래라고 한다. 그러나 계약, 주문, 약정, 약속 등의 행위를 할 때는 자산·부채·자본, 즉 재산의 증감을 가져오지 않으므로 회계에서는 거래로 보지 않는다.

② 증빙서류

회계처리의 기초자료는 증빙서류이다. 증빙서류라 함은 회계의 거래 행위가 발생할 때, 즉 상품, 비품, 소모품을 구입할 때 받는 세금계산서, 계산서, 간이세금계산서, 카드매출전표 등과 목적사업 비용을 지급하고 받는 영수증, 거래명세서, 지급품의서 등이 이에 해당된다.

수 입 결 의 서

			결 재	담 당	팀 장	사무국장	회 장
수 입 과 목	관	회비수입		작 성 일		2024년 1월 2일	
	항	일반회비					
	목	입회비		수 입 일		2024년 1월 2일	
수입금액		금 일백만원정 (₩ 1,000,000원)					
		적 요					
○ 입금일자 : 2024년 1월 2일 ○ 상 호 : 다 림 ○ 첨부서류 : 통장사본							

지 출 결 의 서

			결재	담 당	팀 장	사무국장	회 장
지출과목	관	사무비		작 성 일		2024년 1월 2일	
	항	운영비					
	목	임차료		지 출 일		2024년 1월 2일	
지출금액		금 오십만원정 (₩ 500,000원)					
적 요							
○ 지출일자 : 2024년 1월 2일 ○ 상　　호 : 대 산 ○ 첨부서류 : 세금계산서							

대 체 결 의 서

			결재	담 당	팀 장	사무국장	회 장
지출과목	관	사무비		작 성 일		2024년 1월 2일	
	항	운영비					
	목	사무용품비		대 체 일		2024년 1월 2일	
지출금액		금 오만원정 (₩ 50,000원)					
적 요							
○ 입금일자 : 2024년 1월 2일 ○ 상　　호 : 문 구 ○ 첨부서류 : 법인카드매출전표							

2) 분개장 작성

① 차변과 대변

계정과목은 항상 두 부분으로 구분하여 왼쪽과 오른쪽에 기록하는데 왼쪽을 차변(debit : Dr), 오른쪽을 대변(credit : Cr)이라 한다. 거래에 대하여 분개를 하거나 원장을 작성할 경우에도 차변과 대변이 동시 발생하게 된다.

② 분개

거래가 발생하면 회계거래(재산의 증감변화가 있는지와 금액으로 측정 가능한 것인지)에 해당되는지 파악하고, 거래의 8요소에 따라 차변과 대변으로 결정하고 계정과목과 금액을 기록하는 것을 분개라 한다.

<거래의 8요소>

차변 거래 요소	대변 거래 요소
자산의 증가	자산의 감소
부채의 감소	부채의 증가
자본의 감소	자본의 증가
비용의 발생	수익의 발생

\<차변\> 보통예금 1,000,000원 (자산의 증가)

　　　　　\<대변\> 회비수입 1,000,000원 (수익의 발생)

\<차변\> 임차료　　　500,000원 (비용의 발생)

　　　　　\<대변\> 보통예금　500,000원 (자산의 감소)

\<차변\> 사무용품비　50,000원 (비용의 발생)

　　　　　\<대변\> 미지급금　50,000원 (부채의 증가)

3) 회계전표의 작성

① 회계전표의 필요성

　거래가 많은 경우 분개장을 작성하려면 원장 기입 등에 불편하기 때문에 보통 회계전표로 대신할 수 있으며, 전표란 발생한 거래내역을 기록하는 종이를 말한다.

② 회계전표의 종류

　입금전표, 출금전표, 대체전표가 있다. 입금전표에는 입금거래, 즉 현금을 수취하는 거래를 기록한다. 출금전표에는 입금전표와 반대로 현금을 지급하는 거래이며, 대체전표는 현금의 수입과 지출이 없는 거래를 기록한다.

입금전표

결재	담 당	팀 장	사무국장	회 장

문서번호 :　　　회사명 : ○○　　작성일자 : 2024년 1월 2일

계정과목	적　　요	금　　액
회비수입	다림 입회비	1,000,000

출금전표

결재	담 당	팀 장	사무국장	회 장

문서번호 :　　　회사명 : ○○　　작성일자 : 2024년 1월 2일

계정과목	적　　요	금　　액
임차료	회의실 대관료	500,000

대체전표

결재	담 당	팀 장	사무국장	회 장

문서번호 :　　　회사명 : ○○　　작성일자 : 2024년 1월 2일

계정과목	차변금액	계정과목	대변금액
사무용품비	50,000	미지급금	50,000
적　　요	사무용품 법인카드 구입		

4) 계정별 원장의 기입

① 자산계정 : 자산의 증가는 차변, 감소는 대변에 기입한다.

② 부채계정 : 부채의 증가는 대변, 감소는 차변에 기입한다.

③ 자본계정 : 자본의 증가는 대변, 감소는 차변에 기입한다.

④ 수익계정 : 수익의 발생은 대변에 기입한다.

⑤ 비용계정 : 비용의 발생은 차변에 기입한다.

보통예금		미지급금	
1/2 회비수입	1/2 임차료		1/2 사무용품비
1,000,000	500,000		50,000

회비수입		임차료	
	1/2 보통예금	1/2 보통예금	
	1,000,000	500,000	

사무용품비	
1/2 미지급금	
50,000	

5) 총계정원장의 마감

각 계정별 원장마다 차변과 대변의 합계액을 계산하여 기재한다.

● 재무제표의 작성

"이러한 회계 처리 과정을 거쳐 재무제표가 작성됩니다. 이러한 재무제표는 회계기준에 따라 차이가 있는데 비영리조직회계기준에서는 재무상태표, 운영성과표, 현금흐름표, 주석으로 구성되며, 공익법인회계기준의 경우 재무상태표, 운영성과표, 주석으로 구성되어 현금흐름표가 빠져 있습니다."

<각 회계기준에서 규정하는 재무제표의 종류>

비영리조직 회계기준	공익법인회 계기준	K-IFRS	일반기업회 계기준	중소기업회 계기준
재무상태표 운영성과표 현금흐름표 (또는 수지 계산서) 주석	재무상태표 운영성과표 주석	재무상태표 포괄손익계 산서 자본변동표 현금흐름표 주석	재무상태표 손익계산서 자본변동표 현금흐름표 주석	재무상태표 손익계산서 자 본 변 동 표 또는 이익잉 여금처분계산 서(결손금처 리계산서) 주석

● 재무상태표

(1) 재무상태표의 작성

일정 시점 법인의 재무상태를 나타내는 결산서를 재무상태표라고 한다. 재무상태표는 회계연도 말 현재 법인의 자산, 부채 및 순자산을 표시함으로써 법인이 정관상 목적사업을 지속적으로 수행할 수 있는 능력과 법인의 유동성 및 재무 건전성을 확인할 수 있는 정보를 제공함을 목적으로 한다. 재무상태표는 표를 좌우로 나누어 왼쪽에 자산을 기입하고, 오른쪽에 부채와 순자산을 기입한다. 이러한 작성방식은 거래의 이중성에 기인한다. 거래의 이중성이란 거래가 발생하면 재무제표의 두 가지 구성요소에 영향을 미치는 속성을 의미한다. 위 거래와 같이 회비수입이 발생하게 되면 보통예금이라는 자산이 증가하면서 순자산에 해당하는 이익잉여금이 증가하게 되며, 임차료가 나가게 되면 보통예금이라는 자산이 감소하면서 순자산에 해당하는 이익잉여금이 감소하게 되는 것이다. 또한, 재무상태표는 단순이 일정 시점의 자산과 부채, 순자산을 좌우로 열거해 놓은 표가 아니다. 이 안에는 많은 정보가 숨겨져 있다. 재무상태표는 예금을 포함한 현금을 어디서 조달해 어디에 사용하는지를 나타낸다. 재무상태표의 회계등식은 다음과 같다.

자산 = 부채 + 순자산

←차변(자원의 보유 형태) → ←대변(자원의 조달 원천)→

자산			부채 및 자본	
유동 자산	당좌자산	부채	유동부채	
			비유동부채	
	재고자산		고유목적사업준비금	
비유동 자산	투자자산	순자산	기본순자산	
	유형자산		보통순자산	
	무형자산			
	기타비유동자산		순자산조정	

(2) 구성요소의 정의

　자산이란 과거의 거래나 사건의 결과로 현재 공익법인에 의해 지배되고 미래에 경제적 효익을 창출할 것으로 예상되는 자원을 말하며, 부채란 과거의 거래나 사건의 결과로 현재 공익법인이 부담하고 있고 미래에 자원이 유출되거나 사용될 것으로 예상되는 의무를 말한다. 그리고 순자산이란 공익법인의 자산 총액에서 부채 총액을 차감한 잔여 금액을 말한다. 재무상태표 구성요소의 정의는 다음과 같다.

1) 자산

① 유동자산

　유동자산은 회계연도 말부터 1년 이내에 현금화되거나 실현될 것으로 예상되는 자산을 말하며, 유동자산에는 현금 및 현금성자산, 단기투자자산, 매출채권, 선급비용, 미수수익, 미수금, 선급금 및 재고자산 등이 있다.

㉠ 당좌자산

판매과정을 거치지 않고 즉시 현금화가 가능한 자산으로 현금 및 현금성자산, 단기투자자산, 매출채권, 선급비용, 미수수익, 미수금, 선급금 등이 포함되며, 매출채권, 미수금 등에 대한 대손충당금은 해당 자산에서 차감하는 형식으로 재무상태표에 표시한다.

㉡ 재고자산

통상적인 사업과정에서 판매하기 위하여 보유하거나 생산과정에 있는 자산과 생산이나 용역 제공 과정에 투입될 자산으로 상품, 제품, 재공품, 원재료와 저장품 등이 포함되며, 재고자산평가충당금은 재고자산 각 항목에서 차감하는 형식으로 재무상태표에 표시한다.

② 비유동자산

유동자산 이외의 자산을 말하며, 비유동자산에는 투자자산, 유형자산, 무형자산 및 기타비유동자산이 있다.

㉠ 투자자산

장기적인 투자 등과 같은 활동의 결과로 보유하는 자산으로 장기성예금, 투자유가증권, 장기대여금 등이 포함되며, 투자유가증권은 국공채, 회사채, 수익증권, 주식으로 구분하여 재무상태표 본문에 표시하거나 주석으로 기재한다.

ⓛ 유형자산

재화를 생산하거나 용역을 제공하기 위하여, 또는 타인에게 임대하거나 직접 사용하기 위하여 보유한 물리적 형체가 있는 자산으로 1년을 초과하여 사용할 것으로 예상되는 토지, 건물, 구축물, 기계장치, 차량운반구, 건설중인 자산 등이 포함되며, 유형자산의 감가상각누계액과 손상차손누계액은 유형자산 각 항목에서 차감하는 형식으로 재무상태표에 표시한다. 유형자산을 폐기하거나 처분하는 경우에 그 자산을 재무상태표에서 제거하고 처분금액과 장부금액의 차액을 유형자산처분손익으로 인식한다.

ⓒ 무형자산

재화를 생산하거나 용역을 제공하기 위하여, 또는 타인에게 임대하거나 직접 사용하기 위하여 보유한 물리적 형체가 없는 비화폐성자산으로 지식재산권, 개발비, 컴퓨터소프트웨어, 임차권 등이 포함되며, 무형자산은 상각누계액과 손상차손누계액을 취득원가에서 직접 차감한 잔액으로 재무상태표에 표시한다. 무형자산을 처분하는 경우에 그 자산을 재무상태표에서 제거하고 처분금액과 장부금액의 차액을 무형자산처분손익으로 인식한다.

ㄹ 기타유동자산

투자자산, 유형자산, 무형자산에 속하지 않는 비유동자산으로 임차보증금, 장기선급비용, 장기미수금 등이 포함된다.

Tip 자산의 유동성과 비유동성 구분

다음과 같은 자산은 유동자산으로 분류한다.
① 사용의 제한이 없는 현금 및 현금성자산
② 기업의 정상적인 영업주기 내에 실현될 것으로 예상되거나 판매목적 또는 소비목적으로 보유하고 있는 자산
③ 단기매매 목적으로 보유하는 자산
④ ① 내지 ③ 외에 보고기간 종료일로부터 1년 이내에 현금화 또는 실현될 것으로 예상되는 자산

그 밖의 모든 자산은 비유동자산으로 분류한다. 자산은 1년을 기준으로 유동자산과 비유동자산으로 분류한다. 다만, 정상적인 영업주기 내에 판매되거나 사용되는 재고자산과 회수되는 매출채권 등은 보고기간 종료일로부터 1년 이내에 실현되지 않더라도 유동자산으로 분류한다. 이 경우 유동자산으로 분류한 금액 중 1년 이내에 실현되지 않을 금액을 주석으로 기재한다. 또, 장기미수금이나 투자자산에 속하는 매도가능증권 또는 만기보유증권 등의 비유동자산 중 1년 이내에 실현되는 부분은 유동자산으로 분류한다.

2) 부채

① 유동부채

회계연도 말부터 1년 이내에 상환 등으로 소멸할 것으로 예상되는 부채를 말하며, 단기차입금, 매입채무, 미지급비용, 미지급금, 선수금, 선수수익, 예수금, 유동성장기부채 등이 포함된다.

② 비유동부채

유동부채를 제외한 모든 부채를 말하며, 고유목적사업준비금을 부채로 인식하는 경우에는 유동부채와 고유목적사업준비금을 제외한 모든 부채를 말한다. 비유동부채에는 장기차입금, 임대보증금, 퇴직급여충당부채 등이 포함되며, 확정급여형퇴직연금제도와 관련하여 별도로 운용되는 자산은 하나로 통합하여 퇴직연금운용자산으로 표시하고, 퇴직급여충당부채에서 차감하는 형식으로 재무상태표에 표시한다. 퇴직연금운용자산의 구성내역은 주석으로 기재한다.

Tip 부채의 유동성과 비유동성 구분

다음과 같은 부채는 유동부채로 분류한다.

① 기업의 정상적인 영업주기 내에 상환 등을 통하여 소멸할 것이 예상되는 매입채무와 미지급비용 등의 부채

② 보고기간 종료일로부터 1년 이내에 상환되어야 하는 단기차입금 등의 부채

③ 보고기간 후 1년 이상 결제를 연기할 수 있는 무조건의 권리를 가지

고 있지 않은 부채. 이 경우 계약상대방의 선택에 따라, 지분상품의 발행으로 결제할 수 있는 부채의 조건은 그 분류에 영향을 미치지 아니한다.

그 밖의 모든 부채는 비유동부채로 분류한다. 부채는 1년을 기준으로 유동부채와 비유동부채로 분류한다. 다만, 정상적인 영업주기 내에 소멸할 것으로 예상되는 매입채무와 미지급비용 등은 보고기간 종료일로부터 1년 이내에 결제되지 않더라도 유동부채로 분류한다. 이 경우 유동부채로 분류한 금액 중 1년 이내에 결제되지 않을 금액을 주석으로 기재한다. 당좌차월, 단기차입금 및 유동성장기차입금 등은 보고기간 종료일로부터 1년 이내에 결제되어야 하므로 영업주기와 관계없이 유동부채로 분류한다. 또한 비유동부채 중 보고기간 종료일로부터 1년 이내에 자원의 유출이 예상되는 부분은 유동부채로 분류한다.

③ 고유목적사업준비금

고유목적사업준비금이란 법인세법 제29조에 따라 고유목적 사업이나 지정기부금에 사용하기 위해 미리 비용으로 계상하면서 동일한 금액으로 인식한 부채계정으로, 유동부채와 비유동부채로 구분하지 않고 별도로 표시한다. 고유목적사업준비금은 원칙적으로 결산서에 부채로 인식하는 경우에 한하여 적용하며, 비영리조직회계기준에서는 고유목적사업준비금을 인정하지 않으므로 주식회사의 외부감사에 관한 법률 제3조의 규정에 의한 감사인의 회계감사를 받는 경우에는 그 금액 상당액을 해당 사업연도의 이익처분에 의한 준비금으로 적립할 수 있다.

3) 자본(순자산)

① 기본순자산(제약있는순자산)

사용이나 처분에 영구적 제약이 있는 순자산으로 영구적 제약이란 법령, 정관 등에 의해 사용이나 처분시 주무관청 등의 허가가 필요한 경우를 말하며, 기본재산 등이 포함된다.

② 보통순자산(제약있는순자산 or 제약없는순자산)

기본순자산이나 순자산조정이 아닌 순자산으로 잉여금과 적립금으로 구분하고 적립금은 미래 특정 용도로 사용하기 위하여 적립해두는 준비금이나 임의적립금 등이 해당한다.

③ 순자산조정(사업외수익 or 제약있는순자산)

순자산 가감성격의 항목으로서 매도가능증권평가손익(투자자산평가이익), 유형자산재평가이익 등이 포함된다. 다만, 비영리조직회계기준에서는 투자자산평가이익과 유형자산재평가이익을 사업외수익에 포함하며, 이러한 평가이익으로 인해 제약있는순자산의 금액이 변경되는 경우에는 제약있는순자산의 증가로 인식한다.

Tip 비영리조직회계기준

비영리조직회계기준은 공익법인회계기준과 달리 순자산을 제약없는순자산과 제약있는순자산으로 구분하고 있다.

제21조(제약없는순자산) '제약없는순자산'이란 기부자(보조금을 제공

하는 정부 등을 포함한다. 이하 같다)나 법령에 의해 사용이나 처분이 제약되지 않은 순자산을 말한다.

제22조(제약있는순자산) '제약있는순자산'이란 기부자나 법령에 의해 사용이나 처분이 제약된 순자산을 말한다. 기부자나 법령에 의해 사용이나 처분이 제약되는 경우는 다음과 같다.

1. 특정 비용을 집행하는 데에만 사용하거나, 투자자산에 투자하여 특정 기간 보유하거나, 경제적 내용연수가 유한한 유형자산을 취득하여 그 내용연수에 걸쳐 보유하거나 사용해야 하는 경우 등(즉, 일시제약이 있는 경우). 이 경우에 기부자나 법령에 의해 명시된 용도로 사용하거나 일정 기간이 경과하면 제약이 소멸된다.

2. 토지를 취득하여 영구적으로 보유하여 특정 목적에 사용하거나, 투자자산에 투자하여 영구적으로 보유하여야 하는 경우 등(즉, 영구제약이 있는 경우)

제23조(구분된 순자산의 명칭, 순서 및 세분) ① 관행과 여건을 고려할 때 필요하다고 판단하는 경우에는 제약없는순자산, 제약있는순자산 대신에 다른 명칭을 사용할 수 있다. 이 경우에는 각 명칭별로 제약의 유무와 성격에 관한 설명을 주석으로 기재한다.

② 구분된 순자산은 제약없는순자산, 제약있는순자산의 순으로 배열한다. 다만, 관행과 여건을 고려할 때 필요하다고 판단하는 경우에는 그 반대의 순서로 배열할 수도 있다.

③ 제1항과 제2항에 따라 구분된 순자산은 더 세분하여 그 정보를 재무상태표 본문에 표시하거나 주석으로 기재할 수 있다. 예를 들어, 다음 각 호와 같이 할 수 있다.

1. 제약있는순자산을 일시제약순자산과 영구제약순자산으로 구분하여 재무상태표 본문에 표시하거나 주석으로 기재할 수 있다. 이 경우에는 제1항을 준용하여 다른 명칭을 사용할 수 있다.

2. 비영리조직의 의사결정기구가 자율적으로 제약하는 순자산에 관한 정보를 제약없는순자산 내에서 추가로 구분하여 재무상태표 본문에 표시하거나 주석으로 기재할 수 있다.

자산은 해당 항목에서 발생하는 미래경제적 효익이 공익법인에 유입될 가능성이 매우 높고, 그 원가를 신뢰성 있게 측정할 수 있는 경우에 재무상태표에 인식하며, 부채는 해당 의무를 이행하기 위하여 경제적 자원이 유출될 가능성이 매우 높고, 의무의 이행에 소요되는 금액을 신뢰성 있게 측정할 수 있는 경우에 재무상태표에 인식한다.

"재무상태표의 오른쪽은 자금의 조달원천입니다. 사업에 필요한 자본이 되는 현금을 자금이라고 하는데, 이는 자기자본과 타인자본으로 나눌 수 있습니다. 거래처나 금융기관에서 조달한 자금은 타인자본입니다. 또 법인의 출연자가 기부한 출연금과 법인이 벌어들인 자금(이익잉여금)은 자기자본입니다. 재무상태표의 왼쪽은 조달한 현금의 사용용도를 나타내는데, 현금계정은 다양한 원천에서 조달한 현금이 뒤섞인 잔액입니다. 유동자산은 현금이 일시적으로 형태를 바꾼 모습입니다. 다시 말해 현금이 재료 → 제품 → 외상매출금으로 형태를 바꾸었다가 이전보다 큰 현금으로 되돌아오기 전까지의 모습입니다. 일단 현금이 유형자산 등으로 형태를 바꾸면, 원래의 현금으로 되돌아오는 데는 오랜 기간이 걸립니다. 유형자산 등의 구입에 사용된 현금은 감가상각[1]을 통해 내용연수(유형고정자산의 효용이 지속되는 기간)를 거쳐 회수됩니다.

"재무상태표는 이렇게 일정 시점 회사의 재무상태를 보여 주는군요."
강보리

"그렇습니다. 그리고 또 한 가지 현금의 조달과 사용 용도는 그 성질에 맞게 합리적으로 균형을 잡는 것이 중요합니다. 예를 들어 기계설비는 장기간에 걸쳐 현금을 벌어들이기 위해 구입하는 것이기 때문에 자기자금을 사용하는 것이 좋습니다. 만약 자금이 부족한 경우에는 기본적으로 장기차입금을 사용하는 것이 좋습니다. 이 경우 기계장치의 사용기간과 차입기간을 일치시키는 것이 중요합니다. 만약 단기차입금으로 기계장치를 구입한다면 이듬해 차입금을 상환해야 하지만 이 기계장치는 아직도 충분한 현금을 벌어들이지 못했기 때문에, 자금부족으로 또다시 차입이 필요하기 때문입니다."

● 운영성과표

(1) 운영성과표의 작성

---

[1] 사용 또는 시간의 경과에 따라 소모되는 유형자산 등의 가치를 추정해 내용연수로 할당하여 비용으로 배분하는 회계 절차

일정기간 법인의 경영성과를 나타내는 결산서를 운영성과표라고 한다. 운영성과표는 해당 회계연도 순자산의 변화를 초래하는 거래와 사건에 따른 모든 수익과 비용을 표시함으로써 공익법인의 사업 수행성과, 관리자의 책임 수행 정도 등의 유용한 정보를 제공하는 것을 목적으로 한다. 운영성과표는 법인 전체를 하나의 작성단위로 보아 통합하여 작성하되 비영리조직의 특성과 필요에 따라 운영성과표에 고유목적사업부문과 수익사업부문(기타사업부문)별로 열을 구분하고, 수익과 비용의 금액을 각 열에 배분하는 방식으로 표시할 수 있다.

운영성과표에는 그 회계연도에 속하는 모든 수익 및 비용과 그 밖의 순자산 증감을 적정하게 표시하여야 한다. 운영성과표는 모든 수익, 비용, 그 밖의 순자산 증감은 발생한 회계연도에 배분되도록 회계처리하며, 이 경우에 발생원가가 자산으로 인식되는 경우를 제외하고는 비용으로 인식한다. 그리고 수익, 비용, 그 밖의 순자산 증감은 그 발생 원천에 따라 명확하게 분류하고, 수익, 비용, 그 밖의 순자산 증감은 총액으로 표시한다. 운영성과표의 회계등식은 다음과 같다.

이익(손실) = 수익 - 비용

공익법인회계기준	비영리조직회계기준
사업수익	사업수익
(−) 사업비용	(−) 사업비용
사업이익(손실)	
(+) 사업외 수익	
(−) 사업외 비용	사업이익
(−) 고유목적사업준비금 전입액	(+) 사업외 수익
(+) 고유목적사업준비금 환입액	(−) 사업외 비용
법인세비용 차감전 당기운영이익(손실)	(−) 법인세 비용
(−) 법인세 비용	
당기운영이익(손실)	제약없는순자산의 증가(감소) or 당기순이익(손실)
	(±) 제약있는순자산의 증가(감소)
	순자산의 증가(감소)
	(+) 기초순자산
	기말순자산

(2) 구성요소의 정의

1) 사업수익

사업수익은 고유목적사업과 그에 부수되는 수익사업의 결과 경상적으로 발생하는 자산의 증가 또는 부채의 감소를 말한다. 사업수익은 고유(공익)목적사업수익과 수익(기타)사업수익으로 구분하여 표시하며, 고유목적사업수익은 법인의 특성을 반영하여 기부금수익, 보조금수익, 회비수익, 등록금수익 등으로 구분하여 표시한다. 수익사업수익은 더 상세하게 구분할 필요는 없지만 법인이 필요하다고 판단하는 경우에는 그 구분정보를 운영성과표 본문에 표시하거나 주석으로 기재할 수 있다. 그리고 투자자산에서 발생하는 이자수익, 배당수익과 처분이익이 고유목적사업활동의 주된 원천이 되는 경우에는 사업수익에 포함한다. 다만, 비영리조직회계기준에서는 이자수익, 배당수익과 처분이익으로 인해 제약있는순자산의 금액이 변경되는 경우에는 제약있는순자산의 증가로 인식한다.

구분	공익법인회계기준	비영리조직회계기준
사업수익	공익목적사업수익	고유목적사업수익
	기타사업수익	수익사업수익

① 고유(공익)목적사업수익

㉠ 기부금수익

현금이나 현물을 기부 받을 때에는 실제 기부를 받는 시점에 수익으로 인식한다. 현물을 기부 받을 때에는 수익금액을 공정가치2)로 측정한다. 기부금이 기부자가 기부금의 사용에 제약을 가한 경우에 해당하는 경우 사업수익으로 인식하지 않

---

2) 합리적인 판단력과 거래 의사가 있는 독립된 당사자 사이의 거래에서 자산이 교환되거나 부채가 결제될 수 있는 금액을 말한다

고 기본순자산(제약있는순자산)으로 인식한다.

ⓛ 보조금수익

보조금에 제약이 없는 경우에 해당 보조금은 사업수익으로 인식한다. 보조금의 사용이나 처분에 영구적 제약이 있는 경우에는 기본순자산(제약있는순자산)으로 일시적인 제약으로 미래 특정 용도로 사용하기 위하여 적립하는 경우 보통순자산(제약있는순자산)으로 인식한다.

ⓒ 회비수익

납부가 강제되지 않는 회비는 실제 회비를 받는 시점에 수익으로 인식하며, 납부가 강제되는 회비에 대해서는 발생주의에 따라 회수가 확실해지는 시점에 수익을 인식할 수 있다.

② 수익(기타)사업수익

수익사업수익은 더 상세하게 구분하여 표시할 것이 요구되지 않지만 법인이 필요하다고 판단하는 경우에는 그 구분정보를 운영성과표 본문에 표시하거나 주석으로 기재할 수 있다. 다만, 비영리조직회계기준에서는 그 구분정보를 주석으로 기재할 수 있도록 하고 있다.

2) 사업비용

사업비용은 고유목적사업과 그에 부수되는 수익사업의 결

과 경상적으로 발생하는 자산의 감소 또는 부채의 증가를 말한다. 사업비용은 고유(공익)목적사업비용과 수익(기타)사업비용으로 구분하여 표시하며, 고유목적사업비용은 활동의 성격에 따라 다음 각 호와 같이 사업수행비용, 일반관리비용, 모금비용으로 구분하여 표시한다.

구분	공익법인회계기준			비영리조직회계기준	
사업비용	공익목적사업비용	사업수행비용	분배비용	고유목적사업비용	사업수행비용	인력비용
			인력비용		
			시설비용		시설비용
			기타비용		
		일반관리비용	분배비용		기타비용 (분배비용)
			인력비용		
			시설비용	일반관리비용(모금비용)	인력비용
			기타비용		
		모금비용	분배비용		시설비용
			인력비용		
			시설비용		기타비용 (분배비용)
			기타비용		
	기타사업비용		인력비용	수익사업비용	
			시설비용		
			기타비용		

① 고유(공익)목적사업비용

㉠ 사업수행비용

법인이 추구하는 본연의 임무나 목적을 달성하기 위해 수혜자, 고객, 회원 등에게 재화나 용역을 제공하는 활동에서 발생하는 비용을 말한다. 사업수행비용은 세부사업별로 추가 구분한 정보를 운영성과표 본문에 표시하거나 주석으로 기재할 수 있다.

㉡ 일반관리비용

기획, 인사, 재무, 감독 등 제반 관리활동에서 발생하는 비용을 말한다.

㉢ 모금비용

모금 홍보, 모금 행사, 기부자 리스트 관리, 모금 고지서 발송 등의 모금활동에서 발생하는 비용을 말한다. 다만, 비영리조직회계기준에서는 모금비용을 일반관리비용으로 포함시키고 있으며, 중요한 경우에는 일반관리비용과 별도로 구분하여 표시할 수 있도록 하고 있다.

사업수행비용, 일반관리비용, 모금비용에 대해서는 각각 분배비용, 인력비용, 시설비용, 기타비용으로 구분하여 분석한 정보를 운영성과표 본문에 표시하거나 주석으로 기재한다. 다만, 법인이 필요하다고 판단하는 경우에는 더 세분화된 정보를 운영성과표 본문에 표시하거나 주석으로 기재할 수 있다.

ⓐ 분배비용

법인이 수혜자 또는 수혜단체에 직접 지급하는 비용으로 사회복지기관이 저소득층, 노인, 장애인 등 수혜자들에게 지급하는 지원금, 학술장학기관이 저소득층 학생 등 수혜자들에게 지급하는 장학금, 의료기관이 지출하는 재료비 등을 포함한다. 다만, 비영리조직회계기준에서는 기타비용에 포함시키고 있으며, 법인 특성에 따라 금액이 중요한 항목은 별도로 구분하여 운영성과표 본문에 표시하거나 주석으로 기재하도록 하고 있다.

ⓑ 인력비용

법인에 고용된 인력과 관련된 비용으로서 급여, 상여금, 퇴직급여, 복리후생비, 교육훈련비 등을 포함한다.

ⓒ 시설비용

법인의 운영에 사용되는 토지, 건물, 구축물, 차량운반구 등 시설과 관련된 비용으로서 감가상각비, 지급임차료, 시설보험료, 시설유지관리비 등을 포함한다.

ⓓ 기타비용

분배비용, 인력비용, 시설비용 외의 비용으로서 여비교통비, 소모품비, 수도광열비, 제세공과금, 지급수수료, 용역비, 업무추진비, 회의비, 대손상각비 등을 포함한다. 이 경우 각

법인의 특성에 따라 금액이 중요한 기타비용 항목은 별도로
구분하여 운영성과표 본문에 표시하거나 주석으로 기재한다.

② 수익(기타)사업비용

　수익사업비용은 더 상세하게 구분하여 표시할 것이 요구되
지는 않지만 수익사업비용을 인력비용, 시설비용, 기타비용으
로 구분하여 분석한 정보 및 그 외 법인이 필요하다고 판단하
는 구분정보(매출원가, 판매비와관리비 등)에 대해서는 운영
성과표 본문에 표시하거나 주석으로 기재할 수 있다. 다만, 비
영리조직회계기준에서는 수익사업비용을 인력비용, 시설비용,
기타비용으로 구분하여 분석한 정보 및 필요하다고 판단하는
구분정보에 대해서는 주석으로 기재하도록 하고 있다.

3) 사업외수익

　사업외수익은 사업수익이 아닌 수익 또는 차익으로서 이자
수익, 배당수익, 유형·무형자산처분이익, 유형·무형자산손상차
손환입, 전기오류수정이익 등을 포함하며, 투자자산에서 발생
하는 이자수익, 배당수익과 처분이익이 고유목적사업활동의
주된 원천이 되는 경우에는 사업수익에 포함된다. 다만, 비영
리조직회계기준에서는 투자자산에서 발생하는 이자수익, 배당
수익과 처분이익으로 인해 제약있는순자산의 금액이 변경되는
경우에는 제약있는순자산의 증가로 인식한다. 또한 공익법인

회계기준에서 순자산조정에 해당하는 투자자산평가이익, 유형자산재평가이익을 비영리조직회계기준에서는 사업외수익에 포함하며, 이러한 평가이익으로 인해 제약있는순자산의 금액이 변경되는 경우에는 제약있는순자산의 증가로 인식한다. 그리고 투자자산에서 발생하는 평가이익이 고유목적사업활동의 주된 원천이 되는 경우에는 사업수익에 포함된다.

구분	공익법인회계기준		비영리조직회계기준	
이 자 수 익, 배당 수익, 처 분이익	일반	사업외수익	일반	사업외수익
	고유목적사 업 활 동 의 주된 원천	사업수익	고유목적사업활 동의 주된 원천	사업수익
			제약있는순자산 변경	제약있는순 자산
투 자 자 산 평 가 이익	순자산조정		일반	사업외수익
			고유목적사업활 동의 주된 원천	사업수익
			제약있는순자산 변경	제약있는순 자산
유 형 자 산 재 평 가이익	일반	순자산조정	일반	사업외수익
	예외3)	사업외수익	제약있는순자산 변경	제약있는순 자산

---

3) 동일한 유형자산에 대하여 이전에 운영성과표에 사업외비용으로 인식한 재평가 감소액이 있다면 그 금액을 한도로 재평가증가액만큼 운영성과표에 사업외수익 으로 인식

4) 사업외비용

사업외비용은 사업비용이 아닌 비용 또는 차손으로서 이자비용, 유형·무형자산처분손실, 유형·무형자산손상차손, 유형자산재평가손실, 기타의 대손상각비, 전기오류수정손실 등을 포함한다. 다만, 비영리조직회계기준에서는 투자자산에서 발생하는 처분손실이 고유목적사업활동의 주된 원천이 되는 경우에는 사업비용에 포함하며, 이러한 처분손실로 인해 제약있는순자산의 금액이 변경되는 경우에는 제약있는순자산의 감소로 인식한다. 또한 공익법인회계기준에서 순자산조정에 해당하는 투자자산평가손실을 비영리조직회계기준에서는 사업외비용에 포함하며, 투자자산에서 발생하는 평가손실이 고유목적사업활동의 주된 원천이 되는 경우에는 사업비용에 포함된다. 그리고 투자자산평가손실 및 유형재산평가손실로 인해 제약있는순자산의 금액이 변경되는 경우에는 제약있는순자산의 감소로 인식한다.

구분	공익법인회계기준		비영리조직회계기준	
처분 손실	일반	사업외비용	일반	사업외비용
			고유목적사업활동의 주된 원천	사업비용
			제약있는순자산 변경	제약있는순자산

구분	공익법인회계기준		비영리조직회계기준	
투자자산평가손실	순자산조정		일반	사업외비용
			고유목적사업활동의 주된 원천	사업비용
			제약있는순자산 변경	제약있는순자산
유형자산재평가손실	일반	사업외비용	일반	사업외비용
	예외4)	순자산조정	제약있는순자산 변경	제약있는순자산

5) 공통수익 및 비용의 배분

　수익과 비용항목이 복수의 활동에 관련되는 경우에는 해당 수익과 비용의 성격에 따라 투입한 업무시간, 관련 시설면적, 사용빈도 등 합리적인 배분기준에 따라 활동 간에 일관되게 적용하여야 한다. 실무적으로 공통수익이 발생하는 경우는 많지 않겠지만 공통비용은 수익사업을 영위하는 경우라면 발생할 수 있다. 이 경우 인력비용은 해당 인력이 각 활동별로 투입한 업무시간에 기초하여 배분하며, 시설비용은 각 활동별로 관련되는 시설 면적이나 사용빈도를 직접적으로 구분할 수 있다면 그 면적과 사용빈도기준에 따라 배분한다. 그리고 직접적으로 구분할 수 없다면 다른 적절한 배분기준을 수립하여

---

4) 동일한 유형자산의 재평가로 인해 인식한 순자산조정의 잔액이 있다면 그 금액을 한도로 재평가감소액을 순자산조정에서 차감

적용하고 기타비용은 각 활동별 인력비용이나 시설비용에 대체로 비례하는 항목들은 그 기준에 따라 배분하며, 그 밖에는 다른 적절한 배분기준을 수립하여 적용할 수 있다.

6) 고유목적사업준비금 전입액과 환입액

① 고유목적사업준비금전입액

법인이 법인세법에 따라 수익사업부문에서 발생한 소득 중 일부를 고유목적사업부문이나 지정기부금에 지출하기 위하여 적립한 금액을 말한다. 이에 상응하여 동일한 금액을 부채에 고유목적사업준비금이라는 과목으로 인식한다.

② 고유목적사업준비금환입액

고유목적사업준비금이 법인세법에 따라 수익사업부문에서 고유목적사업부문에 전출되어 목적사업에 사용되었거나 미사용되어 임의 환입된 금액을 말한다. 고유목적사업준비금은 원칙적으로 결산서에 계상한 경우 인정되나 비영리조직회계기준에서는 고유목적사업준비금을 인정하지 않으므로 주식회사의 외부감사에 관한 법률 제3조의 규정에 의한 감사인의 회계감사를 받는 경우에는 그 금액상당액을 해당 사업연도의 이익처분으로 할 수 있다.

7) 법인세비용

법인이 법인세를 부담하는 경우에는 일반기업회계기준 제 22장 법인세회계와 제31장 중소기업 회계처리 특례의 법인세 회계처리를 고려하여 회계정책을 개발하여 회계처리 한다.

Tip 비영리조직회계기준

비영리조직회계기준은 공익법인회계기준과 달리 당기운영이익(손실) 을 제약없는순자산의 증가(감소)로 표시하며, 제약있는순자산의 증가 (감소)도 운영성과표에 표시하고 있다.

제34조(제약없는순자산의 증가(감소)) ① 제약없는순자산의 증가(감소)는 다음 제1호에서 제2호를 차감하여 계산한다.

1. 사업수익, 사업외수익을 합한 수익 합계금액
2. 사업비용, 사업외비용을 합한 비용 합계금액

② 관행과 여건을 고려할 때 필요하다고 판단하는 경우에는 제약없는순자산의 증가(감소) 대신 '당기순이익(손실)'이라는 명칭을 사용할 수 있다.

제35조(제약있는순자산의 증가(감소)) 제약있는순자산의 증가(감소)는 사용이나 처분에 제약이 있는 기부금수익, 투자자산 이자수익·배당수익, 투자자산 평가손익·처분손익, 유형자산재평가손익과 제약해제순자산 등을 포함한다. 제약있는순자산에 대한 제약이 사업수행에 따라 해제되거나 시간경과에 따라 해제되는 경우에는 이를 제약있는순자산에서 차감하고 같은 금액을 그 성격에 따라 당해연도 사업수익이나 사업외수익으로 인식하며, 그 제약해제순자산의 내용과 금액, 사업수익이나 사업외수익의 항목 중 어디에 표시했는지를 주석으로 기재한다.

제36조(순자산의 증가(감소)) 제약없는순자산의 증가(감소)와 제약있는순자산의 증가(감소)를 합하여 순자산의 증가(감소)로 표시한다.

(3) 운영성과표의 활용

운영성과표는 수익과 비용을 비교해 이익(손실)으로 나타낸다. 사람이 1년에 한 살을 먹는 것처럼 법인도 1년을 단위로 업적을 계산한다. 하지만 하루가 다르게 급변하는 시대에 1년은 너무 길 수 있다. 이런 경우 반기 또는 분기 단위로 결산을 하도록 요구하며, 관리회계에서는 보통 1개월마다 월별 결산을 한다. 수익과 비용은 모두 성질이 다른 몇 개의 그룹으로 구성되어 있다. 따라서 어느 수익과 비용을 비교하느냐에 따라 차액의 결과인 이익(손실)의 종류도 달라진다. 주된 사업의 수입에서 발생한 비용과 일반관리비용을 차감한 값이 사업이익(손실)이다. 예를 들어 100만원을 기부 받아 고유목적사업에 50만원을 사용하였다면 사업이익은 50만원이며, 이는 사업활동을 통한 사업 수행성과를 나타낸다. 또한 사업을 하려면 재무적인 기반이 필수적이다. 금전적인 여유가 있으면 예금이나 주식 등에 투자할 수 있지만, 반대로 부족하면 은행에서 돈을 빌려야 한다. 사업이익(손실)에 이들 재무활동에서 발생한 사업외수익과 사업외비용을 가감한 값이 법인세비용 차감 전 당기운영이익(손실)이다. 이 법인세비용 차감 전 당기운영이익(손실)은 수익과 비용의 범위를 사업활동과 재무활동까지 넓힌 경우의 이익(손실)으로 회사의 현실적인 실적을 반영한 것이다. 만약 사업이익이 있는 경우에도 재무적인 기반이 약한 경우에는 법인세비용 차감전 당기운영손실이 발생할 수 있기 때문이다. 여기에 법인세비용을 뺀 값이 당기운영이익(손실)으로 1년간의 최종적인 업적을 나타낸다.

현금흐름표

현금흐름표는 일정기간에 걸쳐 현금의 유입과 유출에 대한 정보를 제공하는 것으로 공익법인회계기준에서는 재무제표에 포함하지 않고 있으나 비영리조직회계기준에는 재무제표에 포함하고 있다. 예전에는 회계정보이용자에게 중요한 재무제표는 재무상태표와 운영성과표였다. 운영성과표상 당기운영이익이 클수록 재정이 건전할 것으로 판단하였지만 당기운영이익이 큰 법인이라도 자금경색으로 해당 사업을 운영하지 못하는 경우가 발생할 수 있으므로 현금흐름표는 재무상태표와 운영성과표를 보완하는 역할을 하고 있다. 이러한 현금흐름표는 비영리조직 전체를 하나의 재무제표 작성단위로 보아 작성한다. 다만, 비영리조직의 특성과 필요에 따라 현금흐름표에 고유목적사업부문과 수익사업부문별로 열을 구분하고, 현금흐름금액을 각 열에 배분하는 방식으로 표시할 수 있다. 비영리조직이 수지계산서를 작성하고 있는 경우에는 현금흐름표를 작성하지 않음에 따라 소실되는 정보의 양이 중요하지 않다면 수지계산서로 현금흐름표를 갈음할 수 있다. 이 경우에 수지계산서란 수입과 지출의 결과를 집계한 표를 말한다.

(1) 현금흐름표 작성기준

현금흐름표에는 그 회계연도에 속하는 현금의 유입과 유출 내용을 사업활동, 투자활동, 재무활동 현금흐름으로 구분하여 적정하게 표시하고, 이 세 가지 활동의 순현금흐름에 기초의 현금을 가산하여 기말의 현금을 산출한다.

(2) 현금흐름표 작성

1) 사업활동 현금흐름

사업활동은 투자활동이나 재무활동에 속하지 아니하는 모든 거래와 사건을 포함한다. 사업활동 현금흐름은 본업에서의 현금증감을 나타내며, 사업활동이 건전한 회사는 일반적으로 플러스 된다. 만약 사업활동 현금흐름이 적자가 지속되고 개선의 조짐이 보이지 않는다면, 법인은 자금에 어려움을 겪게 된다. 사업활동 현금유입에는 제약없는 기부금수입, 보조금수입, 회비수입, 등록금수입, 투자자산 수입, 공연수입, 수익사업수입 등이 포함되며, 사업활동 현금유출에는 인력비용 지출,

시설비용 지출, 기타비용 지출, 수익사업비용 지출 등이 포함된다. 사업활동 현금흐름은 직접법이나 간접법으로 표시한다.

① 직접법

직접법이란 현금을 수반하여 발생한 수익이나 비용 항목을 총액으로 표시하되, 현금유입액은 원천별로 현금유출액은 용도별로 분류하여 표시하는 방법을 말한다.

사업활동 현금흐름	사업활동 현금유입	제약없는 기부금 수입, 보조금 수입, 회비 수입, 등록금 수입, 투자자산 수입, 공연 수입, 환자진료 수입, 수익사업 수입 등
	사업활동 현금유출	인력비용 지출, 시설비용 지출, 기타비용 지출, 수익사업비용 지출 등
투자활동 현금흐름	투자활동 현금유입	투자자산·유형자산·무형자산의 처분 등
	투자활동 현금유출	투자자산·유형자산·무형자산의 취득 등
재무활동 현금흐름	재무활동 현금유입	제약 있는 기부금 수입, 단기차입금·장기차입금의 차입 등
	재무활동 현금유출	단기차입금·장기차입금의 상환 등
증감액	현금의 증가(감소)	당기의 순증감액

② 간접법

간접법이란 제약없는순자산의 증가(감소)[또는 당기순이익

(손실)]에 현금의 유출이 없는 비용 등을 가산하고 현금의 유입이 없는 수익 등을 차감하며, 사업활동으로 인한 자산·부채의 변동을 가산하거나 차감하여 표시하는 방법을 말한다. 여기서 현금의 유출이 없는 비용 등이란 현금의 유출이 없는 비용, 투자활동과 재무활동으로 인한 비용을 말하며, 현금의 유입이 없는 수익 등이란 현금의 유입이 없는 수익, 투자활동과 재무활동으로 인한 수익을 말한다. 그리고 사업활동으로 인한 자산·부채의 변동이란 사업활동과 관련하여 발생한 유동자산·유동부채의 증가나 감소를 말한다.

	제약이 없는 순자산의 증가(감소)	운영성과표에서 당기순이익(손실)이라는 명칭을 사용한 경우에는 이에 따른다.
사업활동 현금흐름	현금의 유출이 없는 비용 등의 가산	대손상각비, 감가상각비, 투자자산평가손실·처분손실, 유형자산처분손실·재평가손실 등
	현금의 유입이 없는 수익 등의 차감	제약해제순자산, 투자자산평가이익·처분이익, 유형자산처분이익·재평가이익 등
	사업활동으로 인한 자산·부채의 변동	매출채권·선급비용·미수수익·미수금·선급금의 감소(증가), 매입채무·미지급비용·미지급금·선수금·선수수익·예수금의 증가(감소) 등

투자활동 현금흐름	투자활동 현금유입	투자자산·유형자산·무형자산의 처분 등
	투자활동 현금유출	투자자산·유형자산·무형자산의 취득 등
재무활동 현금흐름	재무활동 현금유입	제약 있는 기부금 수입, 단기차입금·장기차입금의 차입 등
	재무활동 현금유출	단기차입금·장기차입금의 상환 등
증감액	현금의 증가(감소)	당기의 순증감액

2) 투자활동 현금흐름

투자활동이란 현금의 대여와 회수활동, 투자자산·유형자산·무형자산의 취득과 처분활동 등으로 투자자산의 구입이나 매각에 관계되는 현금의 수입과 지출을 투자활동 현금흐름이라고 한다. 구체적으로는 건물, 토지의 취득과 매각, 투자목적으로 보유하는 주식의 매각 등을 말한다. 투자활동 현금유입에는 투자자산·유형자산·무형자산의 처분 등이 포함되며, 투자활동 현금유출에는 투자자산·유형자산·무형자산의 취득 등이 포함된다.

3) 재무활동 현금흐름

재무활동이란 현금의 차입 및 상환, 제약 있는 기부금 수입 등 부채와 제약있는순자산에 영향을 미치는 거래를 말하며, 은행 차입 등 사업의 기반을 지탱하기 위한 현금수지를 재무활동 현금흐름이라고 한다. 현금주의 경영의 입장에서 말하자면, 투자는 영업현금흐름의 범위 내로 한정해야 하나, 거액의 설비투자를 하거나 자회사를 매수할 경우에는 은행차입이나 증자로 부족분을 조달하게 된다. 재무활동 현금유입에는 제약 있는 기부금 수입, 단기차입금·장기차입금의 차입 등이 포함되며, 재무활동 현금유출에는 단기차입금·장기차입금의 상환 등이 포함된다.

● 자본변동표 또는 이익잉여금처분계산서

자본변동표 또는 이익잉여금처분계산서(결손금처리계산서)는 공익법인회계기준 및 비영리조직회계기준에서는 재무제표에 포함하고 있지 않으나 다른 회계기준에서는 재무제표에 포함되므로 간단하게 살펴보자.

1) 자본변동표

자본변동표는 자본의 크기와 그 변동에 관한 정보를 제공하는 재무보고서로서, 자본을 구성하고 있는 자본금, 이익잉여금, 기타자본요소의 각 항목별로 기초잔액, 변동사항 및 기말잔액을 표시하고 있다.

구 분	자본금	자본잉여금	자본조정	기타포괄손익누계액	이익잉여금	총 계
2024.1.1.	○○	○○	○○	○○	○○	○○
회계정책변경누적효과					(○○)	(○○)
전기오류수정					(○○)	(○○)
수정후 이익잉여금					○○	○○
연차배당					(○○)	(○○)
기타이익잉여금처분액			○○		(○○)	(○○)
처분후이익잉여금					○○	○○
중간배당					(○○)	(○○)
유상증자(감자)	○○	○○				○○
당기순이익(손실)					○○	○○
자기주식 취득			(○○)			(○○)
매도가능금융자산평가손익				(○○)		(○○)
2024.12.31.	○○	○○	○○	○○	○○	○○

2) 이익잉여금처분계산서 및 결손금처리계산서

① 이익잉여금처분계산서

이익잉여금처분계산서는 한 해 동안 벌어들인 이익을 어떻게 처분했는지에 대한 정보를 제공한다.

미처분이익잉여금	
전기이월미처분이익잉여금	→ 전기에서 넘어온 이익잉여금
당기순이익(손실)	→ 당기에 벌어들인 순이익(손실)

임의적립금등의 이입액	→ 부족 시 이전에 적립된 이익잉여금으로 보충
이익잉여금처분액 　이익준비금	→ 상법에 의하여 적립(현금배당액의 10% 이상)
기타법정적립금	→ 조세감면액을 조감법 등에 의해 적립 (재무구조개선적립금, 기업합리화적립금)
배당금	→ 현금배당, 주식배당
임의적립금	→ 시설적립금, 감채적립금 등 임의적립금
차기이월미처분이익잉여금	→ 차기로 넘어가는 이익잉여금

② 결손금처리계산서

결손금처리계산서는 당기순손실이 누적되어 미처리결손금이 발생한 경우 미처리결손금의 발생과 이익잉여금 또는 자본잉여금에 의한 결손보전내역을 표시한다.

미처리결손금 　전기이월미처분이익잉여금 (미처리결손금)	→ 전기에서 넘어온 이익잉여금(결손금)
당기순이익(손실)	→ 당기에 벌어들인 순이익(손실)
결손금처리액 　임의적립금이입액 　기타법정적립금이입액 　이익준비금이입액 　자본잉여금이입액	→ 부족 시 이전에 적립된 이익잉여금 및 자본잉여금으로 보충
차기이월미처리결손금	→ 차기로 넘어가는 결손금

● 주석

1) 주석의 정의

주석이란 재무제표 본문[재무상태표, 운영성과표, 현금흐름표(또는 수지계산서)를 말한다]의 전반적인 이해를 돕는 일반사항에 관한 정보, 재무제표 본문에 표시된 항목을 구체적으로 설명하거나 세분화하는 정보, 재무제표 본문에 표시할 수 없는 회계사건 및 그 밖의 사항으로 재무제표에 중요한 영향을 미치거나 재무제표의 이해를 위하여 필요하다고 판단되는 정보를 추가하여 기재하는 것을 말한다.

2) 필수적 주석기재사항

법인은 이 기준의 다른 조항에서 주석으로 기재할 것을 요구하거나 허용하는 사항 외에 다음 각 호의 사항을 주석으로 기재한다.

구 분	주석기재사항
공 통	① 법인의 개황 및 주요사업 내용 ② 법인이 채택한 회계정책(자산·부채의 평가기준 및 수익과 비용의 인식기준을 포함한다) ③ 사용이 제한된 현금 및 현금성자산의 내용 ④ 차입금 등 현금 등으로 상환하여야 하는 부채의 주요 내용

구 분	주석기재사항
공 통	⑤ 현물기부의 내용 ⑥ 제공하거나 제공받은 담보·보증의 주요 내용 ⑦ 특수관계인(상속세 및 증여세법 제2조 제10호의 정의에 따른다. 비영리조직회계기준의 경우 법인세법 시행령 제87조의 정의에 따른다)과의 중요한 거래의 내용 ⑧ 회계연도 말 현재 진행 중인 소송 사건의 내용, 소송금액, 진행 상황 등 ⑨ 유형자산 재평가차액의 누적금액 ⑩ 유가증권의 취득원가와 재무제표 본문에 표시된 공정가치를 비교하는 정보 ⑪ 그 밖에 일반기업회계기준에 따라 주석기재가 요구되는 사항 중 법인에 관련성이 있고 그 성격이나 금액이 중요한 사항
비영리조직 회계기준	⑫ 순자산에 제약이 있는 경우에 그 성격
공익법인회 계기준	⑬ 총자산 또는 사업수익금액의 10% 이상에 해당하는 거래에 대한 거래처명, 거래금액, 계정과목 등 거래 내역 ⑭ 회계정책, 회계추정의 변경 및 오류수정에 관한 사항 ⑮ 퇴직연금운용자산 구성내역 ⑯ 기본순자산의 취득원가와 공정가치를 비교하는 정보에 관한 사항 ⑰ 순자산의 변동에 관한 사항

3) 선택적 주석기재사항

이 기준과 일반기업회계기준에서 요구하는 주석기재사항

외에도 재무제표의 유용성을 제고하고 공정한 표시를 위하여 필요한 정보는 재무제표 작성자의 판단과 책임 하에서 자발적으로 주석을 기재할 수 있다. 예를 들어, 법인이 내부관리목적으로 복수의 구분된 단위로 회계를 하는 경우 각 회계단위별로 작성된 재무제표의 전부 또는 일부를 주석으로 기재할 수 있으며, 비영리조직회계기준에 따른 제약있는순자산을 일시제약순자산과 영구제약순자산으로 구분한 정보와 제약있는순자산의 변동을 일시제약순자산의 변동과 영구제약순자산의 변동으로 구분한 정보를 주석으로 기재할 수 있다.

4) 주석기재방법

　　주석기재는 재무제표 이용자의 이해와 편의를 도모하기 위하여 다음 각 호에 따라 체계적으로 작성한다.

① 재무제표상의 개별항목에 대한 주석 정보는 해당 개별항목에 기호를 붙이고 주석에 동일한 기호를 표시하여 그 내용을 설명한다.

② 하나의 주석이 재무제표 상 둘 이상의 개별항목과 관련된 경우에는 해당 개별항목 모두에 주석의 기호를 표시한다.

③ 하나의 주석에 포함된 정보가 다른 주석과 관련된 경우에도 해당되는 주석 모두에 관련된 주석의 기호를 표시한다.

● 재무제표간의 관계

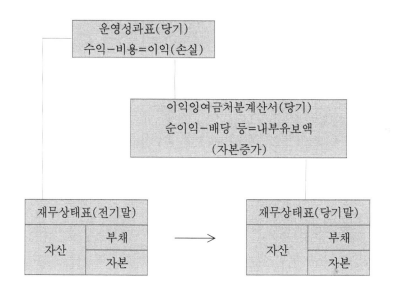

● 자산·부채의 평가

1) 자산의 평가기준

자산은 최초에 취득원가로 인식하며, 교환, 현물출자, 증여, 그 밖에 무상으로 취득한 자산은 공정가치5)를 취득원가로 한

---

5) 합리적인 판단력과 거래 의사가 있는 독립된 당사자 사이의 거래에서 자산이 교환되거나 부채가 결제될 수 있는 금액을 말한다

다. 특별한 경우를 제외하고는 자산의 진부화 및 시장가치의 급격한 하락 등으로 인하여 자산의 회수가능액이 장부금액에 중요하게 미달되는 경우에는 장부금액을 회수가능액으로 조정하고 그 차액을 손상차손으로 처리한다. 이 경우 회수가능액은 다음 중 큰 금액으로 한다.

① 순공정가치 : 합리적인 판단력과 거래 의사가 있는 독립된 당사자 사이의 거래에서 자산의 매각으로부터 수취할 수 있는 금액에서 처분부대원가를 차감한 금액

② 사용가치 : 자산에서 창출될 것으로 기대되는 미래 현금흐름의 현재가치

　　과거 회계연도에 인식한 손상차손이 더 이상 존재하지 않거나 감소하였다면 자산의 회수가능액이 장부금액을 초과하는 금액은 손상차손환입으로 인식한다. 다만, 손상차손환입으로 증가된 장부금액은 과거에 손상차손을 인식하기 전 장부금액의 감가상각 또는 상각 후 잔액을 초과할 수 없다.

2) 미수금, 매출채권 등의 평가

　　원금이나 이자 등의 일부 또는 전부를 회수하지 못할 가능성이 있는 미수금, 매출채권 등은 합리적이고 객관적인 기준에 따라 대손추산액을 산출하여 대손충당금으로 설정하고, 기존 대손충당금 잔액과의 차이는 대손상각비로 인식한다. 미수

금, 매출채권 등의 원금이나 이자 등의 일부 또는 전부를 회수할 수 없게 된 경우, 대손충당금과 상계하고 대손충당금이 부족한 경우에는 그 부족액을 대손상각비로 인식한다. 미수금과 매출채권에 대한 대손상각비는 사업비용(목적사업비용이나 기타사업비용 중 관련이 되는 것)의 대손상각비로, 그 밖의 채권에 대한 대손상각비는 사업외비용인 기타의 대손상각비로 구분한다.

3) 유형자산과 무형자산의 평가

유형자산과 무형자산의 취득원가는 구입가격 또는 제작원가와 자산을 가동하기 위하여 필요한 장소와 상태에 이르게 하는 데 직접 관련되는 원가를 포함한 금액을 말한다. 최초 인식 후에 유형자산과 무형자산의 장부금액은 다음에 따라 결정한다.

① 유형자산 : 취득원가(자본적 지출을 포함한다)에서 감가상각누계액과 손상차손누계액을 차감한 금액

② 무형자산 : 취득원가에서 상각누계액과 손상차손누계액을 차감한 금액

취득원가에서 잔존가치를 차감하여 결정되는 유형자산의 감가상각대상금액과 무형자산의 상각대상금액은 해당 자산을

사용할 수 있는 때부터 내용연수에 걸쳐 배분하여 상각한다. 유형자산과 무형자산의 내용연수는 자산의 예상 사용기간이나 생산량 등을 고려하여 합리적으로 결정한다. 유형자산의 감가상각방법과 무형자산의 상각방법은 다음에서 자산의 경제적효익이 소멸되는 형태를 반영한 합리적인 방법을 선택하여 소멸형태가 변하지 않는 한 매기 계속 적용한다.

구 분	상각방법
정액법	자산의 내용연수 동안 감가상각비를 매 회계기간 일정하게 인식하는 방법으로 감가상각비는 감가기초가액을 내용연수로 나누어 계산 $$감가상각비 \ = \ 감가기초가액 \ \times \ \frac{1}{내용연수}$$
정률법	유형자산의 기초장부금액에 일정한 상각률을 적용하여 감가상각비를 계산하는 방법 $$감가상각비 \ = \ 기초장부가액 \ \times \left(1 \ - \ \sqrt[n]{\frac{잔존가액}{취득가액}}\right)$$
연수합계법	감가기초가액에 시간의 경과에 따라 체감하는 상각률을 적용하여 감가상각비를 계산하는 방법 $$감가상각비 \ = \ 감가기초가액 \ \times \ \frac{잔여내용연수}{내용연수의 \ 합}$$
생산량비례법	감가상각의 원인이 자산의 생산량과 비례적인 관계에 있다는 가정 하에 그 생산량에 의하여 감가기초가액을 예상생산량에 근거한 비율로 감가상각비를 계산하는 방법 $$감가상각비 \ = \ 감가기초가액 \ \times \ \frac{실제생산량}{총생산량}$$

Tip 감가상각

1) 감가기초가액

취득원가에서 내용연수 종료시점의 잔존가액[6]을 차감한 금액을 말한다. 정률법의 경우 기초장부금액을 기준으로 하며 기초장부금액은 취득원가에서 기초감가상각누계액을 차감한 금액을 말한다.

2) 내용연수

자산의 예상사용기간 또는 자산으로 획득할 수 있는 생산량이나 이와 유사한 단위를 말한다.

3) 감가상각방법의 구분

구 분	감가상각방법
투입 및 산출기준	생산량비례법
시간경과기준	정액법
	가속상각방법 : 정률법, 연수합계법

전시·교육·연구 등의 목적으로 보유중인 예술작품 및 유물과 같은 역사적 가치가 있는 유형자산은 일반적으로 시간이 경과하더라도 가치가 감소하지 않으므로 감가상각을 적용하지 아니한다.

4) 유형자산의 재평가

최초 인식 후에 공정가치를 신뢰성 있게 측정할 수 있는 유형자산은 재평가를 할 수 있다. 이 경우 재평가일의 공정가

---

6) 법인세법 시행령에서는 회계기준과 달리 잔존가액을 0으로 규정하고 있음.

치에서 이후의 감가상각누계액과 손상차손누계액을 차감한 재평가금액을 장부금액으로 한다. 유형자산을 재평가할 때, 재평가 시점의 총장부금액에서 기존의 감가상각누계액을 제거하여 자산의 순장부금액이 재평가금액이 되도록 수정한다. 유형자산의 장부금액이 재평가로 인하여 증가된 경우에 그 증가액은 공익법인회계기준에서는 순자산조정으로 인식하나 동일한 유형자산에 대하여 이전에 운영성과표에 사업외비용으로 인식한 재평가감소액이 있다면 그 금액을 한도로 재평가증가액만큼 운영성과표에 사업외수익으로 인식한다. 하지만 비영리조직회계기준에서는 사업외수익에 포함하며, 이러한 평가이익으로 인해 제약있는순자산의 금액이 변경되는 경우에는 제약있는순자산의 증가로 인식한다.

그리고 유형자산의 장부금액이 재평가로 인하여 감소된 경우에 그 감소액은 운영성과표에 사업외비용으로 인식하나 그 유형자산의 재평가로 인해 인식한 순자산조정의 잔액이 있다면 그 금액을 한도로 재평가감소액을 순자산조정에서 차감한다. 비영리조직회계기준에서도 유형재산재평가손실을 사업외비용에 포함하나 이러한 평가손실로 인해 제약있는순자산의 금액이 변경되는 경우에는 제약있는순자산의 감소로 인식한다. 유형자산 재평가차액의 누적금액은 공익법인회계기준에서는 주석에 기재하도록 하고 있으며, 비영리조직회계기준에서는 재무상태표상 해당 순자산 분류(제약없는순자산, 제약있는 순자산) 내에서 세부항목으로 별도 표시하거나 주석으로 기재하도록 하고 있다.

구분	공익법인회계기준		비영리조직회계기준	
유형자산재평가이익	일반	순자산조정	일반	사업외수익
	예외7)	사업외수익	제약있는순자산 변경	제약있는순자산
유형자산재평가손실	일반	사업외비용	일반	사업외비용
	예외8)	순자산조정	제약있는순자산 변경	제약있는순자산
유형자산 재평가차액의 누적금액	주석으로 기재		재무상태표상 해당 순자산 분류 내에서 세부항목으로 별도 표시하거나 주석으로 기재	

5) 유가증권의 평가

유가증권은 취득한 후 만기보유증권, 단기매매증권 및 매도가능증권 중의 하나로 분류하며 유가증권의 평가는 일반기업회계기준에 따른다.

---

7) 동일한 유형자산에 대하여 이전에 운영성과표에 사업외비용으로 인식한 재평가감소액이 있다면 그 금액을 한도로 재평가증가액만큼 운영성과표에 사업외수익으로 인식
8) 동일한 유형자산의 재평가로 인해 인식한 순자산조정의 잔액이 있다면 그 금액을 한도로 재평가감소액을 순자산조정에서 차감

① 만기보유증권

만기보유증권의 취득원가는 미래현금흐름의 현재가치로 결정한다. 현재가치를 계산할 때 사용하는 이자율은 시장이자율로 채권의 가격은 액면이자율과 시장이자율의 상대적 크기에 따라 액면가액과 일치할 수도 있고 일치하지 않을 수도 있다. 만기보유증권을 액면가액을 기준으로 취득형태에 따라 액면취득, 할인취득 및 할증취득으로 구분하며 장부금액과 만기액면금액의 차이를 상환기간에 걸쳐 유효이자율법에 의하여 상각하여 취득원가와 이자수익에 가감한다.

② 단기매매증권

단기매매증권의 취득원가는 최초 인식시 공정가치로 측정하며 유가증권이 시장가격이 존재하는 경우에는 시장가격이 공정가치가 된다. 취득과 직접 관련되는 거래원가는 취득원가와 별도로 즉시 비용처리 한다. 단기매매증권은 공정가치를 재무상태표가액으로 계상하고, 공정가치와 장부금액의 차액은 단기금융자산평가손익으로 하여 당기손익에 반영한다. 즉 단기매매증권은 시가법으로 평가하고 미실현보유손익은 즉시에 반영한다.

③ 매도가능증권

매도가능증권은 공정가치로 평가한다. 다만, 매도가능증권

중 시장성이 없는 지분증권의 공정가치를 신뢰성 있게 측정할
수 없는 경우에는 취득원가로 평가한다. 그리고 취득과 직접
관련되는 거래원가는 최초 인식하는 공정가치에 가산(차감)한
다. 매도가능증권은 공정가치를 재무상태표가액으로 계상하고,
공정가치와 장부금액의 차액인 미실현보유손익은 순자산조정
으로 인식하고 당해 유가증권에 대한 순자산조정은 그 유가증
권을 처분하거나 손상차손을 인식하는 시점에 일괄하여 당기
손익에 반영한다.

만기보유 증권	만기가 확정된 채무증권으로서 상환금액이 확정되었거나 확정이 가능한 채무증권을 만기까지 보유할 적극적인 의도 와 능력이 있는 경우
단기매매 증권	주로 단기간 내의 매매차익을 목적으로 취득한 유가증권으 로서 매수와 매도가 적극적이고 빈번하게 이루어지는 경우
매도가능 증권	단기매매증권이나 만기보유증권으로 분류되지 아니하는 유가증권

공정가치로 평가된 투자유가증권에 대해서는 재무제표 본
문에 표시된 공정가치를 취득원가와 비교하는 정보를 주석으
로 기재한다.

6) 퇴직급여충당부채의 평가

퇴직급여충당부채는 회계연도 말 현재 모든 임직원이 일시
에 퇴직할 경우 지급하여야 할 퇴직금에 상당하는 금액으로

한다. 확정기여형퇴직연금제도를 설정한 경우에는 퇴직급여충당부채 및 관련 퇴직연금운용자산을 인식하지 않는다. 다만 해당 회계기간에 대하여 법인이 납부하여야 할 부담금을 퇴직급여(비용)로 인식하고, 미납부액이 있는 경우 미지급비용(부채)으로 인식한다. 확정급여형퇴직연금제도와 관련하여 별도로 운용되는 자산은 하나로 통합하여 퇴직연금운용자산으로 표시하고, 퇴직급여충당부채에서 차감하는 형식으로 표시한다. 퇴직연금운용자산의 구성내역은 주석으로 기재한다.

7) 공통자산·부채의 배분

어떤 자산 또는 부채항목이 복수의 활동에 관련되는 경우에는 관련 시설면적, 사용빈도 등 합리적인 배분기준에 따라 활동 간에 배분하고, 그 배분기준은 일관되게 적용해야 한다.

장세무사 "지금까지 공익법인회계기준 및 비영리조직회계기준에 따른 재무제표에 대해 알아보았습니다."

장보리 "공익법인회계기준 및 비영리조직회계기준을 살펴보니 일반기업회계기준과 유사한 부분도 많지만 차이가 있네요."

장세무사 "네. 그렇습니다. 공익법인회계기준 및 비영리조직회계기준은 일반기업회계기준을 바탕으로 비영리법인의 특성에 맞게 제정되었으며, 공익법인회계기준 및 비영리조직회계기준에서도 서로 조금씩 다른 부분이 있습니다."

"세무사님, 너무 어렵네요. 공익법인회계기준 및 비영리조직 회계기준도 서로 다르다면 실무자 입장에서는 어떻게 해야 하나요?"

"일반적인 비영리단체나 법인은 비영리조직회계기준으로 회계처리를 하시고 상속세 및 증여세법상 공익법인은 공익법인 회계기준으로 사용하시면 됩니다."

Chapter 02
수익사업과 목적사업

비영리법인이 수익사업을 영위할 수 있나요?

"세무사님 안녕하세요. 세무사님이 재단 일에 도움을 많이 주
신다는 이야기는 들었는데 제가 그동안 재단 일에 신경을 많
이 못써서 고맙다는 인사도 제대로 못 드렸네요. 죄송합니다."

"아닙니다. 사모님이 회계업무가 처음 이신대도 불구하고 잘
하고 계셔서 너무 걱정 안하셔도 될 거 같습니다."

"그렇다면 다행이네요. 다름이 아니라 제가 오늘 찾아뵌 건 그
동안 재단이 가지고 있는 주식에서 받는 배당금과 정기예금에
서 발생하는 이자수입으로 목적사업을 운영하고 있는데 매년 배당
금이 일정하지 않고 정기예금 이자율은 변동 폭이 커서 재단의 수입
이 불안정합니다. 그래서 이번에 가지고 있는 기본재산으로 부동산
을 취득하여 임대사업을 해볼까 합니다."

"그러시군요. 많은 비영리법인들이 기본재산으로 금융상품에 가입하고 거기서 발생하는 이자수익으로 목적사업을 운영하는 경우가 많습니다. 그리고 조금 더 높은 수익률을 위해 해외금융상품이나 회사채에 투자하는 경우가 많아지고 있습니다. 하지만 해외금융상품과 회사채의 경우 수익률은 높지만 원금손실 위험이 있어 주무관청이나 법인 입장에서 꺼려 지는 것이 사실입니다. 주무관청은 비영리법인의 재정적 자립을 위하여 비수익사업의 목적달성에 필요한 경우 그 본질에 반하지 아니하는 범위 내에서 수익사업을 허용하고 있습니다."

"그렇다면 수익사업을 하기 위해서는 어떤 절차가 필요한가요?"

"법인이 하고자 하는 사업은 정관상 목적사업에 기재하고 있습니다. 만약 정관상 목적사업에 해당사업이 포함되어 있다면 사업장 관할세무서에 수익사업개시신고를 하면 됩니다. 하지만 정관상 목적사업에 포함되어 있지 않다면 정관변경을 통해 해당사업을 목적사업에 추가하여 수익사업 승인을 받아야 합니다. 비영리법인은 정관 변경이 필요한 경우 주무관청의 허가를 받아야 하며 말씀하신 것처럼 주식과 정기예금으로 보유하고 있는 기본재산을 처분하여 부동산을 구입하는 경우에도 주무관청에 기본재산 처분 허가를 받으셔야 합니다."

"세무사님. 기본재산이 단순히 예금과 주식에서 부동산으로 변경될 뿐, 금액은 변경되지 않는데도 기본재산에 대해 주무관청에 허가를 받아야 하나요?"

"네. 그렇습니다. 기본재산을 매도·교환·증여·임대하는 경우 주무관청에 기본재산 처분 허가를 받아야 합니다. 그리고 사업자등록증 상에 사업을 등록하기 위해서는 법인등기부등본상 목적에 기재되어 있어야 하며, 법인등기부등본상 기재되기 위해서는 법인 정관에 기재되어 있어야 합니다. 그러므로 법인 정관변경이 필요합니다. 하지만 실무적으로 부동산임대업의 경우에는 법인등기부등본상에 기재되어 있지 않은 경우에도 사업자등록증 발급이 가능한 경우가 있으나,9) 이 경우에도 주무관청에 정관변경 및 수익사업 승인 절차가 필요한지 사전에 확인이 필요합니다. 주무관청의 허가를 받지 않을 경우 행정처분을 받을 수 있기 때문입니다."

"네. 알겠습니다. 부동산임대업을 하기 전에 정관변경이 필요한지 주무관청에 확인을 해봐야겠네요."

"정관을 변경하기 위해서는 절차가 간단하지 않습니다. 이사회 또는 총회 회의록이 필요하기 때문입니다. 그러므로 만약 정관변경이 필요하지 않다면 수익사업 개시신고를 통해 사업장 관할 세무서를 통해 사업자등록증을 교부 받으면 되지만 저희의 경우

---

9) 사업자등록신청은 담당공무원의 판단에 따라 달라지는 경우가 있으므로 정확한 판단을 위해서는 신청 전에 사업장 관할세무서에 확인이 필요함

에는 기본재산 처분 허가도 함께 필요한 사항입니다. 이 경우 정관에 기재되어 있는 기본재산 목록도 변경해야 하므로 정관변경도 함께 이행해야 합니다. 그러므로 가급적 정관변경시 사업목적에 부동산임대업도 추가하는 것이 좋으리라 생각됩니다."

<기본재산의 처분 허가 처리과정>

Tip 공익법인의 설립 운영에 관한 법률의 수익사업 승인 제도 목적
대법원 2006.9.22. 선고 2004도4751

공익법인의 수익사업을 사전에 심사·관리함으로써 공익법인이 무분별하고 부적절한 수익사업에 나서는 것을 억제하고 공익법인으로 하여금 본래의 설립 목적인 공익성을 유지하며 건전한 활동을 계속할 수 있도록 하기 위한 것으로, 공익법인의 기본재산 처분이 수반되지 않는 사업도 규제의 대상으로 삼는다는 점에서 공익법인 존립의 기초가 되는 기본재산의 원활한 관리 및 유지와 재정의 적정을 기하기 위함.

Tip 공익법인의 기본재산 처분과 수익사업 승인에 관한 질의
법무부 법무심의관실-4873, 2006.07.11 대 서울특별시교육청

[질의] 공익법인이 수익사업으로 기본재산인 부동산을 임대하는 경우, 기본재산 처분허가와 수익사업 승인을 각각 받아야 하는지 여부
[회답] 공익법 제11조는 기본재산을 임대 등 처분하는 경우 주무관청의

허가를 받도록 규정하고 있으며, 동법 제4조 제3항은 수익사업을 하고
자 할 때에는 사업마다 주무관청의 승인을 받도록 규정하고 있으므로
공익법인의 기본재산을 임대하려면 기본재산 처분의 허가와 수익사업
승인을 각각 받아야 할 것임.

● 수익사업에는 어떤 것이 있을까?

"비영리법인의 정관을 보면 일반적으로 목적사업과 수익사
업을 구분하거나 사업 전부를 목적사업으로 하는 경우가 있
습니다. 실무자들과 상담을 하다보면 정관에 목적사업으로 열거되
어 있고 해당 사업이 영리목적이 아니고 실제 발생한 경비를 충당
할 수 있는 실비수준으로 수입이 발생하기 때문에 목적사업으로
생각하는 경우가 많이 있습니다. 하지만 법인세법상 수익사업의
범위는 법에 열거되어 있으며, 법인세법에서는 수익사업 여부에
대해 실제 수익성이 있느냐를 판단기준으로 하지 않습니다."

"세무사님. 저희가 이번에 소외계층 아동 지원사업을 하면서
행사의 일환으로 관련 세미나를 진행하면서 참가자들에게
참가비도 받고 행사장 일부를 일부 업체에 소정의 지원금을 받고
행사부스를 제공할 예정입니다. 여기서 발생하는 수입은 저희 행
사비에 충당할 예정으로 행사비에 비해 많지 않습니다. 이렇게 수

익이 나지 않는 경우에도 참가비와 부스 사용료를 수익사업으로 봐야 하나요?"

"네. 그렇습니다. 실제 수익이 발생하지 않더라도 법인세법에서는 참가비와 부스 사용료를 수익사업으로 보고 있습니다."

"그럼 이러한 행사에 대해서는 법인세 신고를 해야겠군요."

법인세법 제4조【과세소득의 범위】

③ 비영리내국법인의 각 사업연도의 소득은 다음 각 호의 사업 또는 수입(이하 "수익사업"이라 한다)에서 생기는 소득으로 한정한다.

1. 제조업, 건설업, 도매 및 소매업 등 통계법 제22조에 따라 통계청장이 작성·고시하는 한국표준산업분류에 따른 사업으로서 대통령령으로 정하는 것
2. 소득세법 제16조 제1항에 따른 이자소득
3. 소득세법 제17조 제1항에 따른 배당소득
4. 주식·신주인수권 또는 출자지분의 양도로 인하여 생기는 수입
5. 유형자산 및 무형자산의 처분으로 인한 수입. 다만, 고유목적사업에 직접 사용하는 자산의 처분으로 인한 대통령령으로 정하는 수입은 제외한다.
6. 소득세법 94조 제1항 제2호 및 제4호에 따른 자산의 양도로 인한 수입
7. 그 밖에 대가를 얻는 계속적 행위로 인한 수입으로서 대통령령으로 정하는 것

법인세법시행령 제3조 【수익사업의 범위】

① 법 제4조 제3항 제1호에서 "대통령령으로 정하는 것"이란 다음 각 호의 어느 하나에 해당하는 사업을 제외한 각 사업 중 수입이 발생하는 것을 말한다.

1. 축산업(축산 관련 서비스업을 포함한다) 외의 농업

2. 연구개발업(계약 등에 의하여 그 대가를 받고 연구 및 개발용역을 제공하는 사업을 제외한다)

2의 2. 선급검사용역을 공급하는 사업

3. 다음 각 목의 어느 하나에 해당하는 교육시설에서 해당 법률에 따른 교육과정에 따라 제공하는 교육서비스업

가. 유아교육법에 따른 유치원

나. 초·중등교육법 및 고등교육법에 따른 학교

다. 경제자유구역 및 제주국제자유도시의 외국교육기관 설립·운영에 관한 특별법에 따라 설립된 외국교육기관(정관 등에 따라 잉여금을 국외 본교로 송금할 수 있거나 실제로 송금하는 경우는 제외한다)

라. 제주특별자치도 설치 및 국제자유도시 조성을 위한 특별법에 따라 설립된 비영리법인이 운영하는 국제학교

마. 평생교육법 제31조 제4항에 따른 전공대학 형태의 평생교육시설 및 같은 법 제33조 제3항에 따른 원격대학 형태의 평생교육시설

4. 보건업 및 사회복지 서비스업 중 다음 각 목의 어느 하나에 해당하는 사회복지시설에서 제공하는 사회복지사업

가. 사회복지사업법 제34조에 따른 사회복지시설 중 사회복지관, 부랑인·노숙인 시설 및 결핵·한센인 시설

나. 국민기초생활보장법 제15조의2 제1항 및 제16조 제1항에 따른 중앙자활센터 및 지역자활센터

다. 아동복지법 제52조 제1항에 따른 아동복지시설

라. 노인복지법 제31조에 따른 노인복지시설(노인전문병원은 제외한

다)

마. 노인장기요양보험법 제2조 제4호에 따른 장기요양기관

바. 장애인복지법 제58조 제1항에 따른 장애인복지시설 및 같은 법 제63조 제1항에 따른 장애인복지단체가 운영하는 중증장애인생산품 우선구매 특별법 제2조 제2항에 따른 중증장애인생산품 생산시설

사. 한부모가족지원법 제19조 제1항에 따른 한부모가족복지시설

아. 영유아보육법 제10조에 따른 어린이집

자. 성매매방지 및 피해자보호 등에 관한 법률 제9조 제1항에 따른 지원시설, 제15조 제2항에 따른 자활지원센터 및 제17조 제2항에 따른 성매매피해상담소

차. 정신건강증진 및 정신질환자 복지서비스 지원에 관한 법률 제3조 제6호 및 제7호에 따른 정신요양시설 및 정신재활시설

카. 성폭력방지 및 피해자보호 등에 관한 법률 제10조 제2항 및 제12조 제2항에 따른 성폭력피해상담소 및 성폭력피해자보호시설

타. 입양특례법 제20조 제1항에 따른 입양기관

파. 가정폭력방지 및 피해자보호 등에 관한 법률 제5조 제2항 및 제7조 제2항에 따른 가정폭력 관련 상담소 및 보호시설

하. 다문화가족지원법 제12조 제1항에 따른 다문화가족지원센터

거. 건강가정기본법 제35조 제1항에 따른 건강가정지원센터

5. 연금업 및 공제업 중 다음 각목의 어느 하나에 해당하는 사업

가. 국민연금법에 의한 국민연금사업

나. 특별법에 의하거나 정부로부터 인가 또는 허가를 받아 설립된 단체가 영위하는 사업(기금조성 및 급여사업에 한한다)

다. 근로자퇴직급여보장법에 따른 중소기업퇴직연금기금을 운용하는 사업

6. 사회보장보험업 중 국민건강보험법에 의한 의료보험사업과 산업재해보상보험법에 의한 산업재해보상보험사업

7. 주무관청에 등록된 종교단체(그 소속단체를 포함한다)가 공급하는 용역 중 부가가치세법 제26조 제1항 제18호에 따라 부가가치세가 면제되는 용역을 공급하는 사업

8. 금융 및 보험관련 서비스업 중 다음 각목의 어느 하나에 해당하는 사업

가. 예금자보호법에 의한 예금보험기금 및 예금보험기금채권상환기금을 통한 예금보험 및 이와 관련된 자금지원·채무정리 등 예금보험제도를 운영하는 사업

나. 농업협동조합의 구조개선에 관한 법률 및 수산업협동조합법에 의한 상호금융예금자보호기금을 통한 예금보험 및 자금지원 등 예금보험제도를 운영하는 사업

다. 새마을금고법에 의한 예금자보호준비금을 통한 예금보험 및 자금지원 등 예금보험제도를 운영하는 사업

라. 한국자산관리공사 설립 등에 관한 법률 제43조의 2에 따른 구조조정기금을 통한 부실자산 등의 인수 및 정리와 관련한 사업

마. 신용협동조합법에 의한 신용협동조합예금자보호기금을 통한 예금보험 및 자금지원 등 예금보험제도를 운영하는 사업

바. 산림조합법에 의한 상호금융예금자보호기금을 통한 예금보험 및 자금지원 등 예금보험제도를 운영하는 사업

9. 혈액관리법 제6조 제3항에 따라 보건복지부장관으로부터 혈액원 개설 허가를 받은 자가 행하는 혈액사업

10. 한국주택금융공사법에 따른 주택담보노후연금보증계정을 통하여 주택담보노후연금보증제도를 운영하는 사업(보증사업과 주택담보노후연금을 지급하는 사업에 한한다)

11. 국민기초생활 보장법 제2조에 따른 수급권자·차상위계층 등 기획재정부령으로 정하는 자에게 창업비 등의 용도로 대출하는 사업으로서 기획재정부령으로 정하는 요건을 갖춘 사업

12. 비영리법인(사립학교의 신축·증축, 시설확충, 그밖에 교육환경 개선을 목적으로 설립된 법인에 한한다)이 외국인학교의 운영자에게 학교시설을 제공하는 사업

13. 국민체육진흥법 제33조에 따른 대한체육회에 가맹한 경기단체 및 태권도 진흥 및 태권도공원조성에 관한 법률에 따른 국기원의 승단·승급·승품 심사사업

14. 수도권매립지관리공사의 설립 및 운영 등에 관한 법률에 따른 수도권매립지관리공사가 행하는 폐기물처리와 관련한 사업

15. 한국장학재단 설립 등에 관한 법률에 따른 한국장학재단이 같은 법 제24조의 2에 따른 학자금 대출계정을 통하여 운영하는 학자금 대출사업

16. 제1호, 제2호, 제2호의2, 제3호부터 제14호까지의 규정과 비슷한 사업으로서 기획재정부령으로 정하는 사업

"그렇습니다. 일반적으로 비영리법인은 출자금·기부금을 금융 기관에 예치하고 그 이자·배당소득으로 목적사업을 영위하는 경우가 많습니다. 이렇게 금융기관에 자금을 예치하고 받는 금융소득은 법인세법에서 열거하는 수익사업범위에 속하는 것입니다."

법인세법 기본통칙 3-2…3 【수익사업과 비수익사업의 구분】 2019.12.23. 삭제

비영리내국법인의 수익사업과 비수익사업은 해당 사업 또는 수입의 성질을 기준으로 구분한다. 수익사업에 속하는 것과 비수익사업에 속하는 것을 예시하면 다음과 같다.

1. 수익사업에 속하는 것

가. 학교법인의 임야에서 발생한 수입과 임업수입

나. 학교부설연구소의 원가계산 등의 용역수입

다. 학교에서 전문의를 고용하여 운영하는 의료수입

라. 주무관청에 등록된 종교단체 등의 임대수입. 다만, 영 제2조 제1항 제7호에 해당되는 경우는 제외한다.

마. 전답을 대여 또는 이용하게 함으로써 생긴 소득

바. 정기간행물 발간사업. 다만, 특별히 정해진 법률상의 자격을 가진 자를 회원으로 하는 법인이 그 대부분을 소속회원에게 배포하기 위하여 주로 회원의 소식, 기타 이에 준하는 내용을 기사로 하는 회보 또는 회원명부(이하 "회보 등"이라 한다)발간사업과 학술, 종교의 보급, 자선, 기타 공익을 목적으로 하는 법인이 그 고유목적을 달성하기 위하여 회보 등을 발간하고 이를 회원 또는 불특정 다수인에게 무상으로 배포하는 것으로서 통상 상품으로 판매되지 아니하는 것은 제외한다.

사. 광고수입

아. 회원에게 실비 제공하는 구내식당 운영수입

자. 급수시설에 의한 용역대가로 받는 수입

차. 운동경기의 중계료, 입장료

카. 회원에게 대부한 융자금의 이자수입

타. 유가증권대여로 인한 수수료수입

파. 조합공판장 판매수수료수입

하. 교육훈련에 따른 수입료수입

2. 비수익사업에 속하는 것

가. 징발보상금

나. 일시적인 저작권의 사용료로 받은 인세수입

다. 회원으로부터 받는 회비 또는 추천수수료(간행물 등의 대가가 포함된 경우에는 그 대가 상당액을 제외한다)

라. 외국원조수입 또는 구호기금수입

마. 업무와 직접 관계없이 타인으로부터 무상으로 받은 자산의 가액

관련예규

① 서이46012-10058, 2001.08.30.

【질의】 비영리법인이 목적사업 수행을 통해 연수원에 입소한 피교육생으로부터 받은 실비상당액의 교육비를 허가조건대로 강사료 등의 직접 교육비부문에 사용할 경우 교육비 수수행위가 수익사업에 해당하는지.

【회신】 귀 질의의 법인이 영위하는 사업은 법인세법 제3조 제2항 제1호 및 같은 법 시행령 제2조 제1항의 규정에 의한 수익사업에 해당함.

② 법인46012-476, 1998.02.25.

【질의】 지진의 체계적인 연구활동을 목적으로 건설교통부의 승인을 득하여 설립한 비영리법인이 건설교통부 등에 지진관련 연구용역을 제공하고 실비로 지급받는 연구수당 등의 수익사업 해당여부

【회신】 비영리법인이 지진관련 연구용역을 제공하고 지급받는 대가는 법인세법 제1조 제1항 제1호의 수익사업에 해당하는 것임.

③ 법인46012-2600, 1994.09.12.

【질의】 ○○체육센터는 ○○시로부터 실내체육시설의 운영을 위탁받아 다양한 프로그램을 운영함. 유아수영, 생활스포츠, 해양스포츠 등의 프로그램. 동 센터가 제공하는 프로그램에는 참가자격의 제한이 없고 최소한의 참가비를 수혜자에게 부담시킴(타 단체, 기관 등의 참가비의 20~30%) ㉠ 실비수준의 참가비를 받고 운영하는 체육시설 운영사업이 수익사업에 해당하는지, ㉡ 건물의 일부를 체육용품 판매자에게 임대하고 있는 바, 이의 수익사업 해당여부

【회신】 비영리법인에 대하여는 정관 또는 규칙상의 사업목적에 불

구하고 법인세법 제1조 제1항에 열거된 수익사업 또는 수입에서 생긴 소득에 대하여만 법인세를 과세하는 것이며, 귀 법인의 ○○시로부터 위탁받아 운영하는 체육시설운영업과 부동산임대업은 수익사업에 해당하는 것임.

④ 서면2팀-997, 2004.05.11.

【질의】 협회는 고효율에너지기자재를 생산, 보급하는 제조업체 회원사로 구성되어 2001년 4월 산자부로부터 인가를 받아 운영하는 비영리단
체이며, 회원사가 제조한 제품에 대한 사전 홍보비, 디자인개발비, A/S 비용 등으로 지출하기 위하여 수익자 부담으로 협회비를 회원사로부터 차별적으로 징수하는 경우에 수익사업에 해당하는지 여부. 협회비는 협회의 정관 제4조의 사업상 회원사제품의 홍보, 전시사업, 사후관리를 회원사를 위하여 대행하는 대가로서 정액 회비가 아니며 정부로부터 운영자금의 보조가 없어 순수 회원의 협회비만으로 운영하나, 정부지원금 대상제품임을 표기하는 인정표시(증지)는 한국전력공사의 업무로서 협회가 수임하여 발행하고 회원사가 증지를 구매시에 1매당 60원씩 부담하는 비용인 것임.

【회신】 귀 질의의 경우 비영리법인이 제조업체로부터 수령하는 협회비에 대하여는 귀 협회가 사업상 독립적으로 재화 혹은 용역을 공급하는 사업을 영위하지 않는 경우에도 회원사인 제조업체와 사전 약정에 의하여 재화 또는 용역에 대한 거래관계를 의무적으로 대행하는 거래형태로 이루어지는 경우에 제조업체가 부담하는 차별적인 협회비는 거래의 실질이 수수료 성격에 해당하는 것으로 이 경우에 법인세법 제3조, 시행령 제2조의 규정에 의하여 수익사업에서 발생한 소득으로 보는 것이며, 귀 질의가 이에 해당하는지에 대하여는 정관, 협회비 산정방법, 계약내용 등 거래관계를 종합적으로 사실 판단할 사항임.

⑤ 법인46012-3360, 1994.12.08.

【제목】 비영리법인이 오페라 공연시 받는 입장료가 수익사업에 해당하는지 여부

【요지】 비영리법인이 오페라 공연시 받는 입장료는 수익사업에 해당하는 것이며, 회원으로부터 받는 회비는 수익사업에 해당되지 아니하는 것이고 방송국이나 기업체로부터 고유목적사업을 위하여 기부 또는 출연받은 금액은 수익사업 또는 수입에서 생긴 소득으로 보지 아니하는 것임.

⑥ 법규법인2012-454, 2012.11.30.

【제목】 비영리법인이 주최한 국제학술행사의 협찬금과 참가비의 수익사업 해당여부

【요지】 비영리법인이 국제학술행사를 개최하면서 유관기관으로부터 받은 협찬금(광고용역의 대가)과 행사참가자로부터 받은 참가비는 수익사업에 해당함.

⑦ 법인세과-276 , 2013.06.10.

【제목】 회원 등으로부터 대가를 받는 전시회 및 증명서발급 대행사업의 수익사업 해당 여부

【요지】 회원 및 비회원으로부터 대가를 수령하는 전시회사업과 증명서 발급대행 사업이 한국표준산업분류에 의한 사업이 되는 경우 이익발생여부에 관계없이 수입이 발생한 경우에는 법인세법 제3조 제3항 및 같은 법 시행령 제2조 제1항의 규정에 따라 수익사업에 해당하는 것임.

⑧ 법인세과-515 , 2009.05.04.

【제목】 비영리내국법인의 수익사업 해당여부

【요지】 비영리내국법인이 학술지를 발간하는 과정에서 회원들의 논문을 게재하고 논문게재 대가를 수수하는 경우 수익사업에 해당됨.

■ 목적사업에는 어떤 것이 있을까?

"세무사님. 그렇다면 목적사업에 해당하는 것은 어떤게 있나
이재화 요?"

"비영리법인은 하는 사업 중 법인세법상 수익사업에 해당하지
장세무사 않는 사업이 목적사업이 됩니다. 대표적으로 회원으로부터 법
인의 고유목적사업에 지출하기 위해 회비 규정에 따라 대가관계 없
이 받는 회비는 목적사업에 해당합니다."

(1) 회비

법인이 사업과 관련된 재화 또는 용역의 대가에 해당하지
않는 협회나 조합의 회비규정에 따라 회원자격으로 납부하는
부담금을 회비라고 한다. 이러한 회비는 일반회비와 특별회비
로 구분된다. 이러한 회비의 경우 공익법인의 출연재산 및 운
용소득 등과 달리 사용기한을 따로 두고 있지 않으므로 정관
상 목적사업으로 지출한 경비는 사용기한이 있는 출연재산과
그 운용소득을 먼저 사용한 것으로 처리하는 것이 세법상 유
리할 수 있다. 이 부분은 'chapter 04. 공익법인의 세무'에서
보다 자세히 살펴보자.

1) 일반회비

조합 또는 협회가 법령 또는 정관이 정하는 바에 따라 정상적인 회비징수 방식에 의하여 경상경비 충당 등을 목적으로 조합원 또는 회원에게 부과하는 회비를 말하며, 법인 또는 개인이 지출한 일반회비는 전액 비용으로 인정된다.

2) 특별회비

일반회비외의 회비를 말한다. 다만, 정기적으로 부과하는 회비로 경상경비에 충당한 결과 부족액이 발생한 경우 그 부족액을 보전하기 위하여 정상적인 회비징수방식에 의하여 추가로 부과하는 회비는 이를 특별회비가 아닌 일반회비로 본다. 이러한 특별회비의 경우 2018년 2월 13일 이전에는 지정기부금으로 보아 한도 범위 내에서 경비로 인정되었으나, 법 개정으로 2018년 2월 13일 이후 지출한 특별회비는 지정기부금에서 제외되어 세법상 경비로 인정되지 않는다. 그리고 공익법인이 아닌 비영리법인이 특별회비를 받는 경우 상속세 및 증여세가 발생한다.

3) 증빙발급

일반회비의 경우 법인세법 제116조에 의한 적격증빙 수취대상에서 제외되므로 영수증·입금표·거래명세서 등 기타 증빙에 의하여 입증하면 된다.

154

일반회비와 특별회비 관련 예규

① 재삼46014-2619, 1994.10.06.

【제목】비영리 사단법인의 협회비를 운영비로 지출하는 것이 증여세 과세대상인지 여부

【요지】공익사업을 운영하지 않는 비영리법인은 증여세 납부의무가 있으나 비영리법인이 고유목적사업 수행을 위하여 그 소속회원으로부터 정기적으로 받는 일정금액의 회비에 대하여는 증여세가 과세되지 않음.

② 재삼46014-2132, 1993.07.26.

【제목】회원들에게 월 회비 및 찬조금 등을 수입원으로 받은 경우 증여세 과세문제

【요지】특정단체가 일부회원으로 부터 비정기적으로 징수하는 회비에 대하여는 증여세가 과세되는 것이나, 그 소속회원으로 부터 정기적으로 일정금액의 회비를 받는 경우에는 증여세가 과세되지 않음.

구분	기부금단체인 경우	기부금단체가 아닌 경우
일반회비	증여세 과세되지 않음	증여세 과세되지 않음
특별회비	증여세 과세되지 않음	증여세 과세

③ 법인46012-1095, 1993.07.26.

【제목】비영리법인이 받는 회비는 계산서 교부대상 아님

【요지】비영리내국법인이 고유목적사업에 사용하기 위하여 회원으로부터 회비를 수령하는 경우에는 계산서를 작성·교부하지 아니함.

(2) 출연금·후원금 및 기타 기부금 수령액

회원으로부터 받는 회비 외에 출연금·후원금 및 기타 기부

금은 기부금에 해당하며 목적사업에 해당한다.

1) 출연금

민법상 출연이라 함은 본인의 의사에 의하여 자기의 재산을 감소시키고 타인의 재산을 증가시키는 효과를 가져오는 행위를 말하며, 상속세 및 증여세법상 출연이라 함은 기부 또는 증여 등의 명칭에 불구하고 공익사업에 사용하도록 무상으로 재산을 제공하는 행위를 말한다.

2) 후원금

개인이나 단체의 활동, 사업을 돕기 위한 기부금을 말한다.

3) 기부금

법인세법에서 기부금이란 특수관계가 없는 자에게 사업과 직접 관련 없이 무상으로 지출하는 재산적 증여의 가액을 말한다.

4) 증빙발급

출연금·후원금 및 기타 기부금은 명칭에 불구하고 기부금으로 보아 경비로 인정하고 있으며, 지출한 법인 또는 개인이 경비로 인정받기 위해서는 기부금영수증을 받아서 보관하여야 한다. 하지만 이와 같이 경비로 인정받을 수 있는 기부금은 법인세법 및 소득세법에서 범위를 제한적으로 열거하고 있으므로 이에 해당하지 않는 비지정기부금은 공제대상에 해당되지 않는다. 또한 기부금단체가 아닌 비영리법인이 기부금을 받을 경우 상속세 및 증여세가 과세된다.

관련예규

① 법인46012-377, 2001.02.17.
【제목】비영리법인의 수익사업 해당여부
【요지】비영리내국법인이 용역제공 등의 대가와 관계없이 회원으로부터 받는 회비는 수익사업에서 생긴 소득에 해당하지 않음.

② 서면인터넷방문상담2팀-1076, 2004.05.24.
【제목】수익사업 해당 여부
【요지】비영리법인이 고유목적사업과 관련하여, 국가 또는 지방자치단체로부터 용역제공 등에 대한 대가 관계없이 지원 받은 보조금은 수익사업에 해당 안됨.

③ 서면인터넷방문상담2팀-1477, 2004.07.15.
【제목】수익사업 해당 여부 등
【요지】중소기업협동조합법에 의하여 설립된 조합이 조합원으로부터 고유목적사업을 위하여 출연받은 자산가액은 수익사업에 해당되지 않으나 고유목적사업을 위하여 출연 받았는지의 여부는 사실 판단할 사항임.

④ 법인세과-645, 2011.08.31.
【제목】비영리내국법인의 수익사업 여부
【요지】비영리내국법인인 장기요양기관이 제공하는 사회복지사업은 비수익사업에 해당함.

⑤ 서면법규과-777, 2014.07.22.

【제목】 지방자치단체로부터 위탁받아 운영하는 청소년수련관의 과세소득 해당여부

【요지】 비영리법인이 지방자치단체로부터 위탁받은 청소년수련관 운영사업을 영위하면서 위·수탁협약에 따라 해당사업에서 발생한 손익이 실질적으로 지방자치단체에 귀속될 경우, 해당사업에 대해서는 법인세가 과세되지 아니하는 것임.

⑥ 서면인터넷방문상담2팀-2071, 2007.11.14.

【제목】 교회의 토지 양도시 법인세 과세여부에 대한 질의

【요지】 고정자산의 처분일 현재 3년 이상 계속하여 법령 또는 정관에 규정된 고유목적사업에 직접 사용한 경우에는 법인세 납세의무가 없는 것임.

⑦ 법인세과-1198 , 2010.12.27.

【제목】 비영리내국법인이 발행하는 영수증의 적격증빙서류 해당여부

【요지】 법인이 법인세법 시행령 제158조 제1항 각 호의 사업자로부터 공급받은 재화 또는 용역의 건당 거래금액(부가가치세를 포함)이 3만원을 초과하는 경우에는 같은 법 제116조 제2항 각호에 어느 하나에 해당되는 증빙서류를 수취하여 보관하여야 하는 것이나, 공급받은 재화 또는 용역이 비영리법인의 수익사업에 해당되지 않을 경우에는 상기의 증빙서류 수취대상이 되지 않는 것임

● 고정자산을 처분한다면 세금을 낼까?

법인세법에서 고정자산의 처분으로 인하여 생기는 수입은 수익사업에 해당하나 고정자산의 처분일 현재 3년 이상 계속하여 법령 또는 정관에 규정된 고유목적사업(법인세법상 수익사업은 제외)에 직접 사용한 고정자산의 처분으로 인하여 생기는 수입은 목적사업으로 한다. 이 경우 해당 고정자산의 유지·관리 등을 위한 관람료·입장료수입 등 부수수익이 있는 경우에도 이를 고유목적사업에 직접 사용한 고정자산으로 본다.

(1) 수익사업에 속하는 고정자산을 목적사업으로 전입한 경우

법인이 수익사업에 속하는 고정자산을 목적사업으로 전입하여 3년 이상 법령 또는 정관에 규정된 고유목적사업에 사용한 후 처분하는 경우에는 수익사업에 사용한 기간동안 발생한 양도차액에 대해서도 법인세 과세대상에 해당하지 않는다. 법인세법에서는 고정자산 처분일을 기준으로 3년 이상 고유목적사업에 사용하면 과세대상에 해당하지 않기 때문이다. 하지만 법률개정으로 비영리법인이 수익사업에 속하는 고정자산을 2018년 2월 13일 이후 고유목적사업에 전입한 후 처분하는 경우에는 전입 시 시가로 평가한 가액을 그 고정자산의 취득가액으로 하여 양도차액을 계산하여 목적사업에 전입 이후 발생한 양도차액만 비과세한다. 그러므로 수익사업에 사용한 기간동안 발생한 양도차액에 대해서는 법인세가 과세된다.

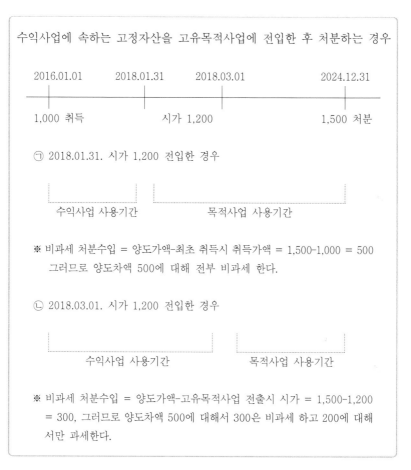

수익사업에 속하는 고정자산을 고유목적사업에 전입한 후 처분하는 경우

2016.01.01   2018.01.31   2018.03.01   2024.12.31

1,000 취득   시가 1,200   1,500 처분

㉠ 2018.01.31. 시가 1,200 전입한 경우

수익사업 사용기간   목적사업 사용기간

※ 비과세 처분수입 = 양도가액-최초 취득시 취득가액 = 1,500-1,000 = 500
그러므로 양도차액 500에 대해 전부 비과세 한다.

㉡ 2018.03.01. 시가 1,200 전입한 경우

수익사업 사용기간   목적사업 사용기간

※ 비과세 처분수입 = 양도가액-고유목적사업 전출시 시가 = 1,500-1,200
= 300, 그러므로 양도차액 500에 대해서 300은 비과세 하고 200에 대해
서만 과세한다.

법인이 고정자산의 처분일 현재 해당 고정자산을 고유목적
사업에 3년 이상 계속하여 사용하였는지 여부의 판단에 있어
고유목적사업에 사용한 기간은 그 고정자산을 취득한 날부터
기산하고, 증여로 인한 취득일 경우에는 소유권이전 등기일을
취득일로 한다. 그리고 법인격 없는 단체가 법인으로 승인받

기 전에 취득한 부동산을 처분하는 경우 법인으로 보는 단체로 승인받기 전부터 사실상 고유목적사업에 직접 사용한 때에는 고유목적사업에 사용한 날부터 기산한다.

(2) 목적사업에 속하던 고정자산을 수익사업으로 전입한 경우

법인이 목적사업에 속하는 고정자산을 수익사업으로 전입하여 사용하던 중 고정자산을 양도하는 경우에는 처분일 현재 3년 이상 계속하여 고유목적사업에 사용하지 않았으므로 취득시점부터 처분시점까지 발생한 보유기간 전체에 대한 양도차액에 대해 법인세가 과세된다. 그러므로 수익사업에 사용하던 고정자산을 목적사업에 전입한 후 3년 이상 사용하고 처분하는 경우보다 법인세가 늘어나는 결과가 발생한다.

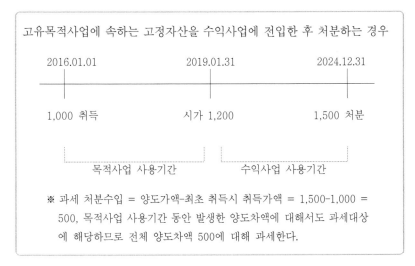

고유목적사업에 속하는 고정자산을 수익사업에 전입한 후 처분하는 경우

2016.01.01	2019.01.31	2024.12.31
1,000 취득	시가 1,200	1,500 처분

목적사업 사용기간   수익사업 사용기간

※ 과세 처분수입 = 양도가액-최초 취득시 취득가액 = 1,500-1,000 = 500, 목적사업 사용기간 동안 발생한 양도차액에 대해서도 과세대상에 해당하므로 전체 양도차액 500에 대해 과세한다.

(3) 목적사업에 사용하던 고정자산을 수익사업으로 전입하고 목적사업에 다시 전입하여 3년 이상 사용후 처분하는 경우

법인세에서는 수익사업에 속하는 자산을 고유목적사업에 전입한 후 처분하는 경우에는 전입 시 시가로 평가한 가액을 그 자산의 취득가액으로 하여 고유목적사업에 사용한 기간에 대한 양도차액에 대해서만 비과세를 적용해 주고 있다. 결국 비과세 대상 양도차액 계산시 취득가액은 고유목적사업에 전입시에 시가를 취득가액으로 보아 비과세를 적용하므로 최초에 목적사업에 사용한 기간동안 발생한 양도차액에 대해서도 과세대상에 포함된다.

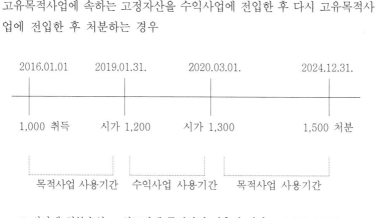

고유목적사업에 속하는 고정자산을 수익사업에 전입한 후 다시 고유목적사업에 전입한 후 처분하는 경우

2016.01.01	2019.01.31.	2020.03.01.	2024.12.31.
1,000 취득	시가 1,200	시가 1,300	1,500 처분

목적사업 사용기간   수익사업 사용기간   목적사업 사용기간

※ 비과세 처분수입 = 양도가액-목적사업 전출시 시가 = 1,500-1,300 = 200, 그러므로 양도차액 500에 대해서 200은 비과세하고 300에 대해서 과세한다.

관련 예규

사전 2022 법규법인-1250, 2023.03.29.

【제목】부동산을 취득 후 고유목적사업에 사용하다가 수익사업에 전입하여 일정기간 임대업에 사용한 후, 또 다시 고유목적사업에 전입하여 3년 이상 고유목적사업에 직접사용 후 처분하는 경우

【요지】비영린국법인이 토지 및 건물(이하 "쟁점부동산")을 취득한 후 고유목적사업에 사용하다가 수익사업에 전입하여 일정기간 임대업에 사용한 후, 또 다시 고유목적사업에 전입하여 3년 이상 고유목적사업에 직접 사용 후 처분하는 경우 쟁점부동산의 처분수입 중 쟁점부동산을 취득한 이후부터 수익사업에 전입하기 전까지의 기간동안 발생한 처분수입은 법인세법 제4조 제3항 제5호 단서에 따른 비과세 대상에 해당하지 않는 것임.

비영리법인이 목적사업에만 사용한 고정자산을 처분하는 경우에는 상관이 없겠지만 목적사업에 사용한 기간동안 발생한 양도차액이 많은 고정자산을 수익사업에 전입하여 사용하다 처분하는 경우에는 목적사업에 사용한 기간동안 발생한 양도차액에 대해서도 법인세가 부과되므로 수익사업에 전입시 이를 고려해야 한다.

"그렇다면 건물의 일부를 목적사업에 사용하면서 나머지를 임대하는 부동산을 처분하는 경우에는 어떻게 해야 하나요?"

이재화

"비영리법인이 수익사업과 3년 이상 고유목적사업에 공통으로 사용하던 부동산을 처분하는 경우 양도차익은 양도가액에

장세무사

서 세무상 장부가액을 차감하여 산정합니다. 이렇게 계산한 양도차익에 대해 법인세법 시행규칙 제76조 제6항에 따라 수익사업과 고유목적사업에 해당하는 양도차익을 사용면적비율로 안분하여 수익사업 부문에 해당하는 양도차익에 대해 법인세를 납부하여야 합니다. 그리고 수익사업 부분에 대한 양도차익에 대해서는 고유목적사업준비금을 설정할 수 있습니다. 그리고 이때 고유목적사업에 사용여부는 고정자산 처분일 현재를 기준으로 판단하므로 오랜 기간 고유목적사업에 사용한 고정자산이라도 해당 고정자산 처분시점에 수익사업에 사용하고 있다면 과세대상에 해당하는 것입니다."

사용용도	사용기한	과세대상여부
목적사업	고정자산 처분일 현재 3년 이상 계속하여 고유목적에 사용한 경우	×
	그 외	○
수익사업	관계없이	○

구분경리란 무엇인가?

"비영리법인이 회계를 기록 관리하는 데 있어 각 회계단위별로 구분하여 기록 관리하는 것을 요청받고 있습니다. 예를 들면, 정부업무 등을 수탁 받아 처리하는 비영리법인의 경우 일반회계와 수탁사업의 회계를 구분하며, 경우에 따라 감독기관이나 근거법규에 의하여 일반회계와 특별회계로 구분하여 경리할 수 있습니다. 그리고 비영리법인이 수익사업을 영위하는 경우에는 자산·부채 및 손익을 당해 수익사업에 속하는 것과 목적사업에 속하는 것을 각각 별개의 회계로 구분하여 경리해야 합니다. 이렇게 구분 경리를 위해서는 수익사업과 목적사업의 증빙을 별도로 구분하여 관리할 필요가 있으며, 나아가 그 수익사업 중 일부가 법률에 의하여 조세의 감면 또는 면제대상인 사업이 있는 경우에는 그 수익사업을 다시 감면대상사업과 과세대상사업으로 구분하여 경리해야 합니다. 비영리법인이라 하더라도 법인세법에서 열거하고 있는 수익사업을 영위하는 경우 해당 수익사업에서 생긴 소득에 대해 법인세 신고·납세의무가 있기 때문입니다."

(1) 구분경리의 목적

비영리법인의 구분경리는 비영리법인의 고유목적사업의 목적달성을 여부를 측정하고 세법상 수익사업에 해당하는 부분에서 발생한 소득에 대하여 납세의무를 부여하기 위하여 회계를 구분하여 경리하는 것을 말한다.

① 과세소득의 계산
② 고유목적사업 달성 정도를 측정

(2) 구분경리의 대상

① 비영리법인의 수익사업과 목적사업

② 공공법인의 기타사업

③ 조세특례제한법상의 세액감면, 법인세면제, 소득공제가 있는 법인

④ 기타소득의 구분경리 등

(3) 구분경리의 필요성

비영리법인은 크게 사업별로 회계단위(ex. 일반회계, 특별회계)를 구분하고, 2차로는 해당회계단위를 수익사업회계와 목적사업회계를 구분하며, 3차로 각각의 수익사업회계 중 감면대상사업이 있는 경우에는 그 감면대상사업을 다시 구분하여 경리하여야 한다. 실무적으로는 수익사업회계와 목적사업회계로 회계단위를 구분하는 경우가 많다.

1) 주무관청

당해 비영리법인이 목적사업을 정관 및 법률에 따라 잘 수행하고 있는지를 주무관청에서 관리 감독하기 때문에 감독기관 또는 근거법규에 의하여 제재가 있을 수 있다. 또한 정부보조금 사업 및 정부 위탁사업 등의 경우 당해 사업에 대해 계정 및 계좌를 별도로 설치하고 구분경리 하도록 하고 있다.

사회복지법인 재무·회계 규칙 제6조(회계의 구분)

① 이 규칙에서의 회계는 법인의 업무전반에 관한 회계, 시설의 운영에 관한 회계 및 법인이 수행하는 수익사업에 관한 회계로 구분한다.
② 법인의 회계는 법인회계, 해당 법인이 설치·운영하는 시설의 시설회계 및 수익사업회계로 구분하여야 하며, 시설의 회계는 해당 시설의 시설회계로 한다.

의료기관 회계기준 규칙 제3조(회계의 구분)

① 병원의 개설자인 법인의 회계와 병원의 회계는 이를 구분하여야 한다.
② 법인이 2 이상의 병원을 설치·운영하는 경우에는 각 병원마다 회계를 구분하여야 한다.

사학기관 재무·회계 규칙 제2조(통칙)

법인과 학교의 재무와 회계에 관하여는 법과 동법시행령에 규정된 경우를 제외하고는 이 규칙에 의한다.

사학기관 재무·회계 규칙에 대한 특례규칙 제2조(적용범위 등)

① 이 규칙은 사립의 대학·산업대학·전문대학·사이버대학 및 이에 준하는 각종학교와 이를 설치·경영하는 학교법인에 대하여 적용한다.
② 학교의 교비회계와 법인의 일반업무회계에 관하여 이 규칙에 규정한 것을 제외하고는 사학기관재무·회계규칙을 적용한다.
③ 학교의 부속병원회계는 일반적으로 인정되는 의료법인의 병원회계에 준하여 계리하고, 법인의 수익사업회계는 일반적으로 인정되는 기업회계에 준하여 계리한다.

공익법인의 설립·운영에 관한 법률 시행령 제23조(회계의 구분)

① 공익법인의 회계는 법인의 목적사업 경영에 따른 회계와 수익사업

경영에 따른 회계로 구분한다.

② 제1항의 경우에 법인세법에 따른 법인세 과세대상이 되는 수익과 이에 대응하는 비용은 수익사업회계로 처리하고, 그 밖의 수익과 비용은 목적사업회계로 처리한다.

③ 제2항의 경우에 목적사업회계와 수익사업회계로 구분하기 곤란한 비용은 공동비용의 배분계산에 관한 법인세에 관한 법령의 규정을 준용하여 배분한다.

보조금 관리에 관한 법률 제34조(별도계정의 설정 등)

① 보조사업자 또는 간접보조사업자는 교부받은 보조금 또는 간접보조금에 대하여 별도의 계정을 설정하고 자체의 수입 및 지출을 명백히 구분하여 회계처리 하여야 한다.

② 보조사업자가 지방자치단체의 장인 경우 제1항에 따른 회계는 보조사업 집행에 소요되는 국비 및 지방비의 내역과 각각의 집행실적을 구분하여 처리하여야 한다.

비영리조직회계기준 제11조(재무상태표의 목적과 작성단위)

② 재무상태표는 비영리조직 전체를 하나의 재무제표 작성단위로 보아 작성하고 비영리조직 전체의 자산, 부채, 순자산의 내용과 금액을 표시하여야 한다. 다만, 비영리조직의 특성과 필요에 따라 재무상태표에 고유목적사업부문과 수익사업부문별로 열을 구분하고, 자산, 부채, 순자산의 금액을 각 열에 배분하는 방식으로 표시할 수 있다.

비영리조직회계기준 제24조(운영성과표의 목적과 작성단위)

② 운영성과표는 비영리조직 전체를 하나의 재무제표 작성단위로 보아 작성한다. 다만, 비영리조직의 특성과 필요에 따라 운영성과표에 고유목적사업부문과 수익사업부문별로 열을 구분하고, 수익과 비용의 금액을 각 열에 배분하는 방식으로 표시할 수 있다.

> **공익법인회계기준 제10조(재무상태표의 목적과 작성단위)**
>
> ② 재무상태표의 작성은 공익법인을 하나의 작성단위로 보아 통합하여 작성하되, 공익목적사업부문과 기타사업부문으로 각각 구분하여 표시한다.
>
> **공익법인회계기준 제23조(운영성과표의 목적과 작성단위)**
>
> ② 운영성과표의 작성은 공익법인을 하나의 작성단위로 보아 통합하여 작성하되, 공익목적사업부문과 기타사업부문으로 각각 구분하여 표시한다.

2) 과세관청

2차의 구분경리는 법인세법에 의하여 정하여진 규정이다. 법인세법에서는 수익사업부분의 과세소득을 정확히 계산할 수 있을 정도의 구분경리만 하면 되며, 구분경리가 장부상 완전하지 않은 측면이 있더라도 당해 장부로 과세소득 등이 구분계산 될 수 있으면 된다. 즉, 수익사업회계와 목적사업회계를 구분하지 않을 경우 별도의 가산세 등 규제가 있지 않아 구분경리가 실무상 이루어지지 않는 경우도 많다. 하지만 수익사업에 대한 법인세 계산을 위한 구분경리가 제대로 이루어지지 않는다면 수익사업의 과세표준 산출 계산내역을 객관적으로 증명하기 어려워 추후에 문제가 될 수 있다.

3차의 구분경리. 즉, 감면대상사업의 구분경리는 비영리법인보다 영리법인이 더 많이 적용되며, 영리법인의 경우에도 구분경리를 하기 보다는 법인세법 시행령 별지 제48호 서식인 소득구분계산서의 작성에 의하여 감면대상사업의 소득금액이나 과세표준을 계산하는 것이 일반적이다.

법인세법 제113조 【구분경리】

① 비영리법인이 수익사업을 하는 경우에는 자산·부채 및 손익을 그 수익사업에 속하는 것과 수익사업이 아닌 그 밖의 사업에 속하는 것을 각각 다른 회계로 구분하여 기록하여야 한다.

법인세법 시행규칙 제76조 【비영리법인의 구분경리】

① 비영리법인이 법 제113조 제1항의 규정에 의하여 구분경리하는 경우 수익사업과 기타의 사업에 공통되는 자산과 부채는 이를 수익사업에 속하는 것으로 한다.

② 비영리법인이 구분경리를 하는 경우에는 수익사업의 자산의 합계액에서 부채(충당금을 포함한다)의 합계액을 공제한 금액을 수익사업의 자본금으로 한다.

③ 비영리법인이 기타의 사업에 속하는 자산을 수익사업에 지출 또는 전입한 경우 그 자산가액은 자본의 원입으로 경리한다. 이 경우 자산가액은 시가에 의한다.

④ 비영리법인이 수익사업에 속하는 자산을 기타의 사업에 지출한 경우 그 자산가액 중 수익사업의 소득금액(잉여금을 포함한다)을 초과하는 금액은 자본원입액의 반환으로 한다. 이 경우 조세특례제한법 제74조 제1항 제1호의 규정을 적용받는 법인이 수익사업회계에 속하는 자산을 비영리사업회계에 전입한 경우에는 이를 비영리사업에 지출한 것으로 한다.

⑤ 비영리법인의 경우 법 제112조의 규정에 의한 장부의 기장은 제1

항 내지 제4항의 규정에 의한다.

⑥ 비영리법인이 법 제113조 제1항의 규정에 의하여 수익사업과 기타의 사업의 손익을 구분경리하는 경우 공통되는 익금과 손금은 다음 각 호의 규정에 의하여 구분계산 하여야 한다. 다만, 공통익금 또는 손금의 구분계산에 있어서 개별손금(공통손금 외의 손금의 합계액을 말한다. 이하 이 조에서 같다)이 없는 경우나 기타의 사유로 다음 각 호의 규정을 적용할 수 없거나 적용하는 것이 불합리한 경우에는 공통익금의 수입항목 또는 공통손금의 비용항목에 따라 국세청장이 정하는 작업시간·사용시간·사용면적 등의 기준에 의하여 안분계산 한다.

1. 수익사업과 기타의 사업의 공통익금은 수익사업과 기타의 사업의 수입금액 또는 매출액에 비례하여 안분계산

2. 수익사업과 기타의 사업의 업종이 동일한 경우의 공통손금은 수익사업과 기타의 사업의 수입금액 또는 매출액에 비례하여 안분계산

3. 수익사업과 기타의 사업의 업종이 다른 경우의 공통손금은 수익사업과 기타의 사업의 개별손금액에 비례하여 안분계산

⑦ 제6항의 규정에 의한 공통되는 익금은 과세표준이 되는 것에 한하며, 공통되는 손금은 익금에 대응하는 것에 한한다.

● 구분경리의 방법

(1) 재무상태표 항목의 구분경리

자산 및 부채는 구분경리의 대상이 되는 수익사업과 목적사업별로 각각 구분하여 기장하여야 하며, 수익사업의 자산

및 부채라 함은 수익사업의 수익을 획득하기 위하여 사용되는 자산과 수익을 발생시키는 직·간접적으로 관련하여 발생하는 부채를 말한다. 수익사업과 목적사업에 공통되는 자산과 부채는 이를 수익사업에 속하는 것으로 하며, 비영리법인은 영리법인과 달리 자본금이란 개념이 별도로 있지는 아니하나, 세무조정 등에 필요하므로 다음 산식에 의하여 자본금을 산정한다.

> 수익사업의 자본금 = 수익사업의 자산합계액 – 수익사업의 부채(충당금 포함)합계액

그리고 비영리법인이 기타의 사업에 속하는 자산을 수익사업에 지출 또는 전입한 경우 그 자산가액은 자본의 원입으로 경리한다. 이 경우 자산가액은 시가에 의한다.

(2) 운영성과표 항목의 구분경리

수익사업과 기타사업에 공통되는 익금과 손금은 다음의 방법으로 구분 계산한다.

구 분		안분계산방법
① 공통익금		수입금액(또는 매출액)에 비례하여 안분계산
②공통손금	㉠ 업종이 동일한 경우	수입금액(또는 매출액)에 비례하여 안분계산
	㉡ 업종이 다른 경우	개별손금액(공통손금 외의 각 사업의 손금의 합계액을 말한다)에 비례하여 안분계산

한편 개별손금이 없는 경우나 기타 사유로 위의 방법을 적용할 수 없거나 적용하는 것이 불합리한 경우에는 공통익금의 수입항목 또는 공통손금의 비용항목에 따라 국세청장이 정하는 작업시간·사용시간·사용면적 등의 기준에 의하여 안분계산한다. 수개의 업종을 겸영하고 있는 법인의 공통손익은 먼저 업종별로 안분계산하고 다음에 동일업종 내의 공통손익을 안분계산하여야 한다. 그리고 종업원에 대한 급여 상당액(복리후생비, 퇴직금 등을 포함함)은 근로의 제공내용을 기준으로 구분하며, 근로의 제공이 주로 수익사업에 관련된 것인 때에는 이를 수익사업의 비용으로 하고, 근로의 제공이 주로 고유목적사업에 관련된 것인 때에는 고유목적사업에 속한 비용으로 한다. 만약, 그 여부가 불분명한 경우에는 해당 급여를 공통손금으로 보아 안분계산한다. 다만, 이자·배당소득 등 금융소득은 법인세법상 수익사업에 해당되므로 구분경리의 대상이 되나 금융소득만 있는 경우 구분경리는 업무효율성 및 중요성 관점에서 크게 실익이 없을 것으로 생각된다.

Tip 실무상 구분경리 방법

비영리법인이 수익사업을 영위하는 경우에는 과세소득의 계산을 위해, 수익사업을 영위하지 않는 경우에도 고유목적 사업별 달성 정도의 측정을 위해 자산·부채 및 손익을 각각 구분하여 경리하여야 하며, 이를 위해서 사업별로 증빙을 별도로 관리하고 구분하여 장부를 작성할 필요가 있다. 회계프로그램을 사용하는 경우에는 프로그램에 따라 별도의 회사로 구분하거나 현장 또는 프로젝트로 구분할 수 있으며, 이 경우 구분된 사업별로 재무제표가 작성되는지 확인이 필요하다. 그리고 수익사업과 목적사업에 공통되는 자산과 부채는 이를 수익사업에 속하는 것으로 하고, 수익사업과 고유목적사업에 공통되는 익금과 손금은 하나의 사업부분을 정하여 해당 사업부분의 개별익금 및 개별손금과 구별되는 계정과목을 사용하여 구분 경리한 뒤 결산 시 수입금액 등에 비례하여 안분 계산한 금액을 결산분개를 통해 반영한다.

(3) 수익사업과 목적사업 간의 자본원입

수익사업과 목적사업 간의 자산의 전출입은 다음과 같이 처리한다.

구 분		처리방법
① 고유목적사업에 속하는 자산을 수익사업에 지출 또는 전입한 경우		그 자산의 시가를 자본의 원입으로 경리한다. (이 경우 시가가 불분명한 경우의 시가는 법인세법 시행령 제89조 제2항의 규정을 준용하여 평가한 가액에 의함)
② 수익사업에 속하는 자산을 고유목적사업에 지출한 경우	㉠ 그 자산가액 중 수익사업의 소득금액(잉여금 포함)이하의 금액	다음 금액과 순차적으로 상계한다. a. 손금산입된 고유목적사업준비금 b. 손금부인된 고유목적사업준비금 c. 법인세 과세 후 수익사업 소득금액
	㉡ 그 소득금액을 초과하는 금액	자본원입액의 반환으로 한다.

법인세법 시행령 제89조 【시가의 범위 등】

② 법 제52조 제2항을 적용할 때 시가가 불분명한 경우에는 다음 각호를 차례로 적용하여 계산한 금액에 따른다.

1. 감정평가 및 감정평가사에 관한 법률에 따른 감정평가법인 등이 감정한 가액이 있는 경우 그 가액(감정한 가액이 2이상인 경우에는 그 감정한 가액의 평균액). 다만, 주식 등 및 가상자산은 제외한다.

2. 상속세 및 증여세법 제38조, 제39조, 제39조의2, 제39조의3, 제61조부터 제66조까지의 규정을 준용하여 평가한 가액. 이 경우 상속세 및 증여세법 제63조 제1항 제1호 나목 및 같은 법 시행령 제54조에 따라 비상장주식을 평가할 때 해당 비상장주식을 발행한 법인이 보유한 주식(주권상장법인이 발행한 주식으로 한정한다)의 평가금액은 평가기준일의 거래소 최종시세가액으로 하며, 상속세 및 증여세법 제63조 제2항 제1호 및 같은 법 시행령 제57조 제1항·제2항을 준용할 때 "직전 6개월(증여세가 부과되는 주식 등의 경우에는 3개월로 한다)"은 각각 "직전 6개월"로 본다.

1) 목적사업용 자산을 수익사업에 지출 또는 전입하는 경우

비영리법인은 고유목적사업의 목적달성에 필요한 경우 그 본질에 반하지 아니하는 범위 내에서 수익사업을 영위할 수 있으므로, 출연받은 자산을 직접 목적사업에 지출하기보다는 수익사업으로 원입하여 운영하고, 발생된 수익을 목적사업에서 지출하는 것이 재정자립도를 높일 수 있다.

□ 자산의 전입: 목적사업 → 수익사업(자산가액은 시가로 평

가)

① 목적사업 : 차) 기 본 금　　100　　대) 자　　　산　　100

② 수익사업 : 차) 자　　　산　　100　　대) 기 본 금　　100

ex) 장부가액 100(취득가액 150, 감가상각누계액 50, 시가 120)인 건물을 수익사업에 전입하는 경우

① 목적사업 : 차) 기　　　본　　　금 100　　대) 건　　　물 150

　　　　　　　　　감가상각누계액　50

② 수익사업 : 차) 건　　물 120　　대) 기 본 금　　　　100

　　　　　　　　　　　　　　　　　　　자본조정　　　　20

　　그렇다면 목적사업에 사용하던 고정자산을 수익사업에 전입한 후 처분할 경우 양도차익은 어떻게 계산할까? 위 예와 같이 시가 120(장부가액 100)인 건물을 수익사업에 전입한 후 수익사업에서 감가상각을 30을 추가로 계상한 상태에서 수익사업에 사용 중인 건물을 150에 처분하였다면 회계처리는 다음과 같다.

① 수익사업 : 차) 보통예금　　150　대) 건　　　　　　물 120

　　　　　　　　　감가상각누계액 30　고정자산처분이익 60

　　이 경우 해당 건물의 취득가액을 목적사업에서 수익사업에 전입할 당시의 시가로 계산하여 고정자산처분이익이 60으로 계산되나, 법인세 과세대상이 되는 고정자산처분이익은 취득

당시의 실제 취득가액으로 하여야 한다. 그러므로 건물의 취
득가액은 90(= 수익사업 전입 시점 시가 120 - 감가상각누계
액 30)이 아닌 70[= 취득 당시 취득가액 150 - 감가상각누
계액 (50 + 30)]이 되므로 목적사업에서 수익사업으로 전입
한 시점의 시가와 장부가액의 차이금액인 20을 세무조정을 통
해 익금산입해야 한다.

Tip 취득가액의 산정기준에 대하여

1심 : 서울행정법원 2016. 5. 19. 선고 2015구합70980 판결
2심 : 서울고등법원 2016. 11. 29. 선고 2016누48586 판결
3심 : 대법원 2017. 7. 11. 선고 2016두64722 판결

구 법인세법 제41조 제1항 제1호, 구 법인세법 시행령 제72조 제2항
제1호에 의하면, 내국법인이 타인으로부터 매입한 자산의 취득가액은
매입가액에 취득세, 등록세 기타 부대비용을 가산한 금액으로 한다. 한
편, 구 법인세법 제62조의2 규정에 의하면, 수익사업을 하지 아니하는
비영리내국법인이 토지 또는 건물 등 자산의 양도로 인한 소득이 있는
경우 소득세법을 준용하여 계산한 양도차익에서 일부 금액을 공제한 액
수를 과세표준으로 하여 산출한 세액을 법인세로 납부할 수 있는데, 그
양도차익을 계산하기 위해 자산 취득에 든 실지거래가액이 확인되는 경
우 그 실지거래가액을 취득가액으로 한다. 따라서 이 사건 토지의 처분
수입, 즉 양도차익을 산정하기 위해서는 양도가액에서 취득가액 등 필요
경비를 공제하여 계산하여야 하고, 그 취득가액은 이 사건 토지를 실제
취득한 시점에 이 사건 토지의 취득에 든 실지거래가액으로 하여야 한
다. 원고는 비영리내국법인이 처분일 당시 3년 이상 계속하여 고유목적
사업에 사용하고 있지 않아 비과세혜택을 받지 못하는 경우라도, 과거

3년 이상 계속하여 고유목적사업에 제공한 이상 그 기간만큼의 평가이익은 비과세될 수 있도록 취득가액을 산정하여야 한다는 취지로 주장하나 구 법인세법 제3조 제3항 제5호 및 시행령 조항에 의하면, 문언 상 비영리내국법인의 고정자산처분수입은 원칙적으로 과세대상이 되나, 처분일 현재 3년 이상 계속하여 고유목적사업에 직접 사용한 경우에 비과세대상으로 삼겠다는 취지이고, 과세표준을 정함에 있어서 과거 고유목적사업에 사용한 기간 동안의 평가차익 부분을 손금으로 반영하여 공제할 수 있다는 취지가 아님이 명백하다. 원고의 주장과 같은 해석은 문언의 한계를 넘는 것이고, 법령상 근거가 없는 것으로서 허용되지 아니한다고 볼 것이다.

2) 수익사업에 속하는 자산을 목적사업에 지출한 경우

비영리법인의 수익사업을 허용하는 것은 그 수익사업에서 발생한 수익을 목적사업에 사용하는 것을 전제로 하고 있다. 비영리법인의 경우 수익사업에서 발생한 소득에 대해 그 법인의 목적사업 또는 지정기부금에 지출하기 위하여 고유목적사업준비금을 손금으로 계상한 경우에는 일정한 범위 안에서 당해 사업연도의 소득금액 계산상 경비로 인정되어 법인세 부담을 줄일 수 있다. 또한 출연재산에 대해 상속세 및 증여세가 과세되지 않는 상속세 및 증여세법상 공익법인의 경우 수익사업용으로 사용하는 출연재산 운용소득금액의 80%에 상당하는 금액 이상을 그 사업연도 종료일로부터 1년 이내에 직접 공익목적사업에 사용하여야 한다. 이처럼 수익사업을 영위하는 비영리법인의 경우 주무관청의 관리·감독과 세법상 가산세 등의 불이익을 당하지 않기 위해 수익사업에서 발생한 수익은 목적사업에 전출하여 목적사업을 위해 사용하여야 한다.

□ 자산의 전출: 수익사업 → 목적사업(자산가액은 시가로 평가), 고유목적사업준비금 100, 잉여금이 20이 있는 경우

① 수익사업 :

차) 고유목적사업준비금 100 대) 현금 및 현금등가물   150
　　　이　익　잉　여　금　20
　　　기　　　본　　　금　30

② 목적사업 :

차) 현금및현금등가물 150 대) 고유목적사업준비금수입100
　　　　　　　　　　　　　이　익　잉　여　금 20
　　　　　　　　　　　　　기　　　본　　　금 30

　　비영리법인이 수익사업에 속하는 자산을 목적사업에 지출한 때는 그 자산가액 중 수익사업의 소득금액(잉여금을 포함)을 초과하는 금액은 자본원입액의 반환으로 한다.

법인세법 기본통칙 113-156…3 【비영리법인의 잉여금의 범위】

① 규칙 제76조 제4항에서 "잉여금"이라 함은 이미 법인세가 과세된 소득(법 및 조세특례제한법에 의하여 비과세되거나 익금불산입된 금액을 포함한다)으로서 수익사업부문에 유보되어 있는 금액을 말한다.

② 규칙 제76조 제4항을 적용함에 있어 비영리법인이 수익사업에 속하는 자산을 비영리사업에 지출한 때에는 해당 자산가액을 다음 각호에 규정하는 금액과 순차적으로 상계처리하여야 한다.

1. 고유목적사업준비금 중 법 제29조에 따라 손금산입된 금액(같은 조 제2항 후단의 금액을 포함한다)
2. 고유목적사업준비금 중 손금 부인된 금액
3. 법인세과세후의 수익사업소득금액(잉여금을 포함한다)
4. 자본의 원입액

<사례1 : 고유목적사업준비금 설정대상 법인인 경우>

수익사업 B/S

자 산		부 채	
현금 및 현금등가물	250	고유목적사업준비금	100
		자 본	
		기 본 금	60
		이 익 잉 여 금	90

수익사업 I/S

사업수익	1,000
사업비용	800
사업이익	200
사업외수익	0
사업외비용	0
고유목적사업준비금 전입액	100
법인세비용 차감전 당기운영이익	100

법인세비용	<u>10</u>
당기운영이익	90

ex 1) 수익사업의 소득금액을 목적사업용 자산(취득가액 150)에 사용한 경우

① 수익사업 :

차) 고유목적사업준비금 100 대) 현금 및 현금등가물 150

　　이 익 잉 여 금 50

② 목적사업 :

차) 현금및현금등가물 150 대) 고유목적사업준비금수입100

　　　　　　　　　　　　이 익 잉 여 금 50

차) 자　　　　　산 150 대) 현금 및 현금등가물　　150

ex 2) 수익사업의 소득금액을 목적사업용 자산(취득가액 250)에 사용한 경우

① 수익사업 :

차) 고유목적사업준비금 100 대) 현금 및 현금등가물 250

　　이 익 잉 여 금 90

　　기　　본　　금 60

② 목적사업 :

차) 현금및현금등가물 250 대) 고유목적사업준비금수입100

이 익 잉 여 금 90

기   본   금 60

차) 자   산   250 대) 현금 및 현금등가물   250

<사례2 : 고유목적사업준비금 설정대상 법인이 아닌 경우>

수익사업 B/S

자 산	부 채
현금 및 현금등가물 250	
	자 본
	기 본 금 70
	이 익 잉 여 금 180

수익사업 I/S

사업수익	1,000
사업비용	800
사업이익	200
사업외수익	0
사업외비용	0
법인세비용 차감전 당기운영이익	200
법인세비용	20
당기운영이익	180

ex 1) 수익사업의 소득금액을 목적사업용 자산(취득가액 100)에 사용한 경우

① 수익사업 : 차) 기부금 100 대) 현금 및 현금등가물 100

② 목적사업 : 차) 현금및현금등가물100 대) 기부금수입100

　　　　　　 차) 자 산 100 대) 현금 및 현금등가물 100

　법인으로 보는 단체 중 고유목적사업준비금 설정대상법인을 제외한 단체의 수익사업에서 발생한 소득을 목적사업비로 지출하는 금액은 기부금으로 본다. 그러므로 기부금 손금산입 한도 내에서 손금인정을 받기 위해서는 회계처리에서도 기부금의 지출로 처리하여야 한다.

법인세법 시행령 제39조 【공익성을 고려하여 정하는 기부금의 범위 등】

① 법 제24조 제3항 1호에서 "대통령령으로 정하는 기부금"이란 다음 각 호의 어느 하나에 해당하는 것을 말한다.

1. 다음 각 목의 비영리법인(단체 및 비영리외국법인을 포함하며, 이하 이 조에서 "공익법인 등"이라 한다)에 대하여 해당 공익법인 등의 고유목적사업비로 지출하는 기부금. 다만, 바목에 따라 지정·고시된 법인에 지출하는 기부금은 지정일이 속하는 연도의 1월 1일부터 3년간(지정받은 기간이 끝난 후 2년 이내에 재지정되는 경우에는 재지정일이 속하는 사업연도의 1월 1일부터 6년간으로 한다. 이하 이 조에서 "지정기간"이라 한다) 지출하는 기부금으로 한정한다.

가. 사회복지사업법에 따른 사회복지법인

나. 영유아보육법에 따른 어린이집

다. 유아교육법에 따른 유치원, 초·중등교육법 및 고등교육법에 따른 학교, 국민 평생 직업능력 개발법에 따른 기능대학, 평생교육법 제31

조 제4항에 따른 전공대학 형태의 평생교육시설 및 같은 법 제33조
제3항에 따른 원격대학 형태의 평생교육시설

라. 의료법에 따른 의료법인

마. 종교의 보급, 그밖에 교화를 목적으로 민법 제32조에 따라 문화체
육관광부장관 또는 지방자치단체의 장의 허가를 받아 설립한 비영리
법인(그 소속 단체를 포함한다)

바. 민법 제32조에 따라 주무관청의 허가를 받아 설립된 비영리법인
(이하 이 조에서 "민법상 비영리법인"이라 한다), 비영리외국법인, 협
동조합 기본법 제85조에 따라 설립된 사회적협동조합(이하 이 조에
서 "사회적협동조합"이라 한다), 공공기관의 운영에 관한 법률 제4조
에 따른 공공기관(같은 법 제5조 제4항 제1호에 따른 공기업은 제외
한다. 이하 이 조에서 "공공기관"이라 한다) 또는 법률에 따라 직접
설립 또는 등록된 기관 중 다음의 요건을 모두 충족한 것으로서 국세
청장(주사무소 및 본점소재지 관할세무서장을 포함한다. 이하 이 조
에서 같다)의 추천을 받아 기획재정부장관이 지정하여 고시한 법인.
이 경우 국세청장은 해당 법인의 신청을 받아 기획재정부장관에게 추
천해야 한다.

1) 다음의 구분에 따른 요건

가) 민법상 비영리법인 또는 비영리외국법인의 경우: 정관의 내용상
수입을 회원의 이익이 아닌 공익을 위하여 사용하고 사업의 직접 수
혜자가 불특정 다수일 것(비영리외국법인의 경우 추가적으로 재외동
포의 출입국과 법적 지위에 관한 법률 제2조에 따른 재외동포의 협력·
지원, 한국의 홍보 또는 국제교류·협력을 목적으로 하는 것일 것). 다
만, 상속세 및 증여세법 시행령 제38조 제8항 제2호 각 목 외의 부분
단서에 해당하는 경우에는 해당 요건을 갖춘 것으로 본다.

나) 사회적협동조합의 경우 : 정관의 내용상 협동조합 기본법 제93조
제1항 제1호부터 제3호까지의 사업 중 어느 하나의 사업을 수행하는

것일 것

다) 공공기관 또는 법률에 따라 직접 설립 또는 등록된 기관의 경우
: 설립목적이 사회복지·자선·문화·예술·교육·학술·장학 등 공익목적 활동을 수행하는 것일 것

2) 해산하는 경우 잔여재산을 국가지방자치단체 또는 유사한 목적을 가진 다른 비영리법인에 귀속하도록 한다는 내용이 정관에 포함되어 있을 것

3) 인터넷 홈페이지가 개설되어 있고, 인터넷 홈페이지를 통해 연간 기부금 모금액 및 활용실적을 공개한다는 내용이 정관에 포함되어 있으며, 법인의 공익위반 사항을 국민권익위원회, 국세청 또는 주무관청 등 공익위반사항을 관리·감독할 수 있는 기관(이하 "공익위반사항 관리·감독 기관"이라 한다) 중 1개 이상의 곳에 제보가 가능하도록 공익위반사항 관리·감독기관이 개설한 인터넷 홈페이지와 해당 법인이 개설한 홈페이지가 연결되어 있을 것

4) 비영리법인으로 지정·고시된 날이 속하는 연도와 그 직전 연도에 해당 비영리법인의 명의 또는 그 대표자의 명의로 특정 정당 또는 특정인에 대한 공직선거법 제58조 제1항에 따른 선거운동을 한 사실이 없을 것

5) 제12항에 따라 지정이 취소된 경우에는 그 취소된 날부터 3년, 제9항에 따라 추천을 받지 않은 경우에는 그 지정기간의 종료일부터 3년이 지났을 것. 다만, 제5항 제1호에 따른 의무를 위반한 사유만으로 지정이 취소되거나 추천을 받지 못한 경우에는 그렇지 않다.

2. 다음 각 목의 기부금

가. 유아교육법에 따른 유치원의 장, 초·중등교육법 및 고등교육법에 의한 학교의 장, 국민 평생 직업능력 개발법에 의한 기능대학의 장, 평생교육법 제31조 제4항에 따른 전공대학 형태의 평생교육시설 및 같은 법 제33조 제3항에 따른 원격대학 형태의 평생교육시설의 장이

추천하는 개인에게 교육비·연구비 또는 장학금으로 지출하는 기부금

나. 상속세 및 증여세법 시행령 제14조 제1항 각 호의 요건을 갖춘 공익신탁으로 신탁하는 기부금

다. 사회복지·문화·예술·교육·종교·자선·학술 등 공익목적으로 지출하는 기부금으로서 기획재정부장관이 지정하여 고시하는 기부금

라. 삭 제

마. 삭 제

3. 삭 제

4. 다음 각 목의 어느 하나에 해당하는 사회복지시설 또는 기관 중 무료 또는 실비로 이용할 수 있는 시설 또는 기관에 기부하는 금품의 가액. 다만, 나목 1)에 따른 노인주거복지시설 중 양로시설을 설치한 자가 해당 시설의 설치·운영에 필요한 비용을 부담하는 경우 그 부담금 중 해당 시설의 운영으로 발생한 손실금(기업회계기준에 따라 계산한 해당 과세기간의 결손금을 말한다)이 있는 경우에는 그 금액을 포함한다.

가. 아동복지법 제52조 제1항에 따른 아동복지시설

나. 노인복지법 제31조에 따른 노인복지시설 중 다음의 시설을 제외한 시설

1) 노인복지법 제32조 제1항에 따른 노인주거복지시설 중 입소자 본인이 입소비용의 전부를 부담하는 양로시설·노인공동생활가정 및 노인복지주택

2) 노인복지법 제34조 제1항에 따른 노인의료복지시설 중 입소자 본인이 입소비용의 전부를 부담하는 노인요양시설·노인요양공동생활가정 및 노인전문병원

3) 노인복지법 제38조에 따른 재가노인복지시설 중 이용자 본인이 재가복지서비스에 대한 이용대가를 전부 부담하는 시설

다. 장애인복지법 제58조 제1항에 따른 장애인복지시설. 다만, 다음 각 목의 시설은 제외한다.

1) 비영리법인(사회복지사업법 제16조 제1항에 따라 설립된 사회복지법인을 포함한다) 외의 자가 운영하는 장애인 공동생활가정

2) 장애인복지법 시행령 제36조에 따른 장애인생산품 판매시설

3) 장애인 유료복지시설

라. 한부모가족지원법 제19조 제1항에 따른 한부모가족복지시설

마. 정신건강증진 및 정신질환자 복지서비스 지원에 관한 법률 제3조 제6호 및 제7호에 따른 정신요양시설 및 정신재활시설

바. 성매매방지 및 피해자보호 등에 관한 법률 제6조 제2항 및 제10조 제2항에 따른 지원시설 및 성매매피해상담소

사. 가정폭력방지 및 피해자보호 등에 관한 법률 제5조 제2항 및 제7조 제2항에 따른 가정폭력 관련 상담소 및 보호시설

아. 성폭력방지 및 피해자보호 등에 관한 법률 제10조 제2항 및 제12조 제2항에 따른 성폭력피해상담소 및 성폭력피해자보호시설

자. 사회복지사업법 제34조에 따른 사회복지시설 중 사회복지관과 부랑인·노숙인 시설

차. 노인장기요양보험법 제32조에 따른 재가장기요양기관

카. 다문화가족지원법 제12조에 따른 다문화가족지원센터

타. 건강가정기본법 제35조 제1항에 따른 건강가정지원센터

파. 청소년복지 지원법 제31조에 따른 청소년복지시설

5. 삭 제

6. 다음 각 목의 요건을 모두 갖춘 국제기구로서 기획재정부장관이 지정하여 고시하는 국제기구에 지출하는 기부금

가. 사회복지, 문화, 예술, 교육, 종교, 자선, 학술 등 공익을 위한 사업을 수행할 것

나. 우리나라가 회원국으로 가입하였을 것

② 법인으로 보는 단체 중 제56조 제1항 각호에 따른 단체를 제외한 단체의 수익사업에서 발생한 소득을 고유목적사업비로 지출하는 금액은 법 제24조 제3항 제1호에 따른 기부금으로 본다.

Chapter 03

고유목적사업준비금

● 고유목적사업준비금이란 무엇인가?

연말이 다가오자 회계팀장인 장보리는 결산과 관련하여 의논하고자 장세무사를 찾아온다.

"팀장님. 안녕하세요. 결산 때문에 많이 바쁘시겠네요."
장세무사

"네. 안녕하세요. 그동안 잘 지내셨죠? 세무사님. 오늘 찾아뵌
장보리 건 제가 결산이 처음이기도 하고, 이번에 부동산을 취득하면서 임대수익과 행사참가비 수입이 있어 법인세 신고를 위해 구분경리를 하고 있는데요. 수익사업에서 이익이 발생해서 법인세가 나올거 같습니다. 대략적인 법인세를 계산해서 내년 예산에 잡아야 할거 같은데 세금이 얼마나 나올지 걱정이 되네요."

"너무 걱정하지 않으셔도 됩니다. 비영리법인의 경우에는 고유목적사업준비금을 통해 법인세부담을 줄일 수 있습니다."

"그럼 다행이네요. 그런데, 고유목적사업준비금이 뭔가요?"

"고유목적사업준비금이란 비영리내국법인이 각사업연도의 수익사업에서 발생한 소득금액에 대해 법인의 목적사업 또는 지정기부금에 지출하기 위하여 일정 금액을 고유목적사업준비금으로 계상한 경우에 세법의 한도 내에서 법인의 경비로 인정해 주는 준비금입니다. 비영리법인의 경우 목적사업에 사용하기 위하여 수익사업을 영위하는 것이기 때문에 수익사업에서 발생한 소득 전체에 대해 법인세를 부과하는 것이 아니라 발생 소득의 일정부분을 고유목적사업준비금으로 손금에 계상하는 것을 인정해 주고 있습니다."

"그렇다면, 일반 영리법인에 비해 법인세 부담이 줄어드는 효과가 있겠네요."

"일반적으로 영리법인에 비해 법인세 부담이 50% 이상 경감되는 효과가 있습니다."

"50% 이상이나요? 적지 않은 금액이네요."

"네. 그렇습니다. 그럼 고유목적사업준비금에 대해 한번 알아보도록 하겠습니다."

● 고유목적사업준비금을 설정할 수 있는 법인은?

고유목적사업준비금은 법인세법상의 규정에 의한 것으로서 법인세법상 비영리법인에게만 적용한다. 따라서 등기된 비영리법인과 의제법인인 비영리법인의 경우에만 적용 가능한 것이다. 개인이 비영리사업을 하더라도 이는 법인세법에 의한 고유목적사업준비금은 인정되지 않는다. 따라서 실무상 개인이 고유목적사업준비금을 설정하려면 반드시 법인등록이 되어 있거나 단체를 결성하고 신고서를 과세관청에 제출하여 법인으로 보는 단체가 되어야 한다.

(1) 법인격이 있는 비영리내국법인

법인격 있는 비영리내국법인은 고유목적사업준비금을 설정하여 손금에 산입할 수 있다. 그러나 비영리내국법인이 이자소득에 대하여 원천징수방법을 택한 경우에는 당해 이자소득에 대하여는 이를 지급받을 때에 원천징수하는 것으로서 납세의무가 종결되므로 고유목적사업준비금을 설정할 수 없다.

(2) 국세기본법 제13조 제1항 및 제2항의 규정에 의한 법인으로 보는 단체 중 다음의 법인

고유목적사업준비금을 설정할 수 있는 비영리내국법인의

범위는 다음 어느 하나에 해당하는 단체를 말하며, 고유목적 사업준비금을 설정할 수 있는 비영리법인이 고유목적사업 등 에 지출하는 경우에는 그 금액을 먼저 계상한 사업연도의 고 유목적사업준비금부터 순차로 상계하도록 하고 있다.

① 법인세법 시행령 제39조 제1항 1호 해당 지정기부금 대상 이 되는 단체
② 법령에 의하여 설치된 기금
③ 공동주택의 입주자대표회의·임차인대표회의 또는 이와 유 사한 관리기구

구　　분		고유목적사업 준비금	고유목적사업비 지출액의 회계처리
1.법인격이 있는 민법상 비영리법인 등			
2.법인으로 보는 단체	㉠ 법인세법 시행령 제39조 제1항 제1호의 단체, 법령 에 의하여 설치된 기금 ㉡ 공동주택의 입주자대표 회의·임차인대표회의 또는 이와 유사한 관리기구	설정 가능	고유목적사업준비금 의 사용액으로 처리
	기타단체	설정대상 제외	일반기부금으로 처리

국세기본법 제13조 【법인으로 보는 단체 등】
① 법인(법인세법 제2조 제1호에 따른 내국법인 및 제3호에 따른 외국법 인을 말한다. 이하 같다)이 아닌 사단, 재단, 그 밖의 단체(이하 "법인 아닌 단체"라 한다) 중 다음 각 호의 어느 하나에 해당하는 것으로서 수익

을 구성원에게 분배하지 아니하는 것은 법인으로 보아 이 법과 세법을 적용한다.

1. 주무관청의 허가 또는 인가를 받아 설립되거나 법령에 따라 주무관청에 등록한 사단, 재단, 그 밖의 단체로서 등기되지 아니한 것

2. 공익을 목적으로 출연된 기본재산이 있는 재단으로서 등기되지 아니한 것

② 제1항에 따라 법인으로 보는 사단, 재단, 그 밖의 단체 외의 법인 아닌 단체 중 다음 각 호의 요건을 모두 갖춘 것으로서 대표자나 관리인이 관할세무서장에게 신청하여 승인을 받은 것도 법인으로 보아 이 법과 세법을 적용한다. 이 경우 해당 사단, 재단, 그 밖의 단체의 계속성과 동질성이 유지되는 것으로 본다.

1. 사단, 재단, 그 밖의 단체의 조직과 운영에 관한 규정을 가지고 대표자나 관리인을 선임하고 있을 것

2. 사단, 재단, 그 밖의 단체 자신의 계산과 명의로 수익과 재산을 독립적으로 소유·관리할 것

3. 사단, 재단, 그 밖의 단체의 수익을 구성원에게 분배하지 아니할 것

③ 제2항에 따라 법인으로 보는 법인 아닌 단체는 그 신청에 대하여 관할세무서장의 승인을 받은 날이 속하는 과세기간과 그 과세기간이 끝난 날부터 3년이 되는 날이 속하는 과세기간까지는 소득세법에 따른 거주자 또는 비거주자로 변경할 수 없다. 다만, 제2항 각 호의 요건을 갖추지 못하게 되어 승인취소를 받는 경우에는 그러하지 아니하다.

④ 제1항과 제2항에 따라 법인으로 보는 법인 아닌 단체(이하 "법인으로 보는 단체"라 한다)의 국세에 관한 의무는 그 대표자나 관리인이 이행하여야 한다.

⑤ 법인으로 보는 단체는 국세에 관한 의무 이행을 위하여 대표자나 관리인을 선임하거나 변경한 경우에는 대통령령으로 정하는 바에 따라 관할세무서장에게 신고하여야 한다.

⑥ 법인으로 보는 단체가 제5항에 따른 신고를 하지 아니한 경우에는 관할세무서장은 그 단체의 구성원 또는 관계인 중 1명을 국세에 관한 의무

를 이행하는 사람으로 지정할 수 있다.

⑦ 법인으로 보는 단체의 신청·승인과 납세번호 등의 부여 및 승인취소에 필요한 사항은 대통령령으로 정한다.

법인세법 제29조 【고유목적사업준비금의 손금산입】

① 비영리내국법인(법인으로 보는 단체의 경우에는 대통령령으로 정하는 단체만 해당한다. 이하 이 조에서 같다)이 각 사업연도의 결산을 확정할 때 그 법인의 고유목적사업이나 제24조 제3항 제1호에 따른 일반기부금(이하 이 조에서 "고유목적사업등"이라 한다)에 지출하기 위하여 고유목적사업준비금을 손비로 계상한 경우에는 다음 각 호의 구분에 따른 금액의 합계액(제2호에 따른 수익사업에서 결손금이 발생한 경우에는 제1호 각 목의 금액의 합계액에서 그 결손금 상당액을 차감한 금액을 말한다)의 범위에서 그 계상한 고유목적사업준비금을 해당 사업연도의 소득금액을 계산할 때 손금에 산입한다.

1. 다음 각 목의 금액

가. 소득세법 제16조 제1항 각 호(같은 항 제11호에 따른 비영업대금의 이익은 제외한다)에 따른 이자소득의 금액

나. 소득세법 제17조 제1항 각 호에 따른 배당소득의 금액. 다만, 상속세 및 증여세법 제16조 또는 제48조에 따라 상속세 과세가액 또는 증여세 과세가액에 산입되거나 증여세가 부과되는 주식 등으로부터 발생한 배당소득의 금액은 제외한다.

다. 특별법에 따라 설립된 비영리내국법인이 해당 법률에 따른 복지사업으로서 그 회원이나 조합원에게 대출한 융자금에서 발생한 이자금액

2. 그 밖의 수익사업에서 발생한 소득에 100분의 50(공익법인의 설립·운영에 관한 법률에 따라 설립된 법인으로서 고유목적사업 등에 대한 지출액 중 100분의 50 이상의 금액을 장학금으로 지출하는 법인의 경우에는 100분의 80)을 곱하여 산출한 금액

> **법인세법 시행령 제56조 【고유목적사업준비금의 손금산입】**
>
> ① 법 제29조 제1항 각 호 외의 부분에서 "대통령령으로 정하는 단체"란 다음 각 호의 어느 하나에 해당하는 단체를 말한다.
> 1. 제39조 제1항 제1호에 해당하는 단체
> 2. 삭 제
> 3. 법령에 의하여 설치된 기금
> 4. 공동주택관리법 제2조 제1항 제1호 가목에 따른 공동주택의 입주자대표회의·임차인대표회의 또는 이와 유사한 관리기구

● 고유목적사업준비금을 설정할 수 없는 법인은?

(1) 수익사업소득에 대하여 감면 등을 받은 경우

비영리내국법인의 수익사업에서 발생한 소득에 대하여 법인세법 또는 조세특례제한법에 따라 다음과 같이 감면 등을 적용받는 경우에는 고유목적사업준비금을 설정할 수 없다. 하지만 고유목적사업준비금만을 적용받는 것으로 수정 신고한 경우는 제외한다.

① 비과세·면제를 받는 경우
② 준비금의 손금산입규정을 적용받는 경우
③ 소득공제규정을 적용받는 경우
④ 세액감면(세액공제를 제외)규정을 적용받는 경우

(2) 이자소득에 대하여 원천징수방법을 택한 경우

비영리법인은 당해 사업연도에서 발생한 이자소득(비영업대금의 이익을 제외하고 투자신탁수익의 분배금을 포함)으로서 법인세법 제73조의 규정에 의하여 원천징수 된 이자소득에 대하여는 법인세법 제60조 제1항의 규정에 의한 신고납부방법과 원천징수된 것으로서 납세의무가 종결된 것으로 하는 원천징수방법 중 법인의 선택할 수 있다. 따라서 법인이 이자소득에 대하여 원천징수방법을 선택한 경우의 당해 이자소득은 별도로 법인세의 신고·납부할 의무가 없으므로 고유목적사업준비금 설정대상에서 제외하여야 한다.

법인세법에서는 이자소득에 대해 고유목적사업준비금을 손금에 산입할 수 있도록 규정하고 있지만 원천징수방법을 선택할 경우 고유목적사업준비금 설정대상에서 제외되어 이자소득을 지급받을 때 원천징수 된 법인세를 환급받을 수 없다. 따라서 과세표준 신고를 하지 않은 이자소득에 대해서는 수정신고, 기한후 신고 또는 경정 등으로 과세표준에 포함할 수 없

으므로 원천징수 된 법인세를 산출세액에서 공제받을 수 있는 법인세 신고·납부 방법을 선택해야 한다.

Tip 이자소득만 있는 비영리법인의 법인세 신고 특례

이자소득만 있는 비영리법인은 간이신고서식으로 과세표준을 신고하여 기납부한 원천징수 된 이자소득세를 전액 환급받을 수 있다. 이 경우 재무상태표, 운영성과표, 이익잉여금처분계산서(또는 결손금처리계산서), 현금흐름표 등을 첨부할 필요가 없다.

<이자소득만 있는 비영리법인의 법인세 신고서류>

① 이자소득만 있는 비영리법인의 법인세·농어촌특별세 과세표준 및 세액신고서(법인칙 별지 56호 서식)
② 고유목적사업준비금 조정명세서(법인칙 별지 27호 서식)(갑)(을)
③ 원천납부세액명세서(법인칙 별지 제10호 서식(갑)(을)) 내지 농어촌특별세과세대상감면세액합계표(법인칙 별지 제13호 서식)

(3) 조합법인 등이 당기순이익과세방법을 택한 경우

조세특례제한법 제72조 제1항의 규정에 의한 조합법인 등은 각 사업연도의 소득에 대하여 당해 법인의 결산재무제표상의 당기순이익에 9%(해당금액이 20억원을 초과하는 경우 그 초과분은 12%)의 세율을 적용하여 과세하는 당기순이익과세방법을 선택하여 적용하거나 당기순이익과세방법을 포기하고 일반법인의 경우와 같이 당해 조합법인의 수익사업부문의 각 사업연도의 소득에서 이월결손금, 비과세소득, 소득공제액을 차감한 금액을 과세표준으로 하여 신고·납부할 수 있도록 하

고 있다. 따라서 조합법인 등이 수익사업부문의 소득에 대하여 당기순이익과세방법을 선택한 경우에는 고유목적사업준비금을 설정할 수 없다.

(4) 도시 및 주거환경정비법 제35조에 따라 설립된 조합

도시 및 주거환경정비법 제35조에 따라 설립된 조합(전환정비사업조합을 포함)에 대하여는 법인세법 제2조에도 불구하고 비영리내국법인으로 보아 법인세법을 적용하지만 고유목적사업준비금을 설정할 수는 없다.

(5) 청산중에 있는 비영리내국법인

청산중에 있는 비영리내국법인은 고유목적사업준비금을 손금에 산입할 수 없다.

● 준비금 설정한도는 얼마일까?

"비영리법인이 손금에 산입할 수 있는 고유목적사업준비금은 법인의 종류에 따라 그 한도액을 달리하고 있습니다. 그럼 법인의 종류에 따라 한도액이 얼마인지 알아보도록 하겠습니다."

법인별	설정한도액
일반비영리법인	합계 = ① + ② ① 이자소득, 배당소득 등 × 100% ② 기타의 수익사업소득 × 50%(80%[10])
학교법인/사회복지법인 등	수익사업소득 × 100%
농협협동조합중앙회	합계 = ① + ② + ③ ① 이자소득, 배당소득 등 × 100% ② 명칭 사용료 × 70% ~ 100% ③ 기타의 수익사업소득 × 50%

(1) 일반 비영리법인

1) 이자·배당소득 금액

① 소득세법 제16조 제1항 각 호(같은 항 제11호에 따른 비영업대금의 이익은 제외한다)에 따른 이자소득의 금액

② 소득세법 제17조 제1항 각 호에 따른 배당소득의 금액. 다만, 상속세 및 증여세법 제16조 또는 같은 법 제48조에 따라 상속세 과세가액 또는 증여세 과세가액에 산입되거나 증여세가 부과되는 주식 등으로부터 발생한 배당소득금액은 제외한다.

---

10) 공익법인의 설립 및 운영에 관한 법률에 따라 설립된 법인으로서 고유목적사업 등에 대한 지출액 중 50% 이상의 금액을 장학금으로 지출하는 법인의 경우에는 소득의 80% 범위 내에서 설정가능

③ 특별법에 따라 설립된 비영리내국법인이 해당 법률에 따른 복지사업으로서 그 회원이나 조합원에게 대출한 융자금에서 발생한 이자금액

2) 기타의 수익사업 소득금액

기타의 수익사업에서 발생한 소득금액에 50%를 곱하여 산출한 금액. 다만, 공익법인의 설립·운영에 관한 법률에 의하여 설립된 법인으로서 고유목적사업 등에 대한 지출액 중 50% 이상의 금액을 장학금으로 지출하는 법인의 경우에는 80%를 적용한다.

기타의 수익사업 소득금액

= 당해 사업연도의 수익사업에서 발생한 소득금액(고유목적사업준비금과 특례기부금을 손금산입하기 전의 소득금액에서 경정으로 증가된 소득금액 중 해당법인의 특수관계인에게 상여 및 기타소득으로 처분된 소득금액은 제외함)

− 소득세법상 이자소득

− 배당소득금액

− 특별법인의 융자금 이자금액

− 이월결손금(각 사업연도 소득의 80%를 이월결손금 공제한도로 적용하는 법인은 공제한도 적용으로 인해 공제받지 못하고 이월된 결손금을 차감한 금액으로 함)

− 특례기부금

(2) 조세특례제한법의 손금산입 특례

1) 소득금액 전액을 손금으로 계상할 수 있는 법인

학교법인·사회복지법인·국립대학교병원 등 다음에 열거하는 공익법인에 해당하는 법인에 대하여는 2025년 12월 31일 이전에 끝나는 사업연도까지 고유목적사업준비금 손금산입규정을 적용함에 있어서 해당 법인의 수익사업(④ 및 ⑤의 경우에는 해당 사업과 해당 사업 시설에서 그 시설을 이용하는 자를 대상으로 하는 수익사업만 해당하고, ⑥의 체육단체의 경우에는 국가대표의 활동과 관련된 수익사업만 해당한다)에서 발생한 소득을 고유목적사업준비금으로 손금에 산입할 수 있다.

고유목적사업준비금 설정한도액 = 수익사업소득 × 100%

① 사립학교법에 따른 학교법인, 산업교육진흥 및 산학연협력 촉진에 관한 법률에 따른 산학협력단, 평생교육법에 따른 원격대학 형태의 평생교육시설을 운영하는 민법 제32조에 따른 비영리법인, 국립대학법인 서울대학교 설립·운영에 관한 법률에 따른 국립대학법인 서울대학교 및 발전기금, 국립대학법인 인천대학교 설립·운영에 관한 법률에 따른 국립대학법인 인천대학교 및 발전기금

② 사회복지사업법에 따른 사회복지법인

③ 국립대학병원 설치법에 따른 국립대학병원 및 국립대학치
   과병원 설치법에 따른 국립대학치과병원, 서울대학교병원
   설치법에 따른 서울대학교병원, 서울대학교치과병원 설치법
   에 따른 서울대학교치과병원, 국립암센터법에 따른 국립암
   센터, 지방의료원의 설립 및 운영에 관한 법률에 따른 지방
   의료원, 대한적십자사 조직법에 따른 대한적십자사가 운영
   하는 병원, 국립중앙의료원의 설립 및 운영에 관한 법률에
   따른 국립중앙의료원
④ 도서관법에 따라 등록한 도서관을 운영하는 법인
⑤ 박물관 및 미술관 진흥법에 따라 등록한 박물관 또는 미술
   관을 운영하는 법인
⑥ 정부로부터 허가 또는 인가를 받은 문화예술단체 및 체육
   단체로서 대통령령으로 정하는 법인
⑦ 국제경기대회 지원법에 따라 설립된 조직위원회로서 기획
   재정부장관이 효율적인 준비와 운영을 위하여 필요하다고
   인정하여 고시한 조직위원회
⑧ 공익법인의 설립·운영에 관한 법률에 따라 설립된 법인으
   로서 해당 과세연도의 고유목적사업이나 법인세법 제24조
   제3항 제1호에 따른 일반기부금에 대한 지출액 중 80% 이
   상의 금액을 장학금으로 지출한 법인

⑨ 공무원연금법에 따른 공무원연금공단, 사립학교교직원연금법에 따른 사립학교교직원연금공단

2) 대통령령으로 정하는 지역에 의료기관을 개설하여 의료업을 영위하는 법인

수도권 과밀억제권역 및 광역시를 제외하고 인구 등을 고려하여 대통령령으로 정하는 지역에 의료법 제3조 제2항 제1호 또는 제3호의 의료기관을 개설하여 의료업을 영위하는 비영리내국법인[1) 소득금액 전액을 손금으로 계상할 수 있는 비영리법인은 제외한다]에 대해서는 2025년 12월 31일 이전에 끝나는 사업연도까지 그 법인의 수익사업에서 발생한 소득을 고유목적사업준비금으로 손금에 산입할 수 있다.

고유목적사업준비금 설정한도액 = 수익사업소득 × 100%

3) 농업협동조합중앙회

농업협동조합중앙회에 대해서는 다음 각 호의 금액을 합한 금액의 범위에서 고유목적사업준비금을 손금에 산입할 수 있다.

① 이자소득, 배당소득 등에서 발생한 소득금액
② 농업협동조합법 제159조의 2에 따라 농업협동조합의 명칭

을 사용하는 법인에 대해서 부과하는 농업지원 사업비 수입금액에 70%에서 100%까지의 범위에서 기획재정부장관과 농림축산식품부장관이 협의하여 기획재정부령으로 정하는 비율을 곱하여 산출한 금액

③ 기타의 수익사업에서 발생한 소득에 50%를 곱하여 산출한 금액

● 준비금의 회계처리

(1) 준비금의 전입

고유목적사업준비금은 원칙적으로 결산서에 비용으로 계상한 경우에 한하여 손금에 산입되는 것이나, 주식회사의 외부감사에 관한 법률 제3조의 규정에 의한 감사인의 회계감사를 받는 비영리내국법인이 고유목적사업준비금을 세무조정계산서에 계상한 경우로서 그 금액상당액이 당해 사업연도의 이익처분에 있어서 당해 준비금의 적립금으로 적립되어 있는 경우 그 금액을 손금에 산입할 수 있다.

결산조정	신고조정
차) 고유목적사업준비금전입액(비용) 　　　　　　　　　　　　100 　대) 고유목적사업준비금(부채) 　　　　　　　　　　　　100 <세무조정> 한도초과액 손금불산입 (유보)	차) 미처분이익잉여금(잉여금) 　　　　　　　　　　　　100 　대) 고유목적사업준비금(잉여금) 　　　　　　　　　　　　100 <세무조정> 한도액까지 손금산입 (△유보)

① 임의로 외부회계감사를 받는 경우

　외부감사대상법인에 해당하지 아니하나 감사인의 회계감사를 받는 비영리법인은 준비금의 손금계상 특례(신고조정)를 적용받을 수 있다.

② 경정청구에 의한 추가설정 가능 여부

　고유목적사업준비금은 결산상 손금에 계상한 경우에 손금산입하는 것으로 결산시 동 준비금을 손금용인한도액에 미달하게 계상한 경우에는 그 후 국세기본법 제45조의2 규정에 의한 경정청구에 의해서 과소 계상한 준비금상당액을 손금에 산입할 수 없다.

③ 고유목적사업준비금 한도초과액의 처리

　법인세법 제29조 제1항 규정의 범위액을 초과하여 손금으로 계상한 고유목적사업준비금으로서 각 사업연도의 소득금액

계산시 손금불산입된 금액은 그 이후의 사업연도에 있어서 이를 손금으로 추인할 수 없다. 다만, 동 금액을 환입하여 수익으로 계상한 경우에는 이를 이월익금으로 보아 익금에 산입하지 아니한다.

(2) 준비금의 사용

고유목적사업준비금을 계상한 비영리법인이 그 후의 사업연도에 당해 법인의 목적사업 또는 일반기부금에 사용한 금액은 먼저 계상한 고유목적사업준비금을 먼저 사용한 것으로 보며, 이 경우 직전 사업연도종료일 현재의 고유목적사업준비금의 잔액을 초과하여 당해 사업연도의 고유목적사업 등에 지출한 금액이 있는 경우 그 금액은 이를 당해 사업연도에 계상할 고유목적사업준비금에서 지출한 것으로 본다. 따라서 이 금액은 해당 사업연도의 고유목적사업준비금 손금산입범위액 안에서 손금으로 인정된다.

결산조정	신고조정
【수익사업】	【수익사업】
차) 고유목적사업준비금(부채) 100	차) 고유목적사업준비금(잉여금) 100
대) 현금및현금등가물(자산) 100	대) 현금및현금등가물(자산) 100
【목적사업】	【목적사업】
차) 현금및현금등가물(자산) 100	차) 현금및현금등가물(자산) 100
대) 고유목적사업준비금환입액 (수입) 100	대) 고유목적사업준비금환입액 (수입) 100
차) 고유목적사업비(비용 또는 자산) 100	차) 고유목적사업비(비용 또는 자산) 100
대) 현금및현금등가물(자산) 100	대) 현금및현금등가물(자산) 100
<세무조정> 없음	<세무조정>
	− 준비금 목적사업전출 손금산입(기타)
	− 준비금 사용액 익금산입(유보)

1) 고유목적사업

고유목적사업이라 함은 당해 비영리내국법인의 법령 또는 정관에 규정된 설립목적을 직접 수행하는 사업으로서 법인세법 시행령 제3조 제1항의 규정에 해당하는 수익사업 외의 사업을 말한다. 즉, 통계청장이 고시하는 한국표준산업분류에 의한 각 사업 중 수익이 발생하는 사업(다만, 수익사업에서 제외되는 사업은 포함하지 아니한다)에 대하여는 고유목적사업준비금을 사용할 수 없다. 고유목적사업준비금의 사용에 해당하는 경우는 다음과 같다. 다만, ① 또는 ③에 해당하는 비영리내국법인이 유형자산 및 무형자산 취득 후 법령 또는 정관에 규정된 고유목적사업이나 보건업(보건업을 영위하는 비영리내국법인에 한정)에 3년 이상 자산을 직접 사용하지 아니하고 처분하는 경우에는 고유목적사업에 지출한 것으로 보지 않는다.

① 고유목적사업의 수행에 직접 소요되는 유형자산 및 무형자산 취득비용 및 인건비 등 필요경비

비영리내국법인이 해당 고유목적사업의 수행에 직접 소요되는 인건비 등 필요경비로 사용하는 금액은 고유목적사업에의 지출에 해당한다. 그리고 고유목적사업에 직접 사용하는 고정자산취득에 지출한 비용(자본적지출 포함)은 고유목적사업에 지출 또는 사용한 것으로 보며, 고유목적사업과 수익사업의 겸용자산을 취득한 경우에는 자산취득 시 지출한 금액을 합리적으로 배분하여 고유목적사업에 직접 사용하는 부분에 대해서는 고유목적사업 등에 사용한 것으로 본다.

또한 차입금으로 고유목적사업의 수행에 직접 소요되는 경비로 사용한 금액과 그 차입금에 대한 이자지급액은 고유목적사업준비금의 지출에 해당하나 수익사업 회계에 속하는 차입금은 고유목적사업준비금의 지출에 해당하지 않는다.

② 기금 또는 준비금에의 적립

특별법에 따라 설립된 법인(해당 법인에 설치되어 운영되는 기금 중 국세기본법 제13조에 따라 법인으로 보는 단체를 포함한다)으로서 건강보험·연금관리·공제사업 및 아래에 규정에 따른 사업을 영위하는 비영리내국법인이 손금으로 계상한 고유목적사업준비금을 법령에 의하여 기금 또는 준비금으로 적립한 금액은 고유목적사업준비금의 지출에 해당한다.

㉠ 예금자보호법에 의한 예금보험기금 및 예금보험기금채권상환기금을 통한 예금보험 및 이와 관련된 자금지원·채무정리 등 예금보험제도를 운영하는 사업

㉡ 농업협동조합의 구조개선에 관한 법률 및 수산업협동조합법에 의한 상호금융예금자보호기금을 통한 예금보험 및 자금지원 등 예금보험제도를 운영하는 사업

㉢ 새마을금고법에 의한 예금자보호준비금을 통한 예금보험 및 자금지원 등 예금보험제도를 운영하는 사업

㉣ 한국자산관리공사 설립 등에 관한 법률 제43조의 2에 따른 구조조정기금을 통한 부실자산 등의 인수 및 정리와 관련한 사업

㉤ 신용협동조합법에 의한 신용협동조합예금자보호기금을 통한 예금보험 및 자금지원 등 예금보험제도를 운영하는 사

업

ⓑ 산림조합법에 의한 상호금융예금자보호기금을 통한 예금보
험 및 자금지원 등 예금보험제도를 운영하는 사업

③ 의료법인이 의료기기 등 자산의 취득 또는 연구개발사업에 지
출하는 금액

이 규정을 적용받고자 하는 의료법인은 손금으로 계상한
고유목적사업준비금상당액에 대한 적립 및 지출에 관하여 다
른 회계와 구분하여 독립적(의료발전회계)으로 구분하여 경리
하여야 한다.

㉠ 자산의 취득

의료업을 영위하는 비영리내국법인이 의료기기 등 재정경
제부령이 정하는 자산을 취득하기 위하여 지출하는 금액은 비
록 수익사업용 자산의 취득이지만 고유목적사업준비금지출의
대상으로 정하고 있다.

<의료기기 등 고정자산의 범위>

ⓐ 병원 건물 및 부속 토지

ⓑ 의료기기법에 따른 의료기기

ⓒ 보건의료기본법에 따른 보건의료정보의 관리를 위한 정보
시스템 설비

ⓓ 산부인과 병원·의원 또는 조산원을 운영하는 의료법인이
취득하는 모자보건법 제2조 제10호에 따른 산후조리원 건
물 및 부속토지

의료업을 영위하는 비영리내국법인이 법인세법시행규칙 제
29조의 2에서 정하는 의료기기 등의 자산을 취득하기 위하여
차입한 금액을 상환하는 것은 법인세법시행령 제56조 제6항
의 고유목적사업에 지출 또는 사용한 금액에 해당하지 아니하
는 것으로 해석하고 있다. 2001년 3월 28일자 법인세법 시행
규칙 제29조의 2의 개정으로 인하여 의료기기 등이 비록 수
익사업용 자산에 해당하지만 의료기기 등을 취득하는 것을 고
유목적사업준비금의 지출로 인정하는 점이 있는 반면, 그 의
료기기 취득관련 차입금의 상환은 준비금의 지출로 인정하지
아니하는 것이므로 당해 차입금의 이자비용은 당연히 수익사
업의 손비로 인정된다.

ⓛ 의료 해외진출 및 외국인환자 유치

의료 해외진출 및 외국인환자 유치 지원에 관한 법률 제2
조 제1호에 따른 의료 해외진출을 위하여 병원 건물 및 부속
토지를 임차하거나 인테리어를 하는 경우, 의료기기법에 따른
의료기기 또는 보건의료기본법에 따른 정보시스템 설비를 임
차하는 용도로 지출하는 금액은 고유목적사업준비금의 지출로

본다.

ⓒ 연구개발사업

조세특례제한법 시행령 별표 6 제1호 가목에 따른 자체연구개발사업과 같은 호 나목에 따른 위탁 및 공동연구개발사업을 위하여 지출하는 금액은 고유목적사업준비금을 지출한 것으로 본다.

ⓓ 기타 해석사례

ⓐ 의료법인의 범위

법인세법시행령 제56조 제6항 제3호에서 규정하는 의료업을 영위하는 비영리내국법인의 범위에 사립학교법에 의하여 설립된 학교법인이 운영하는 대학병원이 포함되는 것임.

ⓑ 건설가계정에 대한 지출

의료업을 영위하는 비영리내국법인의 건설가계정으로 계상된 금액 중 2001.1.1. 이후 개시하는 사업연도에 법인세법시행규칙 제29조의2 제1항 제1호에 규정된 병원건물의 신축비로 지출된 금액은 같은 법 시행령 제56조 제6항 제3호 규정에 의하여 고유목적사업에 사용한 금액으로 보는 것임.

ⓒ 의료발전회계

병원건물 등에 고유목적사업준비금을 사용하고자 하는 의

료법인은 손금으로 계상한 고유목적사업준비금 상당액을 재정경제부령이 정하는 의료발전회계(고유목적사업준비금의 적립 및 지출에 관하여 다른 회계와 구분하여 독립적으로 경리하는 회계)로 구분하여 경리하여야 한다.

ⓓ 의료발전준비금의 환입

의료업을 영위하는 비영리내국법인이 법인세법시행규칙 제29조의2에 규정된 의료기기 등을 취득하기 위하여 지출하는 금액은 당해 법인의 선택에 의하여 같은 법 제29조의 규정에 의한 고유목적사업준비금 잔액을 사용한 것으로 보아 의료발전준비금의 적립을 통한 의료발전회계로서 구분경리 할 수 있는 것이며, 동 규정에 따라 고유목적사업준비금 잔액을 사용한 것으로 하여 의료기기를 취득한 법인이 동 의료기기에 대하여 법인세법 제23조의 규정에 의한 감가상각비를 각 사업연도의 손금으로 계상한 경우에는 감가상각비상당액을 의료발전준비금의 환입액으로 하여 익금에 산입하는 것임.

④ 농업협동조합중앙회가 회원에게 무상 대여하는 금액

농업협동조합법에 따른 농업협동조합중앙회가 계상한 고유목적사업준비금을 회원에게 무상으로 대여하는 금액은 고유목적사업준비금의 지출로 본다.

⑤ 다음의 중앙회가 상호금융예금자보호기금 등에 출연하는 금액

㉠ 농업협동조합법에 의한 농업협동조합중앙회

㉡ 수산업협동조합법에 의한 수산업협동조합중앙회

㉢ 신용협동조합법에 의한 신용협동조합중앙회

㉣ 새마을금고법에 의한 새마을금고중앙회

㉤ 산림조합법에 의한 산림조합중앙회

⑥ 제주국제자유도시개발센터가 관련법에 따라 지출하는 금액

　제주특별자치도 설치 및 국제자유도시 조성을 위한 특별법 제166조에 따라 설립된 제주국제자유도시 개발센터가 같은 법 제170조 제1항 제1호, 같은 항 제2호 라목·마목(관련 토지의 취득·비축을 포함한다) 및 같은 항 제3호의 업무에 지출하는 금액

⑦ 학교법인 등이 비영리사업회계에 전입한 경우

　조세특례제한법 제74조 제1항 제1호의 규정을 적용받는 법인(학교법인, 산학협력단, 평생교육법에 의한 원격대학 형태의 평생교육시설을 운영하는 민법 제32조에 따른 비영리법인)이 수익사업회계에 속하는 자산을 비영리사업회계에 전입한 경우에는 이를 비영리사업에 지출한 것으로 한다.

2) 일반기부금의 지출

　일반기부금이라 함은 내국법인이 각 사업연도에 지출한 기

부금 중 사회복지·문화·예술·교육·종교·자선·학술 등 공익성을 감안하여 대통령령이 정하는 기부금(법인세법시행령 제39조 규정에 의한 기부금)을 말한다. 이러한 기부금을 지출한 경우에도 당해 고유목적사업준비금을 사용한 것으로 본다.

3) 준비금의 사용과 관련된 해석사례

① 사립학교법인의 고유목적사업준비금 사용시점

사립학교법에 의한 학교법인이 수익사업회계에 속하는 자산을 비영리사업회계에 전출한 경우에는 이를 비영리사업에 지출한 것으로 보아 법인세법 제29조 제3항의 규정을 적용하는 것임. 다만, 당해 전출의 행위가 명목뿐인 경우로서 당해 재산을 계속하여 수익사업에 사용하거나, 동 자산이 전출 후에도 수익사업과 비영리사업에 공통되는 경우에는 그 전출이 없는 것으로 보는 것임(법인46012-4050, 99.11.22. 서면2팀-341, 06.2.14. 서면2팀-1370, 06.7.20.).

② 사내근로복지기금의 종업원 대출에서 발생한 이자금액의 준비금 설정비율

사내근로복지기금법에 의하여 설립된 사내근로복지기금이 주택구입자금, 생활안정자금 등으로서 종업원에게 대출한 융자금에서 발생한 이자금액(연체이자 포함)은 법인세법 제29조

제1항 제1호 다목의 금액으로 보아 고유목적사업준비금 손금
산입 범위액에 계산하는 것임(서면2팀-219, 2005. 2. 1.).

③ 고유목적사업의 기본재산으로 편입한 경우 준비금 사용에 해
당 안됨

　장학사업을 고유목적으로 하는 비영리내국법인이 수익사업
에 사용하던 임대용 부동산의 처분으로 인하여 발생한 수입을
법인세법 제29조 제1항의 규정에 의하여 고유목적사업준비금
을 손금으로 계상한 후 이를 다시 고유목적사업의 기본재산
(수익용)으로 편입한 경우에는 이를 고유목적사업에 사용한
것으로 볼 수 없음(재법인46012-81, 03. 5. 12. 서면2팀
-1347, 2006. 7. 14.).

④ 법인으로 보는 단체로 승인 받은 노동조합의 준비금 설정 가능
여부

　법인으로 등기된 노동조합 외에 세무서장으로부터 법인으
로 보는 단체로 승인 받은 노동조합은 수익사업에서 발생한
소득금액을 고유목적사업준비금을 설정하여 손금에 계상할 수
없는 것이나, 이 수익사업에서 발생한 소득을 고유목적사업비
로 지출하는 금액은 지정기부금으로 보아 각 사업연도 소득금
액을 계산하는 것임(법인 46012-2063, 00. 10. 7.).

⑤ 고유목적사업에 직접 사용하는 사무실의 임차보증금

비영리내국법인이 고유목적사업에 직접 사용하기 위해 사무실을 임차하고 지급한 임차보증금은 고유목적사업에 지출 또는 사용한 금액에 해당함(서면2팀-1115, 05. 7. 18.).

⑥ 수익사업에서 생긴 소득을 고유목적사업에 직접 지출한 경우

비영리내국법인이 고유목적사업준비금을 손금으로 계상하지 아니하고 수익사업에서 생긴 소득을 당해 법인의 고유목적사업 등에 직접 지출한 경우에 그 금액은 고유목적사업준비금을 계상하여 지출한 것으로 본다(법인46012-2758, 98. 9. 25. 서이46012-10111, 03. 1. 16.).

⑦ 비영리법인의 수익사업회계에 속하는 차입금 상환은 준비금 사용에 포함 안됨

비영리내국법인이 당해 법인의 수익사업 회계에 속하는 차입금을 상환하는 금액은 이를 고유목적사업에 지출 또는 사용한 것으로 보니 아니함(법인46012-372, 00. 2. 9.).

(3) 준비금의 환입

고유목적사업준비금을 손금에 산입한 법인이 다음 중 어느 하나에 해당하는 경우에는 고유목적사업준비금의 잔액을 당해 사유가 발생한 날이 속하는 사업연도의 소득금액계산에 있어서 이를 익금에 산입한다.

① 해산한 경우(다만, 고유목적사업준비금을 설정한 비영리내
국법인이 사업에 관한 모든 권리와 의무를 다른 비영리내
국법인에게 고유목적사업준비금을 승계한 경우 제외)

② 고유목적사업을 전부 폐지한 경우

③ 법인으로 보는 법인격 없는 단체가 국세기본법의 규정에
의하여 승인이 취소되거나 거주자로 변경된 경우

④ 고유목적사업준비금을 손금에 산입한 사업연도의 종료일
이후 5년이 되는 날까지 고유목적사업 등에 사용하지 아니
한 경우

⑤ 고유목적사업준비금을 고유목적사업 등이 아닌 용도에 사
용한 경우

또한 고유목적사업준비금을 손금에 산입한 사업연도의 종
료일 이후 5년 이내에 잔액 중 일부를 감소시켜 익금에 산입
할 수 있으며, 이 경우 먼저 손금에 산입한 사업연도의 잔액
부터 차례로 감소시킨 것으로 본다. 고유목적사업준비금을 5
년이 되는 날까지 사용하지 못해 남은 잔액, 고유목적사업 등
이 아닌 용도에 사용한 경우 및 5년이 경과되기 전에 익금에
산입하는 경우에는 이자상당액을 당해 사업연도의 법인세에
가산하여 납부하여야 한다.

결 산 조 정	신 고 조 정
차) 고유목적사업준비금(부채) 100 대) 고유목적사업준비금환입액 (수익) 100 <세무조정> 없음	차) 고유목적사업준비금(잉여금) 100 대) 미처분이익잉여금 100 <세무조정> 고유목적사업준비금 환입액 익금산입 (유보)

● 사례연구

"고유목적사업준비금은 법인세 부담을 줄이기 위해서 꼭 활용해
야겠네요."
장보리

"네. 그렇습니다. 수익사업을 영위하는 경우 법인세 부담을 줄여
장세무사 야 목적사업에 사용할 수 있는 재원이 늘어나므로 고유목적사업
준비금을 잘 활용해야 합니다. 그리고 수익사업이 없다 하더라도 이자
소득이 있는 법인은 고유목적사업준비금을 설정해야 원천징수 된 세금
을 환급받을 수 있습니다. 또한 이렇게 설정된 고유목적사업준비금은
반드시 5년 이내에 목적사업에 사용해야 하니 주의가 필요합니다. 그
럼 사례를 통해 전반적인 회계처리를 알아보도록 하겠습니다."

[사례] 재단법인 다림의 기본사항
* 설립연월일: 2021.01.01
* 정관상 목적사업 : 장학사업
* 수익사업: 부동산임대 등
* 설립당시 출연재산 내역 : 예금   300,000,000
　　　　　　　　　　　　 토지   3,000,000,000
　　　　　　　　　　　　 건물   50,000,000
　　　　　　　　　　　　 합계   3,350,000,000
* 상기출연금액 중 기본재산은 3,050,000,000(토지 및 건물가액 임)
* 토지 중 10억과 건물 5천만원은 정관상 목적사업용으로 사용할 예정이며, 기타 토지는 처분할 예정임

목적사업회계		수익사업회계	
예금	3억	예금	3억
토지	30억	토지	20억
건물	0.5억		

→

① 최초출연 및 설립

<목적사업>

차) 예금   300,000,000   대) 순자산   3,350,000,000
　　토지   3,000,000,000
　　건물   50,000,000

② 출연된 재산 중 목적사업용 용도를 제외한 재산과 법인세법상 과세대상인 예금을 수익사업회계로 전출

<목적사업>

차) 순자산   2,300,000,000   대) 예금   300,000,000

                                          토지   2,000,000,000

<수익사업>

차) 예금   300,000,000   대) 순자산   2,300,000,000

    토지   2,000,000,000

③ 예금이자 30,000,000원에 대해 고유목적사업준비금을 설정

<수익사업>

차) 예   금   25,380,000   대) 이자수익   30,000,000

    선급법인세   4,620,000

차) 고유목적사업준비금전입액   30,000,000

                        대) 고유목적사업준비금   30,000,000

④ 장학금의 지급을 위하여 40,000,000원을 예금인출함.

<수익사업>

차) 고유목적사업준비금 30,000,000   대) 예 금 40,000,000

    순자산   10,000,000

<목적사업>

차) 예금   40,000,000

                    대) 고유목적사업준비금환입액 30,000,000

순자산   10,000,000

차) 장학금   40,000,000 대) 예금   40,000,000

⑤ 은행에서 5,000,000,000원을 차입하여 건물을 취득 한 후 동
자산을 수익사업과 목적사업에 공통으로 사용하였다.

<수익사업>

차) 건물   5,000,000,000 대) 차입금   5,000,000,000

*주) 공통자산과 부채는 모두 수익사업에서 처리

Tip 결산시점에 수익사업의 소득금액을 초과할 경우에는 자본원입액의
반환회계처리를 할 수 있다.

① 장학금 지급시

<수익사업>
차) 고유목적사업준비금 40,000,000   대) 예금   40,000,000
<목적사업>
차) 예금   40,000,000 대) 고유목적사업준비금환입액 40,000,000
차) 장학금   40,000,000 대) 예금   40,000,000

② 결산시

<수익사업>
차) 순자산   10,000,000   대) 고유목적사업준비금 10,000,000
<목적사업>
차) 고유목적사업준비금환입액 10,000,000   대) 순자산   10,000,000

장학금 지급 시 40,000,000원 전액을 우선 고유목적사업준비금의 사용으로
처리한 후 설정액을 초과한 10,000,000원을 결산 시 기본금으로 대체

PART 03

비영리법인의
세무

비영리법인의 세무처리 방법에 대해 알아보자

Chapter 01

비영리법인의 법인세

법인세 과세소득과 납세의무자

법인결산이 완료되어 장보리는 결산자료를 넘겨주기 위해 장세무사가 있는 문정동 사무실에 방문한다.

장보리
"세무사님. 안녕하세요."

장세무사
"팀장님. 안녕하세요. 결산은 잘 마무리 하셨나요?"

장보리
"처음이라 많이 어려웠지만 그래도 세무사님께서 말씀해주신 대로 잘 정리했습니다. 감사합니다."

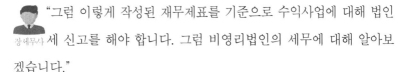
장세무사
"그럼 이렇게 작성된 재무제표를 기준으로 수익사업에 대해 법인세 신고를 해야 합니다. 그럼 비영리법인의 세무에 대해 알아보겠습니다."

(1) 법인세 과세소득

법인세는 법인이 얻은 소득에 대하여 그 법인에게 부과되는 조세이다. 이러한 법인세 과세소득에는 각 사업연도 소득, 토지 등 양도소득, 청산소득이 있으며, 비영리법인의 경우 각 사업연도의 소득과 토지 등 양도소득에 대하여만 법인세를 부과한다.

구분		각 사업연도의 소득	토지 등 양도소득	청산 소득
내국 법인	영리법인	국내외 원천의 모든 소득	○	○
	비영리법인	국내외 원천소득 중 일정한 수익사업에서 발생한 소득	○	X
외국 법인	영리법인	국내원천소득	○	X
	비영리법인	국내원천소득 중 일정한 수익사업에서 발생한 소득	○	X

1) 각 사업연도의 소득

비영리법인은 법인세법 제4조와 같은 법 시행령 제3조에서 열거한 수익사업에서 발생된 소득에 대하여만 법인세 납세의무를 지는바 당해 소득에 대한 과세표준 및 세액의 산정방법, 신고납부절차는 일반 영리법인과 일반적으로 동일하다.

2) 토지 등 양도소득

비영리법인이 토지 등을 양도하는 경우 고정자산처분이익에 대해 각사업연도소득에 대한 법인세(처분일 현재 3년 이상 계속하여 당해 고유목적사업에 직접 사용한 경우 제외. 다만, 비영리법인이 수익사업에 속하는 고정자산을 2018년 2월 13일 이후 고유목적사업에 전입한 후 처분하는 경우에는 전입시 시가로 평가한 가액을 그 고정자산의 취득가액으로 하여 처분으로 인하여 생기는 수입 제외)가 과세되며, 대통령령으로 정하는 주택(이에 부수되는 토지를 포함) 및 주거용 건축물로서 상시 주거용으로 사용하지 아니하고 휴양·피서·위락 등의 용도로 사용하는 건축물, 비사업용 토지를 양도한 경우에는 토지 등 양도소득에 대한 법인세가 추가 과세된다. 다만, 2009년 3월 16일부터 2012년 12월 31일까지 취득한 토지 등을 양도함으로써 발행한 소득에 대해서는 토지 등 양도소득에 대한 법인세를 과세하지 아니한다.

① 토지 등 양도소득의 법인세 계산

토지 등 양도소득에 대한 법인세의 계산구조는 다음과 같다.

---

o 토지 등 양도소득 = 양도가액 - 양도당시의 세법상 장부가액
o 토지 등 양도소득에 대한 법인세 = 토지 등 양도소득 × 세율

② 세율

토지 등 양도소득에 대한 법인세율은 다음과 같다. 이 경우 하나의 자산이 다음의 규정 중 둘 이상에 해당하는 때에는 그 중 가장 높은 세액을 적용한다.

구 분	세 율
주택(부수토지 포함) 및 별장	20%(미등기의 경우 40%)
비사업용 토지	10%(미등기의 경우 40%)
조합원입주권 및 분양권	20%

미등기 토지 등이라 함은 토지 등을 취득한 법인이 그 취득에 관한 등기를 하지 아니하고 양도하는 토지 등을 말한다. 다만, 다음의 경우에는 미등기토지 등에서 제외한다.

㉠ 장기할부조건으로 취득한 토지 등으로서 그 계약조건에 의하여 양도당시 그 토지 등의 취득등기가 불가능한 토지 등

㉡ 법률의 규정 또는 법원의 결정에 의하여 양도당시 취득에 관한 등기가 불가능한 경우

㉢ 법인이 직접 경작하던 농지로서 소득세법 시행령 제153조 제1항의 규정에 해당하는 농지의 교환 또는 분합에 해당하는 경우

③ 양도차익과 양도차손의 통산

법인이 각 사업연도에 토지 등 양도소득에 대한 법인세의

규정을 적용받는 둘 이상의 토지 등을 양도하는 경우에 토지 등 양도소득은 당해 사업연도에 양도한 자산별로 양도소득을 합산한 금액으로 한다. 이 경우 양도한 자산 중 양도 당시의 장부가액이 양도금액을 초과하는 토지 등이 있는 경우에는 양도차손을 차감하여 토지 등 양도소득을 계산한다.

(2) 법인세 납세의무자

법인세의 납세의무자는 법인이며, 여기에는 국세기본법에 의해 법인으로 보는 단체도 포함된다.

1) 내국법인과 외국법인

내국법인이라 함은 국내에 본점이나 주사무소 또는 사업의 실질적 관리장소를 둔 법인을 말하며, 외국법인이라 함은 외국에 본점 또는 주사무소를 둔 법인(국내에 사업의 실질적 관리장소가 소재하지 아니하는 경우에 한한다)을 말한다.

2) 영리법인과 비영리법인

영리법인은 경제적 이익을 목적으로 설립되고 이윤의 극대화를 위해 노력하며 그 과실을 구성원이나 사원 개개인에게 배분하는 것을 기본원리로 한다. 비영리법인은 민법 제32조의 규정에 의거 학술, 종교, 자선, 기예, 사교 기타 영리 아닌 사업을 목적으로 설립되는 법인을 말한다.

● 사업연도와 납세지

(1) 사업연도

사업연도라 함은 법인의 소득을 계산하는 1회계기간을 말한다.

1) 사업연도

사업연도는 법령 또는 법인의 정관 등에서 정하는 1회계기간으로 한다. 다만, 그 기간은 1년을 초과하지 못한다. 법령 또는 정관 등에 사업연도에 관한 규정이 없는 내국법인은 따로 사업연도를 정하여 법인 설립신고 또는 사업자등록과 함께 납세지관할세무서장에게 이를 신고하여야 한다. 사업연도를 신고하여야 할 법인이 그 신고를 하지 아니하는 경우에는 매년 1월 1일부터 12월 31일까지를 그 법인의 사업연도로 하며, 법인의 최초 사업연도의 개시일 등에 관하여 필요한 사항은 대통령령으로 정한다.

2) 사업연도의 개시일

법인의 최초사업연도의 개시일은 다음 각 호의 날로 한다.

① 내국법인

내국법인의 경우에는 설립등기일이며, 법인으로 보는 단체의 경우에는 다음 날로 한다.

㉠ 법령에 의하여 설립된 단체에 있어서 당해 법령에 설립일
   이 정하여진 경우에는 그 설립일

㉡ 설립에 관하여 주무관청의 허가 또는 인가를 요하는 단체
   와 법령에 의하여 주무관청에 등록한 단체의 경우에는 그
   허가일·인가일 또는 등록일

㉢ 공익을 목적으로 출연된 기본재산이 있는 재단으로서 등기
   되지 아니한 단체는 그 기본재산의 출연을 받은 날

㉣ 국세기본법 제13조 제2항의 규정에 의하여 납세지관할세
   무서장의 승인을 얻은 단체의 경우에는 그 승인일

② 외국법인

외국법인의 경우에는 국내사업장을 가지게 된 날(국내사업
장이 없는 경우에는 법 제6조 제4항의 규정에 의한 소득이 최
초로 발생한 날)

최초 사업연도의 개시일 전에 생긴 손익을 사실상 그 법인
에 귀속시킨 것이 있는 경우 조세포탈의 우려가 없을 때에는
최초사업연도의 기간이 1년을 초과하지 아니하는 범위 내에서
이를 당해 법인의 최초사업연도의 손익에 산입할 수 있다. 이
경우 최초사업연도의 개시일은 당해 법인에 귀속시킨 손익이
최초로 발생한 날로 한다.

3) 사업연도의 변경

사업연도를 변경하고자 하는 법인은 그 법인의 직전 사업연도종료일부터 3월 이내에 대통령령이 정하는 바에 따라 납세지관할세무서장에게 이를 신고하여야 하며, 신고를 기한 내에 하지 아니한 경우에는 그 법인의 사업연도는 변경되지 아니한 것으로 본다. 다만, 법령에 의하여 사업연도가 정하여지는 법인의 경우 관련 법령의 개정에 따라 사업연도가 변경된 경우에는 제1항의 규정에 의한 신고가 없는 경우에도 당해 법령의 개정내용과 같이 사업연도가 변경된 것으로 본다. 사업연도가 변경된 경우에는 종전의 사업연도의 개시일부터 변경된 사업연도의 개시일 전일까지의 기간에 대하여는 이를 1사업연도로 한다. 다만, 그 기간이 1월 미만인 경우에는 변경된 사업연도에 이를 포함한다.

4) 사업연도의 의제

내국법인이 사업연도 중에 해산(합병 또는 분할에 따른 해산과 조직변경은 제외)한 경우에는 그 사업연도 개시일부터 해산등기일(파산으로 인하여 해산한 경우에는 파산등기일을 말하며, 법인으로 보는 단체의 경우에는 해산일을 말한다)까지의 기간과 해산등기일의 다음 날부터 그 사업연도 종료일까지의 기간을 각각 1사업연도로 보며, 청산 중인 내국법인의 잔여재산가액이 사업연도 중에 확정된 경우에는 그 사업연도 개시일부터 잔여재산가액 확정일까지의 기간을 1사업연도로 본다. 내국법인이 사업연도 중에 합병 또는 분할에 따라 해산한 경우에는 그 사업연도 개시일부터 합병등기일 또는 분할등기일까지의 기간을 그 해산한 법인의 1사업연도로 보며, 조직변경을 한 경우에는 조직변경 전의 사업연도가 계속되는 것으로 본다. 또한 청산중에 있는 내국법인이 상법 규정에 의하여 사업을 계속하는 경우에는 그 사업연도 개시일부터 계속등기일까지의 기간과 계속등기일의 다음 날부터 그 사업연도 종료일까지의 기간을 각각 1사업연도로 본다.

(2) 납세지

납세지란 납세의무자가 납세의무를 이행하고 과세권자가 부과징수를 행하는 기준이 되는 장소로 법인세는 납세지를 관할하는 세무서장 또는 지방국세청장이 과세한다.

1) 납세지

① 내국법인

내국법인의 법인세의 납세지는 당해 법인의 등기부에 따른 본점이나 주사무소의 소재지(국내에 본점 또는 주사무소가 있지 아니하는 경우에는 사업을 실질적으로 관리하는 장소의 소재지)로 한다. 다만, 법인으로 보는 단체의 경우에는 당해 단체의 사업장소재지를 말하되, 주된 소득이 부동산임대소득인 단체의 경우에는 그 부동산의 소재지를 말한다. 이 경우 둘 이상의 사업장 또는 부동산을 가지고 있는 단체의 경우에는 주된 사업장 또는 주된 부동산의 소재지(직전사업연도의 사업수입금액이 가장 많은 사업장 또는 부동산의 소재지)를 말하며, 사업장이 없는 단체의 경우에는 당해 단체의 정관 등에 기재된 주사무소의 소재지를 말한다.

② 외국법인

외국법인의 법인세의 납세지는 국내사업장의 소재지로 한다. 다만, 국내사업장이 없는 외국법인으로서 부동산 또는 부동산상의 권리 및 내국법인의 주식 또는 출자지분의 양도소득 등의 소득이 있는 외국법인의 경우에는 각각 그 자산의 소재지로 한다. 둘 이상의 국내사업장이 있는 외국법인에 대하여는 주된 사업장의 소재지를 납세지로 하고, 둘 이상의 자산이 있는 법인에 대하여는 국내원천소득이 발생하는 장소 중 당해 외국법인이 납세지로 신고하는 장소를 말한다. 이 경우 그 신고는 둘 이상의 국내원천소득이 발생하게 된 날부터 1월 이내에 기획재정부령이 정하는 납세지신고서에 의하여 납세지관할 세무서장에게 하여야 한다.

2) 원천징수한 법인세 납세지

원천징수한 법인세의 납세지는 대통령령으로 정하는 당해 원천징수의무자의 소재지로 한다.

① 원천징수의무자가 개인인 경우

원천징수의무자가 거주자인 경우에는 그 거주자의 주된 사업장의 소재지. 다만, 주된 사업장 외의 사업장에서 원천징수를 하는 경우에는 그 사업장의 소재지, 사업장이 없는 경우에는 그 거주자의 주소지 또는 거소지로 한다. 원천징수의무자가 비거주자인 경우에는 그 비거주자의 주된 국내사업장의 소재지. 다만, 주된 국내사업장 외의 국내사업장에서 원천징수를 하는 경우에는 그 국내사업장의 소재지, 국내사업장이 없는 경우에는 그 비거주자의 거류지 또는 체류지로 한다.

② 원천징수의무자가 법인인 경우

당해 법인의 본점·주사무소 또는 국내에 본점이나 주사무소가 소재하지 않는 경우에는 사업의 실질적 관리장소의 소재지로 하나 법인의 지점·영업소 또는 그밖의 사업장이 독립채산제에 의해 독자적으로 회계사무를 처리하는 경우에는 그 사업장의 소재지(그 사업장의 소재지가 국외에 있는 경우는 제외한다)로 한다. 다만 법인이 지점·영업소 또는 그밖의 사업장에서 지급하는 소득에 대한 원천징수세액을 본점 등에서 전자

계산조직 등에 의해 일괄계산하는 경우로서 본점 등의 관할세무서장에게 신고하거나 부가가치세법 제8조에 따라 사업자단위로 관할세무서장에게 등록한 경우에는 해당 법인의 본점 등의 소재지로 한다. 이 경우 해당 법인의 본점 등에서의 일괄계산하여 신고하는 절차는 기획재정부령으로 정한다.

3) 납세지의 지정

관할지방국세청장이나 국세청장은 납세지로 적당하지 아니하다고 인정되는 경우로서 다음에 해당하는 경우에는 그 납세지를 지정할 수 있다. 이처럼 납세지를 지정한 경우에는 그 법인의 당해 사업연도 종료일부터 45일 이내에 해당 법인에 이를 알려야 하며, 기한 내에 하지 아니한 경우에는 종전의 납세지를 그 법인의 납세지로 한다.

① 내국법인의 본점 등의 소재지가 등기된 주소와 동일하지 아니한 경우

② 내국법인의 본점 등의 소재지가 자산 또는 사업장과 분리되어 있어 조세포탈의 우려가 있다고 인정되는 경우

③ 둘 이상의 국내사업장을 가지고 있는 외국법인의 경우로서 직전사업연도의 사업수입금액이 가장 많은 사업장 또는 부동산의 소재지를 판정할 수 없는 경우

④ 국내사업장이 없는 외국법인으로서 부동산 또는 부동산상

의 권리 및 내국법인의 주식 또는 출자지분의 양도소득 등 둘 이상의 자산이 있는 경우, 둘 이상의 국내원천소득이 발생하게 된 날부터 1월 이내에 기획재정부령이 정하는 납세지신고서에 의하여 납세지 관할세무서장에게 신고를 하지 아니한 경우

4) 납세지의 변경

법인은 그 납세지가 변경된 경우 그 변경된 날부터 15일 이내에 대통령령이 정하는 바에 따라 변경 후의 납세지관할세무서장에게 이를 신고하여야 한다. 이 경우 납세지가 변경된 법인이 부가가치세법 제5조의 규정에 의하여 그 변경된 사실을 신고한 경우에는 납세지 변경신고를 한 것으로 본다. 신고가 없는 경우에는 종전의 납세지를 그 법인의 납세지로 한다.

법인세 계산하기

"이러한 법인세는 운영성과표상 당기순이익을 기준으로 계산하게 됩니다. 하지만 회계기준으로 작성한 장부상의 내용과 법인세법 사이에는 차이가 있으므로 이를 조정하여 법인세를 계산하게 되며, 이를 세무조정이라고 합니다."

(1) 법인세 계산구조

결산서상 당기순이익	손익계산서상의 당기순이익
(+) 익금산입·손금불산입	소득금액조정합계표상의 합계액
(−) 손금산입·익금불산입	소득금액조정합계표상의 합계액
차가감 소득금액	
(+) 기부금한도초과액	
(−) 기부금한도초과이월액 손금산입	
각사업연도소득금액	
(−) 이월결손금	15년 이내 발생한 세무계산상 결손금 중 미공제액
(−) 비과세소득	법인세법과 조특법상 비과세소득
(−) 소득공제	법인세법과 조특법상 소득공제
과세표준	
(×) 세율	9%~24%의 4단계 초과누진세율
산출세액	
(+) 토지 등 양도소득에 대한 법인세	주택 및 비사업용토지
산출세액합계	
(−) 세액감면	
(−) 세액공제	
(+) 가산세	
(+) 감면분추가납부세액	
총부담세액	
(−) 기납부세액	중간예납세액, 원천징수세액, 수시부과세액
자진납부세액	

(2) 세무조정

결산서상의 당기순이익과 법인세법에 따른 각 사업연도의 소득금액 사이의 차이를 조정하는 과정, 즉 당기순이익에서 출발하여 각 사업연도의 소득금액에 도달하는 과정을 세무조정이라고 한다.

1) 세무조정의 유형

① 가산하는 세무조정

구 분	내 용
익금 산입	손익계산서에 수익으로 계상하고 있지 아니하거나, 과소계상하고 있는 경우 법인세법상 익금에 해당하는 것으로 당기순이익에 가산 ex) 인정이자, 간주임대료
손금불 산입	손익계산서에 비용으로 계상하고 있으나, 법인세법상 손금에 해당하지 않는 것으로, 당기순이익에 가산 ex) 기부금·기업업무추진비 한도초과, 벌과금, 법인세비용

② 차감하는 세무조정

구 분	내 용
익금불 산입	손익계산서에 수익으로 계상하고 있으나, 법인세법상 익금에 해당하지 않는 금액으로 당기순이익에서 차감 ex) 국세환급금이자, 지주회사의 수입배당금
손금 산입	손익계산서에 비용으로 계상되어 있지 않으나, 법인세법상 손금에 해당하는 금액으로 당기순이익에서 차감 ex) 신고조정으로 손금산입하는 퇴직보험료, 각종 준비금

2) 결산조정과 신고조정

결산조정은 기업이 손비 등을 장부에 계상하여 결산확정시 반영하는 것을 말하며, 신고조정은 결산확정시 장부에 반영함이 없이 법인세 신고시 세무조정계산서에 계상하는 것을 말한다.

구 분	내 용
결산조정	장부에 수익 또는 비용을 계상하여 결산 확정하는 방법
신고조정	장부에 계상하지 않고, 세무조정계산서에 계상하는 방법

(3) 각 사업연도 소득

각 사업연도 소득이란 법인의 사업연도 동안에 경제활동을 통하여 얻은 소득을 말하는 것으로, 각 사업연도에 속하는 익금의 총액에서 손금의 총액을 공제하여 계산한다.

(4) 법인세 세율

과세표준	세 율
2억원 이하	과세표준의 9%
2억원 초과 200억원 이하	1천800만원 + (2억원을 초과하는 금액의 19%)
200억원 초과 3천억원 이하	37억8천만원 + (200억원을 초과하는 금액의 21%)
3천억원 초과	625억8천만원 + (3천억원을 초과하는 금액의 24%)

● 법인세 신고시 주의해야 할 계정과목들

(1) 자산

1) 의제취득가액

비영리내국법인이 고정자산을 양도하는 경우, 1990년 12월 31일 이전에 취득한 토지 및 건물(부속시설물과 구축물을 포함한다)의 취득가액은 장부가액과 1991년 1월 1일 현재 상속세 및 증여세법 제60조 및 제61조 제1항으로 평가한 가액 중 큰 금액으로 할 수 있다. 목적사업에서 수익사업으로 원입을 한 자산의 경우에는 원입시점의 시가를 취득가액으로 하지만 해당 자산을 처분하는 경우에는 법인세 과세대상이 되는 고정자산처분이익은 원입시의 시가가 아닌 취득 당시의 실제 취득가액으로 계산하여야 한다. 이러한 의제취득가액에 대한 규정은 토지 등 양도소득에 대한 과세특례규정에도 적용한다.

2) 무상취득자산의 장부가액

무상으로 취득한 자산의 장부가액은 그 취득가액을 '0'으로 하는 것이 아니고, 취득 당시의 시가로 한다. 하지만 상속세 및 증여세법 시행령 제12조에 따른 공익법인 등이 특수관계자 외의 자로부터 기부받은 지정기부금은 기부한 자의 기부 당시의 장부가액을 당해 법인의 장부가액으로 한다. 다만, 상속세 및 증여세법에 따라 증여세 과세가액에 산입되지 않은 출연재산이 그 후에 과세요인이 발생하여 출연재산에 대하여 증여세 전액이 부과되는 경우에는 기부 당시의 시가로 한다.

구 분	현물기부금의 평가액
① 증여세 과세가액 불산입을 적용받는 공익법인 등이 특수관계가 없는 자로부터 기부 받은 지정기부금에 해당하는 자산(금전 외의 자산만 해당한다)	기부한 자의 기부 당시 장부가액 [사업소득과 관련이 없는 자산(개인인 경우만 해당한다)의 경우에는 취득 당시의 취득가액]
② 위 외의 자산	취득 당시의 시가

(2) 각종 경비

1) 국내여비

임원 또는 사용인의 국내여행과 관련하여 지급하는 여비는 당해 법인의 업무 수행상 통상 필요하다고 인정되는 부분의 금액에 한하여 손금산입하며 초과되는 부분은 당해 임원 또는 사용인의 급여로 한다. 따라서 법인의 업무 수행상 필요하다고 인정되는 범위 안에서 지급규정, 사규 등의 합리적인 기준에 따라 거래증빙과 객관적인 자료에 의하여 지급사실을 입증하여야 한다. 다만, 업무와 관련하여 지급 규정에 따라 지급하는 사회통념상 인정할 수 있는 실비변상 정도의 여비는 구체적인 증빙이 없는 경우에도 손금으로 인정됩니다.

2) 퇴직급여

비영리법인이 수익사업과 목적사업을 겸영하는 경우 종업원에 대한 급여상당액은 근로의 제공내용을 기준으로 구분하되 근로의 제공이 주로 수익사업에 관련된 것은 수익사업의 비용으로 하고 근로의 제공이 주로 목적사업에 관련된 것은 목적사업에 속한 비용으로 하는 것이다. 비영리법인의 수익사업에 해당하는 업무에 종사하는 종업원이 목적사업에 해당하는 업무를 담당하게 된 경우에는 그 종업원에 대한 퇴직급여충당금과 퇴직전환금 상당액을 목적사업에 속하는 것으로 구분 경리하는 것이며, 비영리법인의 수익사업에서 동일 법인 내의 목적사업으로 전출하는 사용인에게 퇴직금을 지급하는 경우에는 원칙적으로 법인세법 시행령 제44조 및 같은 법 시행규칙 제13조의 현실적인 퇴직에 해당되지 아니하므로 동 금액은 당해 사용인에게 현실적으로 퇴직할 때까지 업무와 관련 없는 가지급금을 지급한 것으로 보는 것이나, 채용·퇴직 등의 인사체계 및 이에 따른 급여·퇴직금 지급체계 등이 수익사업과 목적사업이 전혀 별개의 법인처럼 운영되는 경우에는 그러하지 아니하다.

3) 기부금

기부금은 지출한 사업연도에 귀속하는 것이다. 법인이 기부금을 가지급금 등으로 이연 계상한 경우에도 이를 그 지출한 사업연도의 기부금으로 하고, 그 후의 사업연도에 있어서는 이를 기부금으로 보지 않는다. 또한 법인이 기부금을 미지급금으로 계상한 경우에는 실제로 이를 지출할 때까지 기부금으로 보지 않는다.

> **법인세 기본통칙 24-39…2 【설립중인 공익법인 등에 지출한 기부금의 처리 】**
>
> 정부로부터 인·허가를 받는 경우 일반기부금단체로 인정되는 사회복지법인, 의료법인 등에게 인·허가를 받기 이전 설립중에 영 제39조에 해당하는 기부금을 지출하는 경우에는 그 법인 및 단체가 정부로부터 인가 또는 허가를 받은날이 속하는 사업연도의 일반기부금으로 한다.

법인이 기부금을 금전 외의 자산으로 제공한 경우 해당 자산의 가액은 이를 제공한 때의 시가(시가가 장부가액보다 낮은 경우에는 장부가액)에 의한다. 다만, 특례기부금 및 일반기부금(특수관계자에게 기부한 일부기부금은 제외)의 경우에는 장부가액으로 한다.

구 분	현물기부금의 평가액
① 특례기부금, 특수관계가 없는 자에게 기부한 일반기부금	장부가액
② 특수관계자에게 기부한 일반기부금, 비지정기부금	장부가액과 시가 중 큰 금액

[사례] 시가 1,000(장부가액 500, 기부금 손금산입 한도가 600인 경우)인 토지를 공익법인에게 기부하는 경우

① 특수관계가 없는 공익법인에게 기부하는 경우

차) 기부금   500   대) 토지   500

기부금이 한도 이내이므로 500 전부를 손금으로 본다. 세무조정사항 없음.

② 특수관계가 있는 공익법인에게 기부하는 경우

차) 기부금   1,000   대) 토   지   500
                              고정자산처분이익   500

기부금이 1,000으로 한도인 600을 초과하므로 한도초과분인 400이 손금불산입되어 장부가액으로 계상한 경우보다 각 사업연도 소득금액이 400이 늘어나 법인세 부담이 증가한다. 다만, 특례기부금 및 일반기부금의 손금산입 한도액을 초과하여 손금불산입된 금액은 해당 사업연도의 다음 사업연도 개시일부터 10년 이내에 끝나는 각 사업연도로 이월하여 그 이월

된 사업연도의 소득금액을 계산할 때 특례기부금 및 일반기부
금 각각의 손금산입 한도액의 범위에서 손금에 산입한다.

구 분	이월손금산입기간
① 특례기부금 한도초과액	10년
② 일반기부금 한도초과액	10년

4) 감가상각

수익사업과 목적사업에 공통으로 사용되는 자산의 감가상
각비는 공통손금에 해당하는 것으로서 공통손금은 법인세법
시행규칙 제76조 제6항의 규정에 따라 구분 경리하는 것이다.
목적사업에 사용하던 자산을 수익사업으로 겸용하는 경우의
잔존내용연수는 중고자산 취득시의 수정내용연수에 관한 규정
을 적용한다. 목적사업에서 취득 후 기준내용연수의 50% 이
상이 경과된 중고자산을 수익사업에 전용한 경우에는 그 자산
의 기준내용연수의 50%에 상당하는 연수와 기준내용연수의
범위 내에서 선택하여 납세지관할세무서장에게 신고한 연수,
즉 수정내용연수를 내용연수로 할 수 있다.

5) 판공비와 업무추진비

매월 일정액으로 지급하는 판공비와 업무추진비는 근로소
득에 포함된다. 다만, 업무와 관련하여 사용목적 및 대상자별

지급한도액 등이 정하여져 있고 당해 목적을 위해 사용된 것이 분명한 부분은 근로소득에 포함되지 않으나, 사용내용이 불분명한 경우에는 근로소득에 포함시켜야 한다.

● 법인세 신고 및 납부

"이렇게 계산된 법인세는 각 사업연도의 종료일이 속하는 달의 말일부터 3개월 이내에 납세지 관할세무서장에게 신고 및 납부하여야 합니다."

(1) 법인세 신고기한[1]

구 분	중간예납	확정신고
대상기간	1. 1 ~ 6.30	1. 1 ~ 12.31
신고기한	8월 말일까지	다음해 3월 말일까지(중간예납세액은 공제됨)

(2) 비영리법인의 과세특례

영리법인과의 차이점은 청산소득에 대한 법인세 납세의무가 없으며 그 외 다음과 같은 과세특례가 적용된다는 것이다.

---

1) 사업연도가 1.1. ~ 12.31.인 법인을 가정함

1) 고유목적사업준비금의 손금산입

비영리내국법인은 그 법인의 고유목적사업 또는 지정기부금에 지출하기 위하여 고유목적사업준비금을 손금으로 계상한 경우에는 다음에 해당하는 금액의 합계액 범위 안에서 각 사업연도 소득금액계산에 있어서 이를 손금에 산입할 수 있다.

2) 이자소득에 대한 선택적 분리과세

비영리법인의 이자소득에 대하여는 다른 소득과 달리 과세표준 신고를 하지 아니할 수 있다. 이 경우 과세표준에 포함하지 아니한 이자소득(이자소득 중 일부도 가능함)은 이자소득 수령 시 원천징수납부 한 것으로 신고의무가 종결된다. 즉, 종합과세인 신고납부방법과 분리과세인 원천징수방법 중 하나를 택할 수 있다.

3) 자산양도소득에 대한 과세특례

① 개요

수익사업을 영위하지 아니하는 비영리내국법인이 다음 중

어느 하나에 해당하는 양도소득에 한하여 선택에 따라 각 사업연도 소득에 포함하여 법인세를 신고·납부하는 대신 소득세법의 규정을 준용하여 계산한 세액을 법인세로 신고·납부할 수 있다.

㉠ 소득세법 제94조 제1항 제3호에 해당하는 주식 등과 대통령령으로 정하는 주식 등 : 대주주의 상장주식과 장외거래 상장주식, 비상장주식 등

㉡ 토지 또는 건물(건물에 부속된 시설물과 구축물을 포함한다)

㉢ 소득세법 제94조 제1항 제2호 및 제4호의 자산 : 부동산을 취득할 수 있는 권리, 지상권, 전세권, 등기된 부동산임차권, 영업권, 이용권, 회원권 등

이처럼 자산양도소득에 대한 과세특례 신고 방법을 적용하여 신고한 소득은 이를 각 사업연도의 소득에 포함하지 않으며, 비영리법인이 자산양도소득에 대한 특례신고를 하는 경우라도 양도자산이 비사업용 토지 등에 해당하는 경우에는 토지 등 양도소득에 대한 법인세를 추가로 납부해야 하나 자산양도소득에 대한 특례신고 시 소득세법에 따라 가중된 세율을 적용하는 때에는 토지 등 양도소득에 대한 법인세 규정을 적용하지 않는다.

② 과세표준과 세액계산

> 과세표준 = 양도가액 - 취득가액 - 자본적지출액 - 양도비 - 장기보유특
>   별공제 - 양도소득기본공제
> 산출세액 = 과세표준 × 양도소득세의 세율

③ 제도의 취지

　사업소득이 없는 비영리법인은 부동산 등 양도소득에 대하여 일반법인세를 납부하는 방법과 일반법인세 대신 양도소득세와 사실상 동일한 특례법인세를 납부하는 방법 중 한 가지를 자유롭게 선택할 수 있도록 한 것이다.

④ 납세절차

　특례법인세의 신고·납부·결정·경정 및 징수에 관하여는 일반법인세 과세표준의 신고·납부·결정·경정 및 징수에 관한 규정을 준용하되, 일반법인세액에 합산하여 신고·납부·결정·경정 및 징수한다. 이 경우 일반법인세에 관한 무기장가산세의 규정도 준용한다. 이렇게 계산한 세금에 대하여는 양도소득과세표준 예정신고 및 자진납부도 하여야 하며, 예정신고를 한 경우에는 특례법인세의 과세표준 신고를 한 것으로 본다. 다만, 해당 사업연도에 누진세율의 적용대상 자산에 대한 예정신고를 2회 이상 하는 경우로서 소득세법 제110조 제4항 단서에 해당하는 경우에는 소득세법상 예정신고를 하였더라도 특례법

인세의 과세표준 신고를 하여야 한다.

4) 당기순이익 과세특례

① 개요

다음 어느 하나에 해당하는 법인의 각 사업연도소득에 대한 법인세는 2025년 12월 31일 이전에 끝나는 사업연도까지 법인세법 제13조 및 같은 법 제55조의 규정에 불구하고 해당 법인의 결산재무제표상 당기순이익(법인세 등을 공제하지 아니한 당기순이익을 말한다)에 법인세법 제24조의 규정에 의한 기부금(당해 법인의 수익사업과 관련된 것만 해당한다)의 손금불산입액과 같은 법 제25조에 따른 기업업무추진비(해당 법인의 수익사업과 관련된 것만 해당한다)의 손금불산입액을 합한 금액에 9%(해당금액이 20억원을 초과하는 경우 그 초과분에 대해서는 12%)의 세율을 적용하여 과세한다. 다만, 해당 법인이 대통령령으로 정하는 바에 따라 당기순이익과세를 포기한 경우에는 그 이후의 사업연도에 대하여 당기순이익과세를 하지 아니한다.

㉠ 신용협동조합법에 따라 설립된 신용협동조합 및 새마을금고법에 따라 설립된 새마을금고

㉡ 농업협동조합법에 따라 설립된 조합 및 조합공동사업법인

ⓒ 수산업협동조합법에 따라 설립된 조합(어촌계를 포함한다) 및 조합공동사업법인

ⓡ 중소기업협동조합법에 따라 설립된 협동조합·사업협동조합 및 협동조합연합회

ⓜ 산림조합법에 따라 설립된 산림조합(산림계를 포함한다) 및 조합공동사업법인

ⓗ 엽연초생산협동조합법에 따라 설립된 엽연초생산협동조합

ⓢ 소비자생활협동조합법에 따라 설립된 소비자생활협동조합

조합법인 등이 수익사업부문의 소득에 대하여 당기순이익 과세방법을 선택한 경우에는 고유목적사업준비금을 설정할 수 없으며, 이처럼 낮은 세율을 적용하는 대신에 조세특례제한법 상의 대부분의 조세혜택을 적용하지 않는다.

② 과세표준과 세액계산

> 과세표준 = 법인세차감전순이익 + 기부금의 손금불산입액 + 기업업무
> 추진비의 손금불산입액 + 대통령령이 정하는 손금불산입액
> 산출세액 = 과세표준 × 9%(20억 초과분은 12%)

기부금손금불산입액을 계산함에 있어 법인세법상 전기 기부금한 도초과액의 이월공제 규정은 적용되지 않는다.

③ 결산재무제표상 당기순이익의 범위(조특법 기본통칙 72-0…

1)

㉠ 조세특례제한법 제72조 제1항에서 결산재무제표상 당기순
이익이라 함은 법인세법 시행령 제79조에 따른 기업회계기
준 또는 관행에 의하여 작성한 결산재무제표상 법인세비용
차감전순이익을 말한다. 이 경우 해당 법인이 수익사업과
비수익사업을 구분경리한 경우에는 각 사업의 당기순손익
을 합산한 금액을 과세표준으로 한다.

㉡ 제1항을 적용함에 있어서 당해 조합법인 등이 법인세추가
납부세액을 영업외비용으로 계상한 경우 이를 결산재무제
표상 법인세비용차감전순이익에 가산한다.

㉢ 제1항의 규정에 의한 과세표준에는 법인세법 제3조 제2항
제5호 및 같은 법 시행령 제2조 제2항의 규정에 의한 3년
이상 고유목적사업에 직접 사용하던 고정자산의 처분익을
포함한다.

㉣ 기업회계기준상 당기순손익을 과소계상한 조합법인이 그
다음사업연도 결산시 해당 과소계상상당액을 전기오류수정
손익으로 이익잉여금처분계산서에 계상한 경우 법인세 과
세표준계산은 국세기본법상 수정신고 또는 경정청구를 통
해 과소계상한 사업연도의 과세표준을 조정하여야 한다.

법인세 신고시 필요서류

법인세 과세표준과 세액의 신고의무는 각 사업연도의 소득금액이 없거나 결손금이 있는 법인의 경우에도 이를 적용해야 하며, 다음의 서류를 첨부하여야 한다.

(1) 사업소득이 있는 비영리법인

① 법인세과세표준 및 세액신고서

② 법인세과세표준 및 세액조정계산서

③ 원천납부세액명세서(갑),(을)

④ 소득금액조정합계표

⑤ 과목별 소득금액조정명세서

⑥ 소득구분계산서

⑦ 자본금과 적립금조정명세서(갑),(을)

⑧ 중소기업기준검토표

⑨ 비영리법인의 수익사업수입명세서

⑩ 고유목적사업준비금조정명세서

⑪ 기타 세무조정부속서류

(2) 이자소득만 있는 비영리법인

① 이자소득만 있는 비영리법인의 법인세·농어촌특별세 과세표

준 및 세액신고서(법인칙 별지 56호 서식)

② 고유목적사업준비금 조정명세서[법인칙 별지 27호 서식(갑)(을)]

③ 원천납부세액명세서[법인칙 별지 제10호 서식(갑)(을)] 내지 농어촌특별세과세대상감면세액합계표(법인칙 별지 제13호 서식)

Chapter 02

비영리법인의 부가가치세

부가가치세의 개요

"세무사님. 덕분에 법인세 신고가 잘 마무리되어 세금까지 납부하였습니다. 감사합니다. 다름이 아니라 이번에 저희가 교육사업을 추가하려고 합니다. 법인설립 허가 시에 목적사업으로 정관에 포함된 사업이라 사업자등록증에 업종만 추가하면 될 거 같은데요. 교육사업은 부가가치세 과세사업인가요? 면세사업인가요? 비영리법인이 운영하는 사업은 면세라고 말하는 사람들이 많은데, 맞는 말인가요?"

"비영리법인이 운영하는 사업이라고 모두 부가가치세가 면세되는 것은 아닙니다. 그리고 교육사업의 경우에는 부가가치세가 과세될 수도 있고, 면세될 수도 있습니다."

"과세가 될 수도 있고 면세가 될 수도 있다구요? 왜 이런 차이가 발생하는 건가요?"

"교육사업에 과세, 면세 여부를 판단하기 이전에 우선 부가가치
세에 대해 먼저 알아보는 것이 좋을 거 같습니다."

(1) 부가가치세란

부가가치세는 생산 및 유통의 각 단계에서 생성되는 부가
가치(이윤)에 대해 부과되는 세금이다. 즉, 부가가치세는 원칙
적으로 모든 재화나 용역의 소비행위에 대하여 과세하며, 그
세부담의 전가를 예정하는 간접소비세이다. 여기서 세부담의
전가란 법률상 부가가치세의 납세의무를 지는 자는 재화나 용
역을 공급하는 사업자이지만, 그 세액은 다음 거래단계로 전
가되어 궁극적으로는 최종소비자가 납부하게 되는 것이다.

(2) 납세의무자

부가가치세의 납세의무자는 영리목적의 유무에 불구하고
사업상 독립적으로 재화·용역을 공급하는 자이다. 이러한 납세
의무자에는 개인·법인(국가·지방자치단체와 지방자치단체조합
을 포함한다)과 법인격이 없는 사단·재단 또는 그밖의 단체를
포함한다. 따라서 비영리법인이라고 하더라도 부가가치세법에
서 정하는 재화·용역을 사업상 독립적으로 공급하게 되면 부
가가치세 납세의무자가 되는 것이며, 법인세법상 수익사업에
서 제외되는 사업이라고 할지라도 부가가치세는 과세될 수 있

는 것이다. 여기서 사업상이란 재화·용역을 계속적·반복적으로 공급함을 의미하는 것이므로 일시적으로 공급하는 것에 대하여는 납세의무가 없다. 물론, 일시적인지의 여부는 사실관계를 따져 판단하여야 할 것이다. 기타 부가가치세의 과세표준과 세율의 적용 및 신고납부절차는 일반 영리법인과 동일하다.

● 고유번호증 VS 사업자등록증

(1) 고유번호증

일반적으로 비영리법인은 고유목적사업과 관련된 주무관청의 허가인가 등을 받아 설립등기과정을 거친다. 이 경우 당해 단체가 부가가치세법이나 법인세법상의 과세대상 사업을 영위하는 경우에는 사업자등록을 하여야 하며 그러한 과세대상 사업을 영위하지 아니하더라도 과세자료를 효율적으로 처리하기 위하여 사업자 등록번호에 준하는 고유번호를 세무서로부터 부여받게 된다.

(2) 사업자등록증

1) 수익사업 개시신고

비영리내국법인과 비영리외국법인(국내사업장을 가지고 있

는 외국법인만 해당한다)이 새로 수익사업을 개시한 때에는 그 개시일부터 2개월 이내에 다음 각 호의 사항을 적은 신고서에 그 사업개시일 현재의 그 수익사업과 관련된 재무상태표를 첨부하여 이를 납세지 관할세무서장에게 신고하여야 한다.

① 법인의 명칭
② 본점이나 주사무소 또는 사업의 실질적 관리장소의 소재지
③ 대표자의 성명과 경영 또는 관리책임자의 성명
④ 고유목적사업
⑤ 수익사업의 종류
⑥ 수익사업개시일
⑦ 수익사업의 사업장

다만, 새롭게 사업장을 설치하고 수익사업 개시신고를 하는 경우에는 사업자등록신청서를 별도로 제출해야 한다.

2) 사업자등록

비영리법인의 경우에도 신규로 사업을 개시하는 자는 사업장마다 당해 사업의 개시일부터 20일 이내에 사업장 관할세무서장에게 등록한다. 다만, 신규로 사업을 개시하고자 하는 자는 사업개시일 전이라도 등록할 수 있다.

(3) 고유번호증만 있는 경우의 계산서 등의 발행

고유번호만 부여되어 있는 법인은 원칙적으로 계산서 또는 세금계산서를 발행 할 수 없으며, 만약 고유번호증으로 세금계산서를 발행한 경우 매입자는 매입세액공제를 받을 수 없다. 다만, 건물을 임대하는 경우 해당 건물의 입주자들이 개별적으로 사용하는 전력, 지역난방, 도시가스 등은 각자의 명의로 세금계산서를 발급받을 수 있으나, 공동으로 사용하는 전력, 지역난방, 도시가스 등은 관리소의 명의로 세금계산서를 발급받아 관리소는 입주자에게 관리비를 청구할 때 세금계산서를 발행할 수 있으며, 입주자는 발급받은 세금계산서로 매입세액공제를 받을 수 있다.

집합건물 관리단이 발행한 세금계산서 (서면3팀-94, 2005.01.19.)

1. 집합건물의 구분소유자들이 집합건물의 소유 및 관리에 관한법률 제23조에 규정한 관리단을 구성하여 고유번호를 부여받은 경우에 있어서 자치적으로 건물을 관리하고 그 관리에 소요된 비용만을 각 입주자들에게 분배하여 징수하는 경우에는 부가가치세가 과세되는 재화 또는 용역의 공급에 해당하지 아니하는 것으로 부가가치세법 제16조의 규정에 의한 세금계산서를 교부할 수 없는 것임.

2. 다만, 당해 관리단이 입주자들이 실제로 소비하는 재화 또는 용역에 대하여 부가가치세법 제16조의 규정에 의하여 세금계산서를 교부받은 경우에 당해 명의자인 관리단은 그 교부받은 세금계산서에 기재된 공급가액의 범위 안에서 당해 재화 또는 용역을 실지로 소비하는 입주자들에게 같은 법 시행규칙 제18조의 규정에 의하여 세금계산서를 교부할 수

있는 것이며, 이 경우 당해 세금계산서를 교부받은 입주자는 교부받은 세금계산서의 매입세액이 같은 법 제17조 제2항에서 규정하는 불공제되는 매입세액(예시: 사업과 직접 관련이 없는 지출에 대한 매입세액, 부가가치세가 면제되는 재화 또는 용역을 공급하는 사업에 관련된 매입세액, 등록전 매입세액 등)에 해당하는 경우를 제외하고는 자기의 매출세액에서 공제할 수 있는 것임.

● 부가가치세 과세기간

(1) 과세기간

과세기간이란 세법에 따라 국세의 과세표준 계산에 기초가 되는 기간으로서 부가가치세의 과세기간은 다음과 같다.

구 분	과세기간
간이과세자	1월 1일부터 12월 31일까지
일반과세자	㉠ 제1기 : 1월 1일 ~ 6월 30일 ㉡ 제2기 : 7월 1일 ~ 12월 31일
신규로 사업을 시작하는 자	사업 개시일부터 그 날이 속하는 과세기간의 종료일까지. 다만, 사업개시일 이전에 사업자등록을 신청한 경우에는 그 신청한 날부터 그 신청일이 속하는 과세기간의 종료일까지
사업자가 폐업하는 경우	폐업일이 속하는 과세기간의 개시일부터 폐업일까지
일반과세자가 간이과세자로 변경되는 경우	그 변경 이후 7월 1일부터 12월 31일까지

구 분	과세기간
간이과세자가 일반과세자로 변경되는 경우	그 변경 이전 1월 1일부터 6월 30일까지
간이과세자에 관한 규정의 적용을 포기함으로써 일반과세자로 되는 경우	다음의 기간을 각각 하나의 과세기간으로 한다. ㉠ 그 과세기간의 개시일부터 포기신고일이 속하는 달의 말일(간이과세자의 과세기간) ㉡ 포기신고일이 속하는 달의 다음 달 1일부터 그 과세기간의 종료일(일반과세자의 과세기간)

(2) 예정신고기간

사업자는 각 과세기간 중 다음에 따른 기간이 끝난 후 25일 이내에 대통령령으로 정하는 바에 따라 각 예정신고기간에 대한 과세표준과 납부세액 또는 환급세액을 납세지 관할세무서장에게 신고하여야 하는데 이를 예정신고납부라고 한다. 다만, 2021.1.1.부터는 직전 과세기간 공급가액의 합계액이 1억 5천만원 미만인 법인사업자는 예정신고의무가 없다.

구 분	예정신고기간
제1기	1월 1일부터 3월 31일까지
제2기	7월 1일부터 9월 30일까지

부가가치세 과세와 면세

(1) 부가가치세 과세

비영리법인이라고 하더라도 부가가치세법에서 정하는 재화·용역을 사업상 독립적으로 공급하게 되면 부가가치세 납세의무자가 되는 것이며, 법인세법상 수익사업에서 제외되는 사업이라고 할지라도 부가가치세는 과세될 수 있는 것이다. 여기서 사업상이란 재화·용역을 계속적·반복적으로 공급함을 의미한다.

1) 과세거래

부가가치세의 과세물건은 재화의 공급, 용역의 공급, 재화의 수입이다.

① 재화의 공급

재화의 공급이란 계약상 또는 법률상의 모든 원인(매매계약·가공계약·교환계약·현물출자·공매·경매·수용 등)에 의하여 재화를 인도 또는 양도하는 것이다. 단, 담보 제공, 사업 양도, 조세의 물납에 대해서는 재화의 공급으로 보지 아니한다.

② 용역의 공급

용역(재화 외의 재산적 가치가 있는 모든 역무와 그 밖의 행위를 말한다)의 공급이란 계약상 또는 법률상의 모든 원인에 의하여 역무를 제공하거나 재화·시설물 또는 권리를 사용하게 하는 것을 말한다.

구 분		판 단
원칙	상대방으로부터 인도받은 재화에 자기가 주요자재를 전혀 부담하지 않고 단순히 가공만 하여 주는 것	용역의 공급
	자기가 주요자재의 전부 또는 일부를 부담하고 상대방으로부터 인도받은 재화에 공작을 가하여 새로운 재화를 만드는 것	재화의 공급
예외	건설업에 있어서는 건설업자가 건설자재의 전부 또는 일부를 부담하는 경우에도 용역의 공급으로 본다.	

③ 재화의 수입

재화의 수입이란 다음 중 어느 하나에 해당하는 물품을 국내에 반입하는 것(보세구역을 거치는 것은 보세구역에서 반입하는 것)을 말한다.

㉠ 외국으로부터 국내에 도착된 물품(외국 선박에 의하여 공해에서 채집되거나 잡힌 수산물을 포함)으로서 수입신고가 수리되기 전의 것

㉡ 수출신고가 수리된 물품(수출신고가 수리된 물품으로서 선적되지 아니한 물품을 보세구역에서 반입하는 경우는 제외)

(2) 면세거래

1) 부가가치세법상 면세사업자

"우리나라 세법에서는 국민의 복지, 후생, 공익, 문화 활성 기타 조세정책적인 목적으로 일정한 재화 및 용역을 공급하는 사업자에 대하여는 부가가치세를 면제하여 주고 있어 부가가치세 납세의무가 발생하지 않습니다. 부가가치세법에서는 부가가치세가 면세되는 대상을 열거하고 있는데 비영리법인 중 종교, 자선, 학술, 구호, 그 밖의 공익을 목적으로 하는 단체가 공급하는 재화 또는 용역으로서 대통령령으로 정하는 것에 대하여 면세를 적용해 주고 있습니다. 하지만 면세사업을 영위하는 비영리법인이 과세사업을 추가한다면 부가가치세 납세의무가 발생하므로 부가가치세법상의 제반의무를 준수하여야 하며, 면세사업만 영위하더라도 법인세법상 수익사업을 영위한다면 법인세법상의 제반의무를 이행하여야 합니다."

"그럼 어떤 게 면세되는 사업인가요?"

장보리

"부가가치세법 제26조에서는 면세되는 재화 또는 용역에 대해 열거하고 있습니다. 이 중 비영리법인과 관련된 부분을 위주로 한번 살펴보겠습니다."

① 주무관청의 허가 또는 인가를 받거나 주무관청에 등록된 단체(종교단체의 경우 그 소속단체를 포함한다)로서 상속세 및 증여세법 시행령 제12조 각 호의 어느 하나에 따른 사업 또는 기획재정부령으로 정하는 사업을 하는 단체가

그 고유의 사업목적을 위하여 일시적으로 공급하거나 실비 또는 무상으로 공급하는 재화 또는 용역

② 학술 및 기술 발전을 위하여 학술 및 기술의 연구와 발표를 주된 목적으로 하는 단체가 그 연구와 관련하여 실비 또는 무상으로 공급하는 재화 또는 용역

③ 문화유산의 보존 및 활용에 관한 법률에 따른 지정문화유산 또는 자연유산의 보존 및 활용에 관한 법률에 따른 천연기념물 등을 소유하거나 관리하고 있는 종교단체(주무관청에 등록된 종교단체로 한정하되, 그 소속단체를 포함한다)의 경내지 및 경내지 안의 건물과 공작물의 임대용역

④ 공익을 목적으로 기획재정부령으로 정하는 기숙사를 운영하는 자가 학생이나 근로자를 위하여 실비 또는 무상으로 공급하는 음식 및 숙박 용역

⑤ 저작권법 제105조 제1항에 따라 문화체육관광부장관의 허가를 받아 설립된 저작권위탁관리업자로서 기획재정부령으로 정하는 사업자가 저작권자를 위하여 실비 또는 무상으로 공급하는 신탁관리 용역

⑥ 저작권법 제25조 제7항(같은 법 제31조 제6항, 제75조 제2항, 제76조 제2항, 제76조의 2 제2항, 제82조 제2항, 제83조 제2항 및 제83조의 2 제2항에 따라 준용되는 경우를

포함한다)에 따라 문화체육관광부장관이 지정한 보상금수령단체로서 기획재정부령으로 정하는 단체인 사업자가 저작권자를 위하여 실비 또는 무상으로 공급하는 보상금 수령 관련 용역

⑦ 법인세법 제24조 제2항 제1호 라목 2)에 따른 비영리 교육재단이 초·중등교육법 제60조의 2 제1항에 따른 외국인학교의 설립·경영 사업을 하는 자에게 제공하는 학교시설 이용 등 교육환경 개선과 관련된 용역

2) 조세특례제한법상 면세사업자

부가가치세법에서는 기초생활필수품·용역, 국민후생용역, 문화 관련 재화·용역 등에 대하여 부가가치세를 면세하고 있으며, 조세특례제한법에서는 조세정책적으로 부가가치세를 면세하고 있다.

① 대통령령으로 정하는 정부업무를 대행하는 단체가 공급하는 재화 또는 용역으로서 다음의 것에 대하여는 부가가치세를 면제한다.

㉠ 별정우체국법에 의한 별정우체국

㉡ 우체국창구업무의 위탁에 관한 법률에 의하여 우체국창구업무를 위탁받은 자

㉢ 한국농어촌공사 및 농지관리기금법에 따른 한국농어촌공사

ⓡ 농업협동조합법에 의한 조합, 조합공동사업법인 및 중앙회 (농협경제지주회사 및 그 자회사를 포함한다) 등 조세특례 제한법 시행령 제106조 제7항에 따른 단체가 기획재정부령 이 정하는 사업을 위하여 공급하는 재화 또는 용역

② 국가철도공단법에 따른 국가철도공단이 철도산업발전기본 법 제3조 제2호에 따른 철도시설을 국가에 귀속시키고 같 은 법 제26조에 따라 철도시설관리권을 설정받는 방식으로 국가에 공급하는 철도시설

③ 교육부장관의 추천이나 교육부장관이 지정하는 자의 추천 을 받은 자가 사회기반시설에 대한 민간투자법 제4조 제1 호의 방식을 준용하여 건설한 학교시설에 대하여 학교가 제공하는 시설관리운영권 및 그 추천을 받은 자가 그 학교 시설을 이용하여 제공하는 용역

④ 한국사학진흥재단법에 따른 한국사학진흥재단이 설립한 특 수 목적 법인이 사회기반시설에 대한 민간투자법 제4조 제 1호의 방식을 준용하여 건설한 기숙사에 대하여 국가 및 지자체가 제공하는 시설관리운영권 및 그 법인이 그 기숙 사를 이용하여 제공하는 용역

● 부가가치세가 과세될까?

(1) 일시적으로 공급하거나 실비 또는 무상으로 공급하는 재화 또는 용역

부가가치세법 제26조에서는 면세되는 재화 또는 용역의 공급에 대해 열거되어 있어 영리법인의 경우 부가가치세법에 면세로 열거되지 않은 재화 또는 용역을 공급할 경우 부가가치세가 과세되지만, 주무관청의 허가 또는 인가를 받거나 주무관청에 등록된 단체로서 상속세 및 증여세법 시행령 제12조 각호의 어느 하나에 따른 사업 또는 종교, 자선, 학술, 구호, 사회복지, 교육, 문화, 예술 등 공익을 목적으로 하는 사업을 하는 단체가 그 고유의 사업목적을 위하여 일시적으로 공급하거나 실비 또는 무상으로 공급하는 재화 및 용역에 해당하는 경우에는 부가가치세가 면제된다.

1) 요건(부가가치세과-3945, 2008.10.31)

① 주무관청의 허가 또는 인가를 받거나 주무관청에 등록된 단체로서

② 상속세 및 증여세법 시행령 제12조 각호의 어느 하나에 따른 사업 또는 기획재정부령이 정하는 사업을 하는 단체가

③ 그 고유의 사업목적을 위하여 일시적으로 공급하거나 실비
또는 무상으로 공급하는 재화 및 용역

2) 실무 적용

이 규정을 실무에 적용함에 있어서 해당 비영리법인에서
공급하는 재화 또는 용역이 공익을 목적으로 하고 있는 단체
가 고유의 사업목적을 위하여 일시적 공급 또는 실비인지 여
부가 논란이 되므로 각 상황에 따라 엄격하게 판단해야 한다.

대법원 1997.8.26. 선고, 96누17769 판결

【판결요지】 부가가치세법 제12조 제1항 제16호는 종교·자선·학술·구호
기타 공익을 목적으로 하는 단체가 공급하는 재화 또는 용역으로서 대통
령령이 정하는 것을 부가가치세가 면제되는 용역의 하나로 들고 있고,
이에 따라 같은 법 시행령 제37조 제1호는 법 제12조 제1항 제16호에서
대통령령이 정하는 용역은 주무관청에 등록된 종교·자선·학술·구호·기타
공익을 목적으로 하는 단체가 그 고유의 사업목적을 위하여 일시적으로
공급하거나 실비 또는 무상으로 공급하는 용역 등을 말한다고 규정하고
있는바, 공익을 목적으로 하는 단체인지 여부는 그 고유의 목적이 사회일
반의 복리증진인지 여부에 따라 판단하여야 하고 그 단체가 수행하는 개
별적인 업무가 특정인을 상대로 하는지 불특정인을 상대로 하는지에 따
라 판단할 것은 아니며, 공급하는 용역이 일시적이면서 실비 또는 무상공
급이어야 하는 것은 아니고 일시적인 공급이거나 실비 또는 무상공급이
면 된다. 1964. 7. 6. 보사부장관의 허가를 받아 설립한 비영리법인이
1992. 7. 20. 노동부로부터 산업안전보건법에 따른 작업환경측정기관으
로 지정을 받은 이래 과학기술처가 공고하는 기술용역대가의 기준에 따
라 작업환경측정기술협의회에서 인건비·장비감가상각비·관리비 등을 고

려하여 책정한 수수료를 받고 작업환경측정용역을 공급하여 왔다면, 위 용역이 부가가치세법 제12조 제1항 제4호, 같은 법 시행령 제29조, 같은 법 시행규칙 제11조의2가 정하는 의료보건용역에 해당한다고 할 수는 없으나, 같은 법 제12조 제1항 제16호, 같은 법 시행령 제37조 제1호가 정하는 공익을 목적으로 하는 단체가 그 고유의 사업목적을 위하여 실비로 공급하는 용역에는 해당하므로 위 용역은 부가가치세 면제대상임.

부가, 서면인터넷방문상담3팀-2699 , 2007.09.28.

학술지에 게재되는 광고용역의 부가가치세 면제 여부는 기 회신사례 부가46015-3672(2000.11.1.)호를 참고하시기 바라며, 귀 질의의 학회 및 회원학회가 세미나 개최경비조달을 위해 광고 및 장소대여용역을 제공하고 대가를 받는 경우, 동 대가는 부가가치세법 제1조 제1항에 의하여 부가가치세가 과세되는 것임. 주무관청의 허가 또는 인가를 받거나 주무관청에 등록된 단체로서 종교·자선·학술·구호·사회복지 등 공익을 목적으로 하는 사업을 하는 단체가 그 고유의 목적사업을 위하여 일시적으로 공급하거나 실비 또는 무상으로 공급하는 재화 또는 용역은 부가가치세법 시행령 제37조 제1호의 규정에 의하여 부가가치세가 면제되는 것으로, 주무관청의 허가 또는 인가되지 아니하거나 주무관청에 등록되지 아니한 귀 질의의 회원학회는 동 규정이 적용되지 아니함.

(2) 교육용역

"부가가치세법에서는 교육용역에 대해 면세로 하고 있습니다. 하지만 모든 교육용역에 대해 부가가치세를 면세하는 것은 아닙니다. 부가가치세법에서 면세하는 교육용역은 주무관청의 허가·인가 또는 승인을 얻어 설립하거나 주무관청에 등록 또는 신고한 학원·강습소 등과 청소년활동진흥법에 따른 청소년수련시설 등에서 지식·기술 등을 가르치는 것을 말하며, 그 지식 또는 기술의 내용은 관계가 없습니다. 이 경우 부가가치세가 면제되는 교육용역의 공급에 통상적으로 부수되는 재화 또는 용역의 공급은 면세용역의 공급에 포함됩니다. 여기서 정부의 허가 또는 인가라 함은 관계법령에 의하여 시설·교습과정·정원 등에 관한 일정의 요건을 갖추어 주무관청으로부터 설립이 허용되는 것을 말하며, 허가 또는 인가 등이 없었다고 하여도 해당 교육기관이 주무관청 등에 신고·등록하여 관련 법령에 따라 지휘·감독의 범위 내에 포함되거나 실제 지휘·감독을 받은 사실이 있는 때에는 정부의 허가 또는 인가 등을 받은 것으로 보도록 하고 있습니다."

"저희는 법인설립 허가를 받을 때 교육사업을 목적사업에 넣었습니다. 그럼 주무관청의 허가를 받았다고 볼 수 있는 건가요?"

강보리

"정부의 허가 또는 인가라 함은 관계법령에 의하여 시설·교습과정·정원 등에 관한 일정의 요건을 갖추어 주무관청으로부터 설립이 허용되는 것을 말하므로 단순히 정관상 목적사업에 포함되어 있다고 허가를 받았다고 볼 수는 없을 것입니다. 그러나 이러한 허가받은 교육용역에 해당하지 않는다고 하더라도 그 고유의 사업목적을 위하여 일시적으로 공급하거나 실비 또는 무상으로 공급하는 경우 부가가치세 면세를 적용받을 수 있습니다."

강세무사

부가가치세법 집행기준 26-36-1 【교육용역의 면세 범위】

① 면세하는 교육용역은 주무관청의 허가·인가 또는 승인을 얻어 설립하거나 주무관청에 등록 또는 신고한 학원·강습소 등과 청소년활동진흥법에 따른 청소년수련시설 등에서 지식·기술 등을 가르치는 것을 말하며, 그 지식 또는 기술의 내용은 관계없다. 이 경우 부가가치세가 면제되는 교육용역의 공급에 통상적으로 부수되는 재화 또는 용역의 공급은 면세용역의 공급에 포함된다.

② 교육용역 제공시 필요한 교재·실습자재 기타 교육용구의 대가를 수강료 등에 포함하여 받거나, 별도로 받는 때에는 주된 용역인 교육용역에 부수되는 재화 또는 용역으로서 면세된다.

③ 청소년활동진흥법에 따른 청소년수련시설에서 학생·수강생·훈련생 등이 아닌 일반 이용자에게 해당 교육용역과 관계없이 음식·숙박 용역만을 제공하거나 실내수영장 등의 체육활동시설을 이용하게 하고 받는 대가는 과세된다.

④ 허가 또는 인가 등이 없었다고 하여도 해당 교육기관이 주무관청 등에 신고·등록하여 관련 법령에 따라 지휘·감독의 범위 내에 포함되거나 실제 지휘·감독을 받은 사실이 있는 때에는 정부의 허가 또는 인가 등을 받은 것으로 본다.

⑤ 면세되는 학원을 운영하는 사업자가 다른 학원운영자에게 상호, 상표, 교육프로그램, 학원경영 노하우(Know-How) 등을 제공하고 그에 대한 대가를 받는 경우에는 과세된다.

⑥ 과학관의 설립·운영 및 육성에 관한 법률에 따라 등록한 과학관과 박물관 및 미술관 진흥법에 따라 등록한 박물관 및 미술관에서 교육용역을 제공하고 그 대가를 받는 경우에는 면세된다.

⑦ 평생교육법에 따라 지식·인력개발사업 관련 평생교육시설로 신고한 사업자가 신고한 내용의 범위 내에서 기업체 등과 계약을 체결하고 출장하여 외국어 등에 대한 교육용역을 제공하는 경우에는 부가가치세가 면제되는 교육용역에 해당한다.

관련예규

① 법규부가2013-444, 2013.10.10.

수상레저안전법 제7조 제1항 제6호 및 같은 법 시행령 제7조 제5항에 따라 조종면허시험 면제 교육기관인 해양경찰청장으로부터 조종면허시험 면제 교육기관으로 지정된 (사)한국수상레저안전협회의 지부가 조정면허 시험을 면제 받으려는 자에게 조종면허 시험면제교육용역을 제공하는 경우에는 부가가치세법 제26조 제1항 제6호 및 같은 법 시행령 제36조에 따라 부가가치세가 면제되는 것임.

② 부가46015-36, 2000.01.06.

부가가치세가 면제되는 교육용역은 정부의 허가 또는 인가를 받은 학교·학원·강습소·훈련원·교습소 기타 비영리법인단체 및 청소년기본법에 의한 청소년 수련시설에서 학생·수강생·훈련생·교습생 또는 청강생에게 지식·기술 등을 가르치는 것을 말하는 것이며, 여기서 정부의 허가 또는 인가라 함은 관계법령에 의하여 시설·교습과정·정원 등에 관한 일정의 요건을 갖추어 주무관청으로부터 설립이 허용되는 것을 말하는 것이며, 정부로부터 허가 또는 인가를 받지 아니한 경우의 교육용역은 부가가치세가 과세되는 것임. 다만 근로자직업훈련촉진법 제28조 및 동법시행규칙 제16조에 의하여 노동부장관으로부터 직업능력개발훈련과정 지정을 받아 근로자 및 실직자에게 직업교육훈련 용역을 제공하는 경우에는 부가가치세법시행령 제30조에 의하여 부가가치세가 면제되는 것이나, 노동부의 승인이 취소된 경우에는 부가가치세가 면제되지 아니하는 것임.

③ 부가46015-52, 2001.01.08.

귀 질의의 경우는 질의내용이 불분명하여 명확한 답변을 드리기 어려우나 관련 법령에 의하여 시설·교습과정 및 정원에 관한 일정요건을 갖추어 주무관청으로부터 허가 또는 인가를 받지 아니한 사업자가 심포지움을 개최하여 참가자에게 관련정보를 제공하는 것은 부가가치세법 제12조 제1항 제5호에서 규정하는 부가가치세가 면제되는 교육용역의 범위에 해당하지 아니하는 것임.

④ 부가가치세과-472, 2014.05.19.
건축사법 제31조에 따라 설립된 사단법인 건축사협회가 그 설립목적의
범위 내에서 제공하는 교육용역에 대해서는 부가가치세법 제26조 제1항
제6호 및 같은 법 시행령 제36조 제1항에 따라 부가가치세가 면제되는
것임.

(3) 예술창작품·예술행사·문화행사 또는 아마추어 운동경기

예술창작품·예술행사·문화행사 또는 아마추어 운동경기로서
대통령령으로 정하는 경우 부가가치세법 제26조 제1항 16호
에 따라 부가가치세가 면세된다.

1) 예술창작품

미술, 음악, 사진, 연극 또는 무용에 속하는 창작품은 면세
한다. 다만, 골동품(관세법 별표 관세율표 번호 제9706호의
것을 말한다)은 제외하며, 창작품을 모방하여 대량으로 제작
하는 작품은 예술창작품으로 보지 않는다.

2) 예술행사와 문화행사

예술행사는 영리를 목적으로 하지 아니하는 발표회, 연구
회, 경연대회 또는 그밖에 이와 유사한 행사를 말하며, 문화행
사는 영리를 목적으로 하지 아니하는 전시회, 박람회, 공공행
사 또는 그밖에 이와 유사한 행사를 말한다. 이러한 예술행사

및 문화행사는 행사주최에 관계없이 영리를 목적으로 하지 아니하는 문학·미술·음악·연극 및 문화 등의 발표회·연주회·연구회·경연대회 등을 말하는 것으로 다음 각 호의 어느 하나에 해당하는 행사를 말한다.

① 사전행사계획서에 따라 이익금을 이익배당 또는 잔여재산의 분배 등의 형식을 통해 주최자에게 귀속시키는 것이 아닐 것

② 정부 또는 지방자치단체 등 공공단체가 공식 후원하거나 협찬하는 행사

③ 사전행사계획서에 의해 입장료 수입이 실비 변상적이거나 부족한 경비를 협찬에 의존하는 행사

④ 자선목적의 예술행사로서 사전계획서에 따라 이익금의 전액을 공익단체에 기부하는 행사

⑤ 비영리단체가 공익목적으로 개최하는 행사

⑥ 기타 이와 유사한 행사로서 영리성이 없는 행사

예술행사나 문화행사에 해당하지 아니하는 행사 또는 직업운동경기를 주최·주관하는 자(프로모터를 포함한다)와 흥행단체 등이 흥행 또는 운동경기 등과 관련하여 받는 입장료·광고료·방송중계권료 및 기타 이와 유사한 수수료는 과세한다.

3) 아마추어 운동경기

아마추어 운동경기는 대한체육회 및 그 산하 단체와 태권도 진흥 및 태권도공원 조성 등에 관한 법률에 따른 국기원이 주최, 주관 또는 후원하는 운동경기나 승단·승급·승품 심사로서 영리를 목적으로 하지 아니하는 것으로 한다.

(4) 연구용역

1) 기획재정부령으로 정하는 학술연구용역과 기술연구용역

개인, 법인 또는 법인격 없는 사단·재단, 그 밖의 단체가 독립된 자격으로 제공하는 학술연구용역과 기술연구용역은 부가가치세를 면세한다. 여기서 학술연구용역과 기술연구용역이란 새로운 학술 또는 기술 개발을 위하여 수행하는 새로운 이론·방법·공법 또는 공식 등에 관한 연구용역을 말한다. 신제품을 개발하거나 제품의 성능이나 질·용도 등을 개선시키는 연구용역에 대하여는 면세하나 새로운 사업의 타당성 조사, 실시설계 또는 이들을 포함한 종합계획을 작성하는 용역, 학술 및 기술의 연구결과를 단순히 응용 또는 이용하여 제공하는 용역은 부가가치세가 면제되는 학술 또는 기술연구용역에 해당하지 않는다.

관련예규

① 사전-2015-법령해석부가-0076, 2015.07.23.

해당 전동차 부착형 오염물질 제거장치 연구용역이 기존의 나노기술, 집진기술, 유동해석기술 등 연구결과를 응용 또는 이용하여 공급하는 용역에 해당하는 경우에는 부가가치세법 제26조 제1항 제15호 및 같은 법 시행령 제42조 제2호 나목에 따라 부가가치세가 면제되는 학술연구용역과 기술연구용역에 해당하지 아니하는 것임.

② 법규부가2013-278, 2013.08.28.

비영리사단법인이 지방자치단체와 도시디자인 기본계획 수립용역 계약을 체결한 후 현황 조사 및 분석, 과업방향 및 목표설정, 도시디자인 기본구상, 실행계획 수립 및 사업발굴 등 용역을 제공하고 그에 대한 대가를 받는 경우 해당 용역은 부가가치세법 제12조 제1항 제14호 및 같은 법 시행령 제35조 제2호 라목에서 규정하는 부가가치세가 면제되는 학술 또는 기술연구용역에 해당하지 아니하는 것임.

③ 부가가치세과-874, 2010.07.09.

새로운 학술을 개발하기 위하여 행하는 새로운 이론·방법·공법 또는 공식 등에 관한 연구용역은 부가가치세법 제12조 제1항 제14호 및 부가가치세법 시행령 제35조 제2호 라목에 따라 부가가치세가 면제되는 것으로서 4대강수계 비점오염 저감시설 모니터링 및 유지관리용역과 같이 학술 및 기술의 연구결과를 단순히 응용 또는 이용하여 제공하는 용역은 부가가치세가 면제되는 학술연구용역에 해당하지 아니하는 것임.

④ 부가, 조심2016광 0290, 2016.08.03.

구 부가가치세법 시행령 제37조 제1호의 2에서 부가가치세가 면제되는 용역에 산학협력단이 제공하는 연구용역을 규정하고 있는바, 연구용역의 범위에는 새로운 학술 또는 기술을 개발하기 위한 새로운 이론·방법·공법 또는 공식 등의 연구용역 뿐만 아니라, 기존의 학술연구나 기술연구 결과의 타당성을 검토하고 그 내용을 수정·보완하기 위한 연구용역 등도 포함되지만, 단순히 기존의 학술연구나 기술연구 결과를 응용 또는 이용하여 공급하는 용역에 불과하다면 부가가치세 면제대상에 해당하지 않는다 할 것이다. 청구법인이 수행한 쟁점용역은 어업피해가 발생하는 도로공사나 항만공사 등의 시행시 바다환경에 영향을 미침에 따른 객관적인 어업피해 손실액 보상을 산정하기 위한 용역인바, 기존의 이론이나 연구 등을 응용하는 수준의 정형화되어 있는 방법으로 어업피해의 범위와 그 정도를 조사하여 합리적이고 정당한 보상액 산정을 위한 기초자료 제공이 주목적이고, 전문가들이 보유한 전문지식을 개별 사업현장에 적용한 일반적인 용역의 성격으로 새로운 학술이나 기술을 개발하기 위한 연구용역이라 보기 어려울 뿐 아니라 기존의 학술 또는 기술연구 결과의 타당성을 검토하고 그 내용을 수정·보완하기 위한 연구용역으로도 보기 어려운 점 등에 비추어 청구법인이 수행한 쟁점용역은 부가가치세 과세대상임.

2) 학술 등 연구단체

학술 및 기술 발전을 위하여 학술 및 기술의 연구와 발표를 주된 목적으로 하는 단체가 그 연구와 관련하여 실비 또는 무상으로 공급하는 재화 또는 용역에 대해 부가가치세가 면제된다. 이 규정을 실무에 적용함에 있어 학술 등 연구를 주된 목적으로 하는 단체인지 여부와 그 대가가 실비인지 여부에 대한 사실판단이 필요하다.

관련예규

① 제도46015-12055, 2001.07.11.
정부로부터 허가를 받아 설립된 학술연구단체인 사단법인 ○○학회가 학술연구 또는 기술연구와 관련하여 공급하는 재화 및 용역은 부가가치세

법 제12조 제1항 제16호 및 동법시행령 제37조 제1호의 규정에 의하여 부가가치세가 면제되는 것이나, 당해 용역이 학술연구 또는 기술연구와 관련하여 공급되는 용역인지 여부는 각각의 용역 공급에 대한 구체적인 거래관계 등으로 종합하여 사실 판단할 사항인 것임.

② 부가, 국심2005서4161, 2006.06.08.

청구법인은 매장문화재 발굴을 위하여 민법 제32조의 규정에 의하여 문화재청장의 허가를 받아 설립된 비영리내국법인에 해당하나, 지표조사·시굴조사 및 발굴조사의 일련의 매장문화재 발굴조사과정중 지표조사는 사업면적 3만㎡ 이상의 건설공사 등 대규모 개발사업에는 의무적으로 수행하도록 규정되어 있을 뿐만 아니라 조사 용역료도 개발사업자가 부담하도록 문화재보호법에 규정되어 있어 고유목적사업을 위하여 실비 또는 무상으로 공급하는 용역으로 보기는 어려우며, 청구법인이 학술연구단체에 해당하는지를 살펴보면, 청구법인의 정관상 사업내용에 학술사업과 연구보고서 발간이 포함되어 있으나 주된 사업내용은 매장문화재 발굴조사로서 이를 학술연구단체로 보기는 어려우므로 청구법인이 제공하는 발굴용역은 부가가치세법상 과세대상이 되는 용역의 공급으로 보는 것이 타당하다고 판단된다.

(5) 광고용역

1) 일반 광고용역

부가가치세법 제26조 제1항 제8호에서는 도서(도서대여용역을 포함한다), 신문, 잡지, 관보, 뉴스통신 진흥에 관한 법률에 따른 뉴스통신 및 방송으로서 대통령령으로 정하는 것에 대해 부가가치세 면세를 적용하면서 다만, 광고는 제외하고 있다. 그러므로 일반적인 광고용역은 부가가치세 과세사업에 해당한다.

2) 비영리법인의 기관지에 게재하는 광고용역

영리 아닌 사업을 목적으로 하는 법인이나 그 밖의 단체가 불특정인에게 판매할 목적이 아니라 그 단체의 목적이나 정신을 널리 알리기 위하여 그 기관의 명칭이나 별칭이 해당 출판물의 명칭에 포함되어 있는 기관지 또는 이와 유사한 출판물을 이용하여 광고용역을 제공하는 경우 당해 광고용역은 부가가치세가 면제된다. 그러므로 비영리법인이 기관지 등을 판매하는 경우에는 당해 기관지에 게재된 광고용역은 부가가치세가 과세된다.

● 공통매입세액의 안분계산이 뭔가요?

"부가가치세는 과세되는 재화 또는 용역의 공급에 대한 공급가액을 과세표준으로 하여 부가가치세율인 10%를 매출세액으로 하며, 부가가치세 납부세액을 계산할 때에는 매출세액에서 매입세액을 차감하여 계산합니다. 하지만 이러한 매입세액 중 과세사업과 관련된 매입세액은 공제되지만, 면세사업과 관련된 매입세액은 공제되지 않으므로 차감되는 매입세액에 포함되지 않습니다."

"공제되지 않는 매입세액이 있다구요?"

"그렇습니다. 공제대상 매입세액은 과세되는 자기의 사업을 위하여 사용하였거나 사용할 목적으로 공급받은 재화 또는 용역에 대한 부가가치세액입니다. 그러므로 비영리법인이 부가가치세가 과세되지 않는 목적사업에 사용하거나 부가가치세가 면세되는 수익사업에 사용하는 매입세액은 공제되지 않습니다."

"전 세금계산서만 발급받으면 매입세액은 모두 공제가 되는 줄 알았는데, 그럼 부가가치세 부담이 많이 늘어나겠네요."

"부가가치세 과세사업을 영위하는 비영리법인의 경우 과세사업과 면세사업에 공통으로 사용되는 재화나 용역이 있을 수 있습니다. 이렇게 공통으로 사용되는 재화에는 사무실 임차료, 사무용품, 통신비 등이 있으며, 이렇게 실지 귀속을 구분할 수 없는 공통매입세액은 부가가치세 부담을 줄이기 위해 공통매입세액의 안분계산을 통해 부가가치세 일부를 공제 받아야 합니다. 그럼 공통매입세액의 안분계산에 대해 알아보겠습니다."

(1) 원칙적인 안분계산 방법

1) 계산 방법

과세사업과 면세사업 등(비과세사업을 포함한다)을 겸영하는 경우로서 실지귀속을 구분할 수 없는 매입세액이 있는 경우 면세사업 등에 관련된 매입세액은 인원 수 등에 따르는 등 기획재정부령으로 정하는 경우를 제외하고 다음 계산식에 따라 안분하여 계산한다.

$$\text{면세사업 관련 매입세액} = \text{공통매입세액} \times \text{해당과세기간의} \frac{\text{면세공급가액}}{\text{총공급가액}}$$

다만, 예정신고를 할 때에는 예정신고기간에 있어서 총공급가액에 대한 면세공급가액의 비율에 따라 안분하여 계산하고, 확정신고를 할 때에 정산한다.

2) 안분계산의 배제

① 해당 과세기간의 총공급가액 중 면세공급가액이 5퍼센트 미만인 경우의 공통매입세액. 다만, 공통매입세액이 5백만 원 이상인 경우는 제외한다.

② 해당 과세기간 중의 공통매입세액이 5만원 미만인 경우의 매입세액

③ 해당 과세기간에 신규로 사업을 개시한 사업자가 해당 과세기간에 공급한 공통사용재화에 대한 매입세액

(2) 예외적인 안분계산방법

1) 계산 방법

해당 과세기간 중 과세사업과 면세사업 등의 공급가액이 없거나 그 어느 한 사업의 공급가액이 없는 경우에 해당 과세기간에 대한 안분 계산은 다음 각 호의 순서에 따른다.

① 총매입가액(공통매입가액은 제외한다)에 대한 면세사업 등에 관련된 매입가액의 비율
② 총예정공급가액에 대한 면세사업 등에 관련된 예정공급가액의 비율
③ 총예정사용면적에 대한 면세사업 등에 관련된 예정사용면적의 비율

다만, 건물 또는 구축물을 신축하거나 취득하여 과세사업과 면세사업 등에 제공할 예정면적을 구분할 수 있는 경우에는 ③을 ① 및 ②에 우선하여 적용한다.

과세사업과 비과세사업인 목적사업을 회비와 기부금 등으로 운영하는 경우 비과세사업은 면세사업과 동일하게 그 매입세액은 공제받을 수 없으므로 과세사업과 비과세사업에 공통으로 사용하는 공통매입세액은 안분해야 한다. 이때 비과세사업을 포함한 면세사업의 공급가액에 대해 논란이 있다.

부가가치세법 시행령에서는 면세사업 등과 관련하여 받았으나 부가가치세 과세표준에 포함되지 않은 국고보조금과 공

공보조금 및 이와 유사한 금액은 면세공급가액에 포함하도록 하고 있다. 하지만 목적사업을 위하여 후원자들로부터 기부금을 수취하는 경우 해당 기부금은 공통매입세액 안분계산 시 면세공급가액에 포함하지 않는다는 국세청 예규가 있다. 그로 인해 기부금과 과세사업이 있는 경우 공통매입세액 안분하는 경우 예외적인 안분계산방법을 사용해야 하는데 이 부분은 논란이 될 수 있다.

관련예규

① 재부가-266, 2010.04.22.
국가로부터 출연금을 받아 운영되는 연구원의 고유목적사업이 부가가치세 과세대상에 해당하지 않는 경우에는 이와 관련한 매입세액은 공제대상 매입세액에 해당하지 않는 것임. 다만, 연구원이 수익사업을 겸영하는 경우에 매입세액의 실지귀속을 알 수 없는 공통매입세액은 부가가치세법 시행령 제61조에 따라 비과세사업인 출연금과 수익사업의 공급가액으로 안분계산(1차 안분)하여 비과세사업에 해당하는 매입세액은 불공제하고 수익사업에 해당하는 공통매입세액은 수익사업의 과세, 면세 공급가액으로 다시 안분계산(2차 안분)하여 과세사업에 해당하는 매입세액만 공제받을 수 있는 것임.

② 서면 2018 법령해석부가-1888, 2018.10.05.
고유목적사업과 수익사업을 영위하는 비영리재단법인이 고유목적사업을 위하여 후원자들로부터 재화 또는 용역의 공급과 직접 관련되지 않는 기부금을 수취하는 경우 해당 기부금은 부가가치세법 시행령 제81조 제1항에 따른 공통매입세액 안분계산 시 총공급가액 및 면세공급가액에 포함하지 아니하는 것임.

2) 공통매입세액의 정산

이처럼 예외적인 방법에 따라 매입세액을 안분하여 계산한 경우에는 해당 재화의 취득으로 과세사업과 면세사업 등의 공급가액, 과세사업과 면세사업 등의 사용면적이 확정되는 과세기간에 다음 각 호의 계산식에 따라 정산한다.

① 당초에 매입가액 또는 예정공급가액의 비율에 따라 매입세액을 안분하여 계산한 경우

$$
\text{가산되거나 공제되는 세액} = \text{총공통매입세액} \times \left(1 - \frac{\text{면세공급가액}}{\text{총공급가액}}\right) - \text{이미 공제세액}
$$

(과세사업과 면세사업등의 공급가액이 확정되는 과세기간의)

② 당초에 예정사용면적의 비율에 따라 매입세액을 안분하여 계산한 경우

$$
\text{가산되거나 공제되는 세액} = \text{총공통매입세액} \times \left(1 - \frac{\text{면세사용면적}}{\text{총사용면적}}\right) - \text{이미 공제세액}
$$

(과세사업과 면세사업등의 사용면적이 확정되는 과세기간의)

다만, 예정신고를 할 때에는 예정신고기간에 있어서 총공급가액에 대한 면세공급가액의 비율, 총사용면적에 대한 면세 또는 비과세 사용면적의 비율에 따라 안분하여 계산하고, 확

정신고를 할 때에 정산한다.

● 부가가치세 신고 및 납부 절차

(1) 부가가치세 과세사업자

사업자가 재화 또는 용역을 공급하는 때에는 거래상대방으로부터 공급가액의 10%에 상당하는 세액(매출세액)을 거래징수 하여야 하며, 당해 매출세액에서 매입시 거래상대방으로부터 거래징수당한 세액(매입세액)을 차감한 세액을 신고·납부하여야 한다.

1) 세금계산서 발행·교부 의무

세금계산서란 사업자가 재화 또는 용역을 공급할 때 부가가치세를 거래징수하고 이를 증명하기 위하여 공급받는 자에게 교부하는 세금영수증이다. 사업자는 재화 등을 공급할 때 세금계산서를 교부함으로써 공급받는 자에게 부가가치세를 전가시킬 수 있으며, 공급받는 자는 매입처별 세금계산서합계표를 과세관청에 제출하여 거래징수당한 부가가치세를 매입세액으로 공제받을 수 있다. 이러한 세금계산서는 원칙적으로 재화 또는 용역의 공급시기에 발급하여야 한다. 다만, 일반적인 공급시기가 되기 전에 대가의 전부 또는 일부를 받고서 세금계산서를 발급한 경우에는 그 발급하는 때를 공급시기로 보도록 되어 있으므로, 이 경우에는 공급시기가 되기 전에 세금계산서를 발급하는 것은 무방하다.

2) 재화 및 용역의 공급시기

① 재화의 공급시기

재화가 공급되는 시기는 다음에 따른 때로 한다. 이 경우 구체적인 거래 형태에 따른 재화의 공급시기에 관하여 필요한 사항은 대통령령으로 정한다.

㉠ 재화의 이동이 필요한 경우 : 재화가 인도되는 때

㉡ 재화의 이동이 필요하지 아니한 경우 : 재화가 이용가능하게 되는 때

㉢ ㉠와 ㉡를 적용할 수 없는 경우 : 재화의 공급이 확정되는 때

② 용역의 공급시기

용역이 공급되는 시기는 다음의 어느 하나에 해당하는 때로 한다.

㉠ 역무의 제공이 완료되는 때

㉡ 시설물, 권리 등 재화가 사용되는 때

3) 세금계산서의 필수적 기재사항

사업자가 과세되는 재화 또는 용역을 공급하는 경우에는 다음의 사항을 적은 세금계산서를 그 공급을 받는 자에게 발급하여야 한다.

① 공급하는 사업자의 등록번호와 성명 또는 명칭

② 공급받는 자의 등록번호. 다만, 공급받는 자가 사업자가 아니거나 등록한 사업자가 아닌 경우에는 대통령령으로 정하는 고유번호 또는 공급받는 자의 주민등록번호

③ 공급가액과 부가가치세액

④ 작성 연월일

4) 계산구조

매출세액	매출세금계산서, 카드매출전표, 현금매출전표 등의 공급가액의 10%
(−) 매입세액	매입세금계산서 등에 의해 확인되는 매입세액
납부세액	

5) 신고납부

사업자는 신고기간에 대한 과세표준과 납부세액을 그 신고기간이 끝난 후 25일 이내에 각 사업장 관할세무서장에게 신고하고 해당 납부세액을 납부하여야 한다.

구 분	1기예정신고	1기확정신고	2기예정신고	2기확정신고
기 간	1/1~3/31	4/1~6/30	7/1~9/30	10/1~12/31
납부기한	4/25까지	7/25까지	10/25까지	1/25까지

(2) 부가가치세 면세사업자, 비사업자

1) 계산서합계표 등 자료제출의무

① 세금계산서합계표 제출

세금계산서를 교부 받은 국가·지방자치단체·지방자치단체조합과 아래의 자는 부가가치세의 납세의무가 없는 경우에도 매입처별세금계산서합계표를 당해 과세기간 종료 후 25일 이내 (1.1~6.30 ⇨ 7.25, 7.1~12.31 ⇨ 다음 해 1.25)에 사업장관할세무서장에게 제출하여야 한다.

② 계산서합계표 제출

부가가치세가 면세되는 재화 또는 용역을 공급하거나 공급받아 교부하거나 교부 받은 계산서의 매출·매입처별계산서합계표는 매년 2월 10일까지 납세지 관할세무서장에게 제출하여야 한다.

2) 미제출시 가산세부과

이렇게 사업과 관련하여 교부하거나 교부받은 세금계산서

합계표(계산서합계표)를 제출하지 아니한 경우 공급가액의 0.5%를 부가가치세(법인세)로 징수한다. 다만, 비영리법인이 수익사업과 관련되지 않은 부분에 대해서는 합계표를 제출하지 아니하여도 가산세를 부과하지 않는다.

(3) 부가가치세 대리납부

부가가치세 과세사업을 영위하지 않는 경우에도 부가가치세를 과세관청에 납부해야 하는 경우가 있다. 비영리법인이 국내사업장이 없는 비거주자 또는 외국법인으로부터 부가가치세 과세대상인 용역 또는 권리를 유상으로 공급받아 과세사업이 아닌 사업(면세사업 또는 비수익사업)에 사용하는 경우 비영리법인이 그 대가를 지급하는 때에 공급자를 대신하여 부가가치세를 징수하여 대리납부하여야 한다.

이러한 대리납부제도는 국외사업자로부터 공급받는 용역 또는 권리에 부가가치세를 과세하지 않으면 국외사업자로부터 공급받는 경우에 국내사업자로부터 공급받는 경우보다 부가가치세만큼 가격이 저렴해져서 조세중립성과 과세형평성을 유지할 수 없기 때문이다. 그러므로 국내사업장이 없는 비거주자 또는 외국법인으로부터 용역 또는 권리를 제공받는 경우 주의가 필요하다.

Chapter 03

비영리법인의 원천징수

● 원천징수가 뭔가요?

"세무사님 이번에 행사를 하면서 초빙된 강사에게 강사료를 지급할 예정인데 따로 신고해야 할 게 있나요?"
장보리

"네. 사업을 하면서 직원들의 급여, 행사진행을 위한 용역비, 초빙강사의 강사료, 이사회 참석을 위해 임원들에게 지급하는 참석수당 등 인건비들이 발생하는데요. 이러한 인건비를 지급할 때에는 원천징수가 필요합니다."
장세무사

"직원급여 이외에 강사료와 이사회에 참석하는 임원들에게 지급하는 수당에 대해서도 신고가 필요하네요?
장보리

"네. 그렇습니다. 봉사하시는 분들에게 지급하는 소정의 급여나 이사회 수당 등에 대해서도 원천징수는 이루어져야 합니다. 그럼 원천징수에 대해 알아보도록 하겠습니다."
장세무사

원천징수란 특정소득을 지급하는 자가 해당 소득을 지급할 때 일정한 방법으로 계산한 세액을 차감하여 지급하고 차감된 세액을 납세지 관할세무서장에게 납부하는 것을 말한다. 결국 납세의무자인 소득자를 대신하여 소득을 지급하는 자가 원천징수의무자가 되어 원천징수된 세액을 납부하는 것이다. 이러한 원천징수는 비영리법인이 수익사업을 영위하지 않는 경우에도 원천징수되는 소득을 지급하는 경우 신고대상이 된다.

● 원천징수되는 소득

장세무사 "국내에서 거주자나 비거주자에게 이자소득, 배당소득, 대통령령으로 정하는 사업소득, 근로소득, 연금소득, 기타소득, 퇴직소득, 대통령령으로 정하는 봉사료에 해당하는 소득을 지급하는 자는 그 거주자나 비거주자에 대한 소득세를 원천징수해야 합니다. 이 중 몇 가지 소득에 대해서 살펴보겠습니다."

1) 근로소득

원천징수의무자가 고용관계에 있는 근로자에게 근로소득을 지급하는 때에는 근로소득 간이세액표에 의하여 소득세를 원천징수한다. 간이세액표는 매월 일정한 급여를 지급받는 것으

로 하여 작성된 것이기 때문에 해당연도 중에 월급의 변동이
있거나, 개인별 소득공제상황에 따라 간이세액표에 의한 원천
징수세액의 합계가 소득세결정세액과 다르게 된다. 연말에 이
를 조정하여 정확한 소득세가 원천징수되도록 하는 절차를 연
말정산이라고 한다.

2) 사업소득

사업소득은 특정한 고용주에게 고용되지 않고 독립된 자격
으로 용역을 제공하고 그 대가로 지급받는 소득으로 강의를
전문적, 직업적으로 하는 강사료 등이 있으며, 지급시 지급금
액의 3%를 소득세로 소득세의 10%를 주민세(지급금액의
3.3%)로 원천징수한다.

3) 기타소득

기타소득은 근로소득, 사업소득 등 타 소득에 속하지 아니
하는 소득으로서 고용관계가 없는 자에게 일시적으로 용역을
제공하고 받는 대가를 말한다. 다른 직업을 주 소득원으로 가
지고 있는 교수 등이 소속 외 기관에 초빙되어 받는 강사료
등이 있으며, 지급시 지급금액에서 필요경비를 공제한 금액의
20%를 소득세로 소득세의 10%를 주민세(지급금액에서 필요
경비를 공제한 금액의 22%)로 원천징수한다. 강사료의 필요

경비는 제공하고 받는 대가의 60%(용역의 종류에 따라 달라진다)에 상당하는 금액과 실제 소요된 필요경비 중 큰 금액으로 한다. 그리고 이러한 필요경비를 차감한 기타소득금액이 5만원 이하인 경우 소득세 및 주민세를 과세하지 않는다.

4) 일용근로자

근로계약에 따라 동일한 고용주에게 3월 이상 계속하여 고용되지 않은 일용근로자의 경우에는 일당 금액이 150,000원을 초과하는 금액의 6%를 징수하되 그 징수금액의 55%는 세액공제를 적용한다. 즉 150,000원을 초과하는 금액에 2.7%를 소득세로 소득세의 10%를 주민세로 원천징수한다. 다만, 3월 이상 계속 고용하는 자에 대해서는 근로소득으로 분류하여 간이세액표에 의거 원천징수하여야 한다.

> 일용근로자의 원천징수세액 = (1일 급여액 - 15만원) × 6% × (1-55%)

그리고 원천징수세액(이자소득에 대한 것 제외)이 1천원 미만인 때에는 해당 소득세를 원천징수하지 않는다.

● 사업소득일까? 기타소득일까?

"세무사님. 말씀하신 내용을 보면 강사에게 지급하는 강사료는 사업소득도 되고 기타소득도 되네요?"

"강사료의 경우 고용관계 없이 독립된 자격으로 제공하는 용역이 계속적·반복적으로 이뤄지는 경우에는 사업소득으로 원천징수해야 하는 것이며, 용역을 제공하는 자의 용역이 일시적·우발적으로 이뤄지는 경우에는 기타소득으로 원천징수해야 합니다."

"해당 강사분이 강의를 계속적·반복적으로 하는지 아니면 일시적·우발적으로 하는지 어떻게 판단할 수 있나요?"

"사업소득 여부는 지급받는 소득자를 기준으로 당해 계약내용, 소득자의 직업활동의 내용, 그 활동기간, 회수 등에 비추어 그 활동이 사업활동으로 볼 수 있을 정도의 계속성과 반복성이 있는지 여부 등을 고려하여 실질내용에 따라 사실 판단하여야 합니다. 하지만 현실적으로 지급하는 자가 이를 객관적으로 판단하기 어렵기 때문에 원천징수시 해당 소득자에게 확인이 필요할 수 있습니다."

"세무사님. 사업소득은 대가의 3.3%(주민세 포함)를 원천징수하고 강사료가 기타소득에 해당하는 경우 대가의 60%를 필요경비로 차감한 금액의 22%(주민세 포함)를 원천징수하게 되어 결국 8.8%를 원천징수하게 되는데, 그럼 소득자 입장에서는 사업소득이 유리한 게 아닌가요?"

"반드시 그렇지만은 않습니다. 사업소득은 소득의 크기와 상관없이 다른 소득이 있는 경우 합산하여 종합소득세 신고를 하여야 하므로 3.3% 원천징수로 납세의무가 종결되는 것은 아닙니다. 하지만 기타소득의 경우에는 필요경비를 차감한 기타소득금액의 합계액이 연간 300만원 이하인 경우에는 원천징수로 납세의무를 종결하거나 다른 소득과 합산하여 신고하거나 납세자가 선택할 수 있습니다. 그러므로 다른 소득이 많은 경우에는 기타소득이 유리할 수 있습니다. 원천징수 의무자는 소득 지급 시 원천징수를 해야 하며, 소득자는 원천징수의무 자가 사업소득을 기타소득으로 신고한 경우라도 원천징수된 소득이 사실상 기타소득이 아닌 사업소득에 해당하는 경우에는 사실상의 소득인 사업소득으로 소득자가 종합소득세 신고를 하여야 합니다."

구분		소득구분
고용관계 있음		근로소득
고용관계 없음	계속적·반복적	사업소득
	일시적·우발적	기타소득

관련심판례

① 조심2013중3269, 2014.03.28.
소득세법상 독립된 자격에서 용역을 제공하고 받는 소득이 사업소득에 해당하는지 일시소득인 기타소득에 해당하는지 여부는 당사자 사이에 맺은 거래의 형식·명칭 및 외관에 구애될 것이 아니라 그 실질에 따라 직업 활동의 내용, 활동 기간, 횟수, 상대방 등에 비추어 그 활동이 수익을 목적으로 하고 있는지 여부와 사업 활동으로 볼 수 있을 정도의 계속성과 반복성이 있는지 여부 등을 고려하여 사회통념에 따라 판단하여야 하며, 그 판단을 함에 있어 소득을 올린 당해 활동에 대한 것뿐만 아니라 그 전후를 통한 모든 사정을 참작하여 결정하여야 할 것이다. 청구인은 쟁점

금액의 지급처가 업무편의상 사업소득으로 원천징수하는 것이고 일시적
비반복적으로 발생한 기타소득에 해당한다고 주장하나, (사)OOO 등 7개
업체가 17회에 걸쳐 쟁점금액을 청구인에게 지급하면서 사업소득으로
원천징수하였을 뿐만 아니라 쟁점금액이 청구인의 근로소득 발생액의
49.3%에 달하고 있어 계속적이고 반복적인 용역대가로 보이는 점 등을
감안하면, 쟁점금액은 사업소득으로 보는 것이 합리적이다.

② 조심2013서1576, 2013.07.22
쟁점자문수수료 중 2010년과 2011년에 OO세무회계사무소와 OO세무회
계사무소로부터 지급받은 OOO원(4건)에 대하여 보면, 청구인은 자기의
계산과 책임 하에 자문용역을 제공하였고, 자문수수료의 대가가 비교적
큰 금액이며, 용역제공기간이 각 5개월과 1개월이라 하더라도 청구인이
재개발·재건축관련 업무를 10년 이상 수행하여 온 점을 감안할 때, 우발
적이거나 일시적인 행위가 아닌 사회통념상 수익을 목적으로 하는 계속
성과 반복성이 있는 사업활동의 일환으로 용역을 제공하였다고 보이므
로, 쟁점자문수수료는 사업소득으로 봄이 타당한 것으로 판단된다.

● 원천세 신고 및 납부

원천징수 대상 소득금액인 인건비 등을 지급할 때 이를 받
는 사람이 내야할 세금을 지급하는 사람이 미리 떼어서 납세
지 관할세무서장에 대신 납부하는 제도로 원천징수한 달의 다
음달 10일까지 신고·납부하여야 합니다.

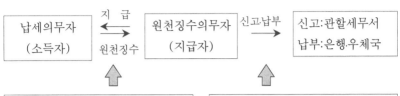

● 원천세 반기별 납부 제도

1) 원천세 신고 납부 구분

구 분	내 용
매월 납부	원천징수대상 소득을 지급하면서 소득세(법인세)를 징수하고 징수일이 속하는 월의 다음달 10일까지 신고·납부 → 급여 등 매월 지급이 있는 경우 매월 신고·납부(1년에 12번)
반기별 납부	사업자의 원천징수 신고·납부 편의를 위해 금융 및 보험업을 제외한 직전 과세기간(신규로 사업을 개시한 경우 신청일이 속하는 반기를 말한다)의 상시고용인원이 20명 이하인 사업자 및 종교단체는 신청 또는 지정에 의해 반기별로 원천세 신고·납부 가능

지급시기	신고 납부시기
올해 1월부터 6월까지	2024년 7월 10일까지
올해 7월부터 12월까지	2025년 1월 10일까지

※ 신고일이 공휴일 또는 일요일인 경우 다음날

2) 신청에 의한 원천세 반기납 승인신청요건 및 신청 방법

구 분		내 용
신청 요건	상시고용 인원수	직전 과세기간(신규로 사업을 개시한 경우 신청일이 속하는 반기를 말한다)의 1월부터 12월까지의 매월 말일 현재의 상시 고용인원의 평균인원수 20인 이하. 단, 종교단체의 경우 상시 고용인원수의 제한을 받지 않음
	제외대상	금융 및 보험업을 경영하는 자는 제외
신청기간		반기의 직전 월의 1일부터 말일까지 신청 (6.1~6.30, 12.1~12.31)
신청 방법	전자신청	홈택스에 의한 승인 신청 신청/제출 ⇨ 주요세무서류신청 바로가기 ⇨ 원천징수세액 반 기별납부 승인신청
	서면신청	원천징수세액 반기별납부 승인신청서(소득세법 시행규칙 별 지 제21호의2 서식)를 작성하여 원천징수 관할 세무서에 제출

● 원천징수이행상황신고서 및 지급명세서

(1) 원천징수이행상황신고서

원천징수의무자는 원천징수한 소득세를 그 징수일이 속하는 달의 다음달 10일까지 국세징수법에 의한 납부서와 함께 원천징수관할세무서·한국은행 또는 체신관서에 납부하여야 하며, 원천징수이행상황신고서를 납세지 관할세무서장에게 제출하여야 한다. 이러한 원천징수이행상황신고서에는 원천징수하여 납부할 세액이 없는 자에 대한 것도 포함하여야 한다.

1) 예시

구 분	소득구분	귀속연월	지급연월	제출일	인 원	총지급액	원천징수세액
당 초 ('19.2 월분)	사업(A25)	2024.02	2024.02	2024.3.10	1	1,000,000	30,000

①신고구분						☑ 원천징수이행상황신고서 ☐ 원천징수세액환급신청서	②귀속연월	2024년 2월
매월	반기	수정	연말	소득처분	환급신청		③지급연월	2024년 2월

1. 원천징수 명세 및 납부세액   (단위 : 원)

구분		코드	원천징수명세					⑨당월조정환급세액	납부 세액	
			소득지급(과세 미달, 비과세 포함)		징수세액				⑩소득세 등(가산세 포함)	⑪농어촌특별세
			④인원	⑤총지급액	⑥소득세 등	⑦농어촌특별세	⑧가산세			
사업소득	매월징수	A25	1	1,000,000	30,000					
	연말정산	A26								
	가감계	A30	1	1,000,000	30,000					
수정신고(세액)		A90								
총합계		A99	1	1,000,000	30,000				30,000	

2. 환급세액 조정   (단위 : 원)

전월 미환급 세액의 계산			당월 발생 환급세액					⑱조정대상환급세액(⑭+⑮+⑯+⑰)	⑲당월조정환급세액계	⑳차월이월환급세액(⑱-⑲)	㉑환급신청액
⑫전월미환급세액	⑬기환급신청세액	⑭차감잔액(⑫-⑬)	⑮일반환급	⑯신탁재산금융회사등)	⑰그 밖의 환급세액						
					금융회사 등	합병 등					

2) 반기별 신고·납부자의 원천징수이행상황신고서 작성방법

① 인원

구분항목	인원 작성 방법	지급액 작성 방법
간이세액(A01)	반기 마지막 달의 인원 기재	반기 동안 지급액 합계액 기재
중도퇴사(A02)	반기 중 중도퇴사자의 총인원 기재	
일용근로(A03)	월별 순인원의 6개월 합계인원을 기재	
사업소득(A25) 기타소득(A40)	지급명세서 제출대상인원(순인원) 기재	
퇴직소득(A20) 이자소득(A50) 배당소득(A60) 법인원천(A80)	지급명세서 제출대상 인원을 기재	

② 귀속 월, 지급 월, 제출일자

구 분	귀속 월	지급 월	제출일자
7월 신고·납부분	2024년 1월	2024년 6월	2024년 7월
1월 신고·납부분	2024년 7월	2024년 12월	2025년 1월

(2) 지급명세서

지급명세서란 인건비 등을 지급받는 자의 인적사항, 소득금액의 종류와 금액, 소득금액의 지급시기와 귀속연도 등을 기재한 과세자료이다. 원천징수이행상황신고서에는 지급인원과 지급금액 등만 기재되므로 소득자의 소득금액에 관한 자세자료를 수집하기 위하여 소득금액을 지급하는 자는 지급명세서를 관할세무서장에게 제출하여야 한다.

① 지급조서 제출기한

소득구분	신고기한
근로소득, 퇴직소득, 사업소득, 종교인소득	다음해 3월 10일
근로소득 간이지급명세서	지급일이 속하는 반기의 마지막 달의 다음달 말일
사업소득 간이지급명세서	지급일이 속하는 달의 다음달 말일
기타소득 간이지급명세서	지급일이 속하는 달의 다음달 말일
일용근로소득	지급일이 속하는 달의 다음달 말일
기타소득, 이자배당소득, 연금소득	다음해 2월 말일

② 휴업 또는 폐업한 경우

원천징수의무자가 휴업 또는 폐업한 경우에는 휴업 또는 폐업일이 속하는 달의 다음 다음달 말일까지 지급명세서를 제출하여야 한다.

③ 간이지급명세서

근로소득 간이지급명세서의 경우 2026년부터는 매월 제출하여야 하며, 기타소득의 경우에는 인적용역 관련 기타소득에 대해서만 간이지급명세서 제출의무가 있다. 다만, 2024년도 중에 인적용역 기타소득을 지급하여 2025년 2월 말일까지 기타소득 지급명세서을 제출한 경우에 한하여 기타소득 간이지급명세서를 제출하지 않더라도 가산세가 면제된다.

● 종교인소득

(1) 종교인소득이란

종교인소득이란 2018년 1월 1일 이후 종교관련 종사자가 종교의식을 집행하는 등 종교관련 종사자로서의 활동과 관련하여 소속된 종교단체로부터 받은 소득을 말하며 소득세법상 기타소득에 해당한다.

1) 종교관련 종사자

과세대상자는 통계법 제22조에 따라 통계청장이 고시하는 한국표준직업분류에 따른 종교관련 종사자로 종교적인 업무에 종사하거나 특정 종교의 가르침을 설교하고 전파하는 자를 말한다.

① 성직자 : 목사, 신부, 승려, 교무, 그 외 성직자
② 기타 종교 관련 종사원 : 수녀 및 수사, 전도사, 그 외 종교 관련 종사원

2) 종교단체

종교단체란 종교의 보급 기타 교화를 목적으로 민법 제32조에 따라 설립된 비영리법인, 국세기본법 제13조에 따른 법인으로 보는 단체, 부동산등기법 제49조 제1항 제3호에 따라

부동산등기용 등록번호를 부여받은 법인 아닌 사단·재단으로서, 그 소속 단체를 포함한다.

(2) 과세대상 소득

종교인이 종교의식을 집행하는 등 종교관련 종사자로서의 활동과 관련하여 받은 생활비, 상여금, 격려금 등 매월 또는 정기적으로 지급되는 수당을 포함한다. 다만, 종교인소득 중 법령에 따른 본인 학자금, 식사 또는 식사대, 실비변상적 성질의 비용(일직료·숙직료, 여비, 종교활동비, 재해 관련 지급액), 출산·6세 이하 보육수당, 사택제공이익은 종교인소득으로 신고시 과세대상에서 제외된다.

(3) 기타소득 VS 근로소득

종교인소득은 기타소득으로 신고하는 것이 원칙이나, 근로소득으로 원천징수하거나 종합소득세 과세표준 확정신고를 할 수 있다.

1) 기타소득

종교인소득의 필요경비는 아래와 같이 계산하나 실제 소요된 경비(지출증빙 필요)가 아래의 표에 따른 금액을 초과하면 실제 소요된 경비를 필요경비로 산입할 수 있다.

종교관련 종사자가 받은 금액	필요경비
2천만원 이하	종교관련 종사자가 받은 금액의 80%
2천만원 초과 4천만원 이하	1600만원 + (2천만원을 초과하는 금액의 50%)
4천만원 초과 6천만원 이하	2600만원 + (4천만원을 초과하는 금액의 30%)
6천만원 초과	3200만원 + (6천만원을 초과하는 금액의 20%)

종교인소득 간이세액표에 따른 원천징수세액을 적용한다.

2) 근로소득

종교단체에서 종교인의 선택에 따라 기타소득 또는 근로소득으로 원천징수 할 수 있다. 근로소득으로 신고시에는 근로소득 과세체계를 적용하면 된다. 근로소득 간이세액표에 따른 원천징수세액을 적용한다.

<종교인소득과 근로소득의 과세체계 비교[2]>

과세 체계	종교인소득 (기타소득)	근로소득
① 총수입금액(비과세소득 제외)	총수입금액	총급여액
② 필요경비	필요경비 (20~80%)	근로소득 공제 (2~70%)

---

2) 2023년 종교인소득 신고안내, 국세청, 2023.2., p10

③ 소득금액(①-②)				
④ 소득 공제	인적	기본(본인·배우자·부양가족 人당 150만원)	○	○
		추가(경로 100만원, 장애인 200만원 등)	○	○
	국민연금 등 공적연금보험료(전액)		○	○
	특별	건강·고용보험료(전액)	×	○
		주택자금(300~1,800만원 한 도)	×	○
	조특법	신용카드 등 사용금액 공제	×	○
		장기펀드 저축액	×	○
		창업투자조합 출자금 등	○	○
		개인연금저축	○	○
⑤ 과세표준				
⑥ (×) 세율(6~42%)				
⑦ 산출세액				
⑧ 세액 공제	근로소득(50만원~74만원 한도)		×	○
	외국납부(국외원천소득비율 한도)		○	○
	자녀(1명 15만원, 2명 30만원, 3명 60 만원)		○	○
	연금계좌(12%, 400만원(퇴직연금 포 함 700 한도), 50세 이상 600만원(퇴직 연금 포함 900 한도))		○	○

⑧ 세액 공제	특별	보험료(12%, 100만원 한도)	×	○
		의료비(15%, 700만원 한도)	×	○
		교육비(15%, 300만원(대학 900) 한도)	×	○
		기부금(금액별 20%, 35%)	○	○
	표준세액공제(근로소득은 특별 소득·세액공제 미신청자)		○ (7만원)	○ (13만원)
	조 특 법	정치자금기부금 등(금액별 100/110, 15%, 25%)	○	○
⑨ 결정세액(⑦-⑧)				
⑩ 기납부세액 차감				
⑪ 차가감 납부(환급)할 세액				

(4) 신고방법 및 절차

1) 종교단체가 원천징수를 하는 경우

종교인에게 매월분 소득 지급시 소득세를 원천징수하여 다음 달 10일까지 신고·납부한다. 다만, 종교단체가 반기별 납부를 신청하면 연 2회의 신고·납부(7월 10일과 1월 10일)로 원천징수 절차를 마무리 할 수 있다.

2) 종교단체가 원천징수를 하지 아니한 경우

종교인이 다음 해 5월에 종교인소득에 대해 종합소득세 확정신고를 직접 하여야 한다.

3) 종교인소득 외에 타소득이 있는 경우

종교인이 종교인소득 외에 타소득(사업, 근로, 기타, 종합과세대상 금융소득 등)이 있는 경우에는 종교인소득과 타소득을 합산하여 종합소득세 과세표준 확정신고를 하여야 한다.

4) 신고 방법

국세청이 운영하는 홈택스(www.hometax.go.kr)를 이용하여 세무서를 방문하지 않고 인터넷으로 원천징수세액을 신고할 수 있으며, 세무서에 직접 방문하거나 우편으로 신고서를 제출할 수 있다.

5) 원천징수 절차

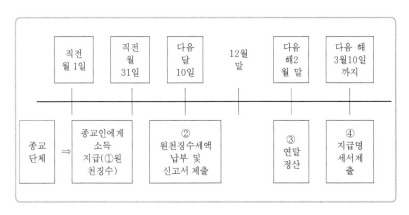

(5) 연말정산 절차

일 정	구 분	절 차
2월말까지	종교인	다음에 해당하는 서류를 종교단체에 제출 – 소득·세액공제신고서 작성 – 소득·세액공제 관련 증빙 영수증
	종교 단체	종교인으로부터 제출받은 소득·세액공제신청 내역 및 관련 영수증을 검토하여 세액 계산
		종교인에게 연말정산 결과 안내 – 원천징수영수증 발급 – 연말정산 결과에 따라 종교인에게 환급(또는 추가 납부)
3월 10일까지	종교 단체	다음에 해당하는 서류를 관할 세무서에 제출 – 지급명세서 – 원천징수이행상황신고서

Chapter 04

공익법인의 세무

공익법인 세제 혜택 및 의무

"예전에 공익법인이 출연받은 재산의 가액에 대해서는 상속세 및 장세무사 증여세를 부과하지 않는다고 말씀드렸습니다."

"네. 세무사님이 알려주셔서 저희 재단이 공익법인 되기 위해 별도로 지정기부금단체로 승인받아 법인 설립시 출연받은 재산에 장보리 대해 증여세를 면제받았습니다."

"네. 그렇습니다. 이처럼 출연재산에 대하여 상속세 및 증여세 과 장세무사 세가액을 불산입하는 것은 공익법인의 공익사업을 지원하려는 취지입니다. 하지만 이러한 취지에 맞지 않게 공익사업을 성실하게 수 행하지 않거나 조세회피 또는 탈루의 수단 등으로 이용하는 것을 방지 하기 위하여 세법에서는 출연재산 등의 사용 및 각종 보고의무 등을 규정하여 이를 위반하는 공익법인에게는 상속세 및 증여세를 과세하고 있습니다. 이러한 세제 혜택 및 그에 따른 의무에 대해 살펴보도록 하겠습니다."

(1) 공익법인 관련 세제 혜택

구 분		내 용
기부자	기부금공제 필 요 경 비 (손금)산입	기부금대상단체에 기부하는 경우 근로소득자 기부금 공제, 개인사업자 필요경비공제, 법인사업자 손금산입 한도 : 특례기부금(개인 100%, 법인 50%), 일반기부금(개인 10%~30%, 법인 10%)
공익법인 (기부처)	과세가액 불산입	기부 받은 자산에 대하여는 상속세 및 증여세 과세가액 불산입
	고유목적사업준비금 손금산입	고유목적사업에 지출하기 위하여 준비금을 손금에 계상한 경우 일정범위 내에서 손금으로 인정 : 이자·배당소득 100%, 그 외 소득 50%(장학법인 등 80%) 조세특례제한법 제74조에 따른 사립학교·국립대학병원 등 100%

(2) 공익법인의 세법상 의무

구 분		내 용
	출연재산 사용의무	재산을 출연받은 때에는 출연받은 날부터 3년 내에 직접 공익목적사업에 사용하여야 함. 목적사업 외 사용금액 및 목적사업 미사용 금액에 증여세 부과

구 분		내 용
출 연 재 산 등 의 사 용 의무	출 연 자 산 매각금액	출연재산 매각금액은 매각한 날이 속하는 사업연도의 종료일부터 1년 이내 30%, 2년 이내 60%, 3년 이내 90% 이상을 직접 공익목적사업에 사용하여야 함. 미사 용 금액에 증여세 및 가산세 부과
	운용소득	운용소득금액의 80% 이상을 소득이 발생한 사업연도 종료일부터 1년 이내 직접 공익목적사업 사용하여야 함. 기준금액 미사용시 증여세 및 가산세 부과
주 식 취 득 보유	주식 출연 받 거 나, 취득시	내국법인의 의결권 있는 주식의 5%(상호출자제한기업 집단과 특수관계에 있지 아니하고 상증법 제48조 제11 항의 요건 충족시 10%, 의결권 미행사를 정관에 규정한 자선 등 목적 법인은 20%) 초과 금지. 초과보유분 증여 세 부과.
	계 열 기 업 의 주식보 유	총재산가액 중 특수관계에 있는 내국법인의 주식가액이 30%(50%) 초과 금지. 초과 보유주식의 매사업연도말 현재 시가의 5%를 가산세로 부과. 단, 주식보유 관련 의 무이행 요건 충족시 가산세 제외
출연재산 일정비 율 의무사용		총자산가액 5억원 이상 또는 수입금액과 출연재산가액 합계액이 3억원 이상인 공익법인(종교법인 제외)은 출 연재산가액의 1% 이상(동일주식 10% 초과 보유 시 출 연재산가액의 3% 이상)을 직접 공익목적사업에 사용하 여야 함. 미사용시 가산세 부과
출연자 등의 이사 등 취임시 지켜야 할 일		출연자 또는 그의 특수관계인이 현재 이사 수의 1/5을 초과하여 이사 또는 임직원으로 취임 금지. 기준 초과한 이사 등과 관련하여 지출된 직·간접경비 전액을 가산세 로 부과
특정기업의 광고 등 행위 금지		특수관계에 있는 내국법인의 이익을 증가시키기 위하여 정당한 대가를 받지 아니하고 광고·홍보를 하는 경우에 는 가산세 부과

구 분	내 용
자기내부거래시 지켜야 할 일	출연받은 재산을 출연자 및 그 외 특수관계 있는 자가 정당한 대가를 지급하지 않고 사용·수익 금지. 무상 또는 낮은 가액으로 사용·수익하게 하는 경우 증여세 부과
특정계층에만 공익사업의 혜택 제공 금지	출생지·직업·학연 등 특정계층에만 혜택이 제공되는 경우 출연받은 재산을 공익목적에 사용하지 않은 것으로 봄. 특정계층에 제공된 재산가액·이익에 대해 증여세 부과
공익법인 해산 시 지켜야 할 일	공익사업을 종료하고 해산 시 그 잔여재산을 국가·지방자치단체 또는 유사한 공익사업을 영위하는 공익법인에 귀속시켜야 함. 국가 등에 귀속하지 않은 재산가액에 대해 증여세 부과

● 공익법인의 납세협력의무

(1) 보고서 등 제출의무

　재산을 출연받은 공익법인은 납세지 관할세무서장에게 결산에 관한 서류 및 공익법인 출연재산 등에 대한 보고서를 사업연도 종료일부터 4월 이내에 제출하여야 한다. 이 경우 공익법인의 사업연도는 당해 공익법인에 관한 법률 또는 정관의 규정에 의하며, 사업연도가 따로 정하여져 있지 아니한 경우에는 매년 1월 1일부터 12월 31일까지로 한다. 공익법인 출연재산 등에 대한 보고서를 제출하지 아니하였거나 제출된 보고서에 출연재산·운용소득 및 매각재산 등의 명세를 누락하거나 잘못 기재하여 사실을 확인할 수 없는 경우에는 제출하지 아니하였거나 불분명한 금액에 상당하는 상속세액 또는 증여세액의 1%를 가산세로 과세한다.

관련예규

① 서면 2022 법인-2595, 2022.09.07
구 법인세법 시행령(2018.2.13., 28640호로 개정되기 전의 것) 제36조 제1항 제1호 다목에 해당하는 공익법인이 법인세법 시행령 개정에 따라 2021.1.1. 부터 공익법인에 해당하지 아니하게 된 경우 2020.12.31. 이전에 상속세 및 증여세법 제16조 및 제48조에 따라 증여세 과세가액에 산입하지 아니한 출연받은 재산을 2021.1.1. 이후에도 계속 보유하고 있다면 공익법인등의 납세협력의무를 계속하여 이행하여야 하는 것임. 이 경우 해당 공익법인이 2021.1.1. 이후 직접 공익목적사업에 출연재산을 전부 사용함으로써 더 이상 잔여 출연재산이 없게 된다면 잔여 출연재산이 없게 된 날이 속하는 사업연도 귀속분까지는 공익법인등의 납세협력의무를 이행하고, 그 이후 사업연도 귀속분에 대하여는 공익법인등의 납세협력의무는 이행하지 않아도 되는 것임. 또한 해당 공익법인이 출연받은 재산을 2020.12.31. 이전에 직접 공익목적사업에 전부 사용함으로써 2020.12.31. 현재 해당 공익법인에 더 이상 잔여 출연재산이 남아있지 않은 경우에는 2020.12.31.이 속하는 사업연도에 대한 공익법인등의 납세협력의무를 이행하고, 그 이후 사업연도에 대하여는 공익법인등의 납세협력의무는 이행하지 않아도 되는 것임.

② 법령해석과-3478, 2021.10.06.
종교사업에 출연하는 헌금(부동산 및 주식 또는 출자지분으로 출연하는 경우 제외)의 경우에는 상속세 및 증여세법 제48조 제5항에 따른 출연받은 재산의 사용계획 및 진도에 관한 보고서 제출의무가 없는 것임.

(2) 장부의 작성·비치 의무

공익법인은 사업연도별로 출연받은 재산 및 공익사업 운용내역 등에 대한 장부를 작성하여야 하며 장부 및 관계증빙서류를 사업연도 종료일부터 10년간 보존하여야 한다. 장부는 출연받은 재산의 보유 및 운용상태와 수익사업의 수입 및 지출내용의 변동을 빠짐없이 이중으로 기록하여 계산하는 부기형식이어야 하며, 증빙서류에는 수혜자에 대한 지급명세가 포함되어야 한다. 장부를 작성·비치하여야 할 공익법인이 그 장부의 작성·비치 의무를 불이행하였을 경우에는 다음 산식에 따라 계산한 가산세를 납부해야 한다.

$$(해당 \ 사업연도 \ 수입금액 \ + \ 출연재산가액) \times 0.07\%$$

다만, 다음의 공익법인은 상속세 및 증여세법상 가산세가 부과되지 않는다.

① 사업연도 종료일 현재 재무상태표상 자산총액의 합계액이 5억원 미만이면서 당해 사업연도 수입금액과 그 사업연도에 출연받은 재산가액의 합계액이 3억원 미만인 공익법인
② 불특정다수인으로부터 재산을 출연받은 공익법인(출연자 1인과 그 특수관계자와의 출연재산가액의 합계액이 공익법인이 출연받은 총재산가액의 5%에 미달하는 경우에 한함)

③ 국가·지방자치단체가 출연하여 설립한 공익법인으로서 감
  사원의 회계검사를 받는 공익법인(회계검사를 받는 연도분
  에 한함)

(3) 외부전문가의 세무확인 및 기준

공익법인 운영의 투명성을 확보하기 위하여 자산총액 5억
원 이상이거나 해당 과세기간 또는 사업연도의 수입금액과 출
연받은 재산의 합계액이 3억원 이상인 공익법인은 과세기간별
또는 사업연도별로 출연재산의 운용과 공익사업 운영내역 등
을 2명 이상의 외부전문가로부터 세무확인을 받아 당해 공익
법인 등의 과세기간 또는 사업연도 종료일부터 4월 이내에 관
할세무서장에게 제출하여야 한다. 다만, 다음의 공익법인은 세
무확인 대상에서 제외한다.

① 사업연도 종료일 현재 재무상태표상 자산총액의 합계액이
  5억원 미만이면서 당해 사업연도 수입금액과 그 사업연도
  에 출연받은 재산가액의 합계액이 3억원 미만인 공익법인
② 불특정다수인으로부터 재산을 출연받은 공익법인(출연자 1
  인과 그 특수관계자와의 출연재산가액의 합계액이 공익법
  인이 출연받은 총재산가액의 5%에 미달하는 경우에 한함)
③ 국가·지방자치단체가 출연하여 설립한 공익법인으로서 감
  사원의 회계검사를 받는 공익법인(회계검사를 받는 연도분

에 한함)

그리고 외부전문가 세무확인 대상 공익법인이 외부전문가의 세무확인에 대한 보고의무 등을 이행하지 아니할 경우에는 다음 산식에 의하여 계산한 가산세를 납부하여야 한다.

MAX[(해당 사업연도 수입금액 + 출연재산가액) × 0.07%, 100만원]

외부전문가는 변호사·공인회계사·세무사를 말하며, 세무확인을 받는 공익법인으로부터 업무수행상 독립되어야 하므로 외부전문가가 다음에 해당하는 경우에는 선임할 수 없다.

① 해당 공익법인 등의 출연자(재산출연일 현재 해당 공익법인 등의 총 출연재산가액의 100분의 1에 해당하는 금액과 2천만원 중 적은 금액 이하의 금액을 출연한 사람은 제외한다), 설립자 또는 임직원(퇴직 후 5년이 지나지 아니한 사람을 포함한다)인 경우

② 출연자 등과 상속세 및 증여세법 시행령 제2조의 2【특수관계인의 범위】 제1항 제1호(친족 등) 또는 제2호(사용인 등)의 관계에 있는 사람인 경우

③ 출연자 등 또는 그가 경영하는 회사(해당 회사가 법인인 경우에는 출연자 등이 최대주주등인 회사를 말한다)와 소송대리, 회계감사, 세무대리, 고문 등의 거래가 있는 사람인

경우

④ 해당 공익법인 등과 채권·채무 관계에 있는 사람인 경우

⑤ 기타 해당 공익법인 등과 이해관계가 있는 등의 사유로 그 직무의 공정한 수행을 기대하기 어렵다고 인정되는 사람인 경우

⑥ ①(임직원은 제외한다) 및 ③부터 ⑤까지의 규정에 따른 관계에 있는 법인에 소속된 사람인 경우

> **관련예규**
>
> 기획재정부 재산세제과-865, 2023.07.13
> 공익법인의 세무대리를 수행하는 회계사와 공익법인의 세무대리를 수행하는 회계사가 속한 회계법인에 소속된 다른 회계사는 같은 법 시행령 제43조제1항 따른 세무확인 배제대상에 해당되지 않는 것임.

(4) 외부 회계감사를 받아야 할 의무

과세기간 또는 사업연도 종료일 현재 재무상태표상 자산총액이 100억원 이상이거나 직전 사업연도의 수입금액과 출연재산 합계액이 50억원 이상 또는 출연재산가액이 20억원 이상인 공익법인(종교, 학교 및 유치원은 제외)과 내국법인의 발행주식총수 5%, 계열주식 총재산가액의 30%(50%) 초과 보유 공익법인은 주식회사의 외부감사에 관한 법률 제3조에 따른 감사인에게 회계감사를 받아 감사인이 작성한 감사보고

서를 과세기간 또는 사업연도 종료일부터 4개월 이내에 관할 세무서장에게 제출하여야 한다. 회계감사 대상 공익법인의 의무를 이행하지 않은 경우 다음의 가산세를 부과한다.

(해당 사업연도 수입금액 + 출연재산가액) × 0.07%

Tip 공익법인 회계 감리제도

기획재정부장관은 외부 회계감사를 받아야 하는 공익법인 등이 공시한 감사보고서와 그 감사보고서에 첨부된 재무제표가 다음 어느 하나에 해당하는 경우에는 그 감사보고서와 재무제표에 대하여 감리할 수 있다.

① 계량적 분석 또는 무작위 표본 추출 등의 방법에 따라 감리 대상으로 선정된 경우

② 기획재정부장관이 공익법인 등의 회계 관련 법령 위반사실의 확인을 위하여 감리가 필요하다고 인정하는 경우

기획재정부장관은 감리 및 자료 제출요구 업무를 한국공인회계사에 위탁한다.

Tip 공익법인 주기적 감사인 지정제도

지정기준일이 속하는 과세연도의 직전 과세연도 종료일 현재 재무상태표상 총자산가액이 1천억원 이상인 공익법인이 연속하는 4개 가세연도에 대하여 감사인을 자유선임한 경우, 기획재정부 장관은 다음 2개 과세연도에 대하여 기획재정부장관이 지정하는 감사인에게 회계감사를 받도록 할 수 있다. 이 경우 기획재정부장관은 감사인 지정 업무의 전부 또는 일부를 국세청장에게 위임할 수 있다.

(5) 주식보유 관련 의무이행 신고의무

주식기준 초과보유 공익법인은 매년 사업연도 종료일부터 4개월 이내에 의무이행 여부를 관할 지방국세청장에게 신고하여야 하며, 관할 지방국세청장은 의무이행 요건 충족여부를 확인하여 국세청장에게 보고하고 국세청장은 그 결과를 해당 공익법인의 사업연도 종료일부터 9개월 이내에 해당 공익법인과 주무관청에 통보해야 한다.

주식보유 관련 의무이행 신고 대상은 주식을 초과 보유하는 공익법인 중 다음의 요건을 모두 충족하여 증여세 및 가산세 등의 부과대상에서 제외된 공익법인으로 다음 어느 하나에 해당하는 요건을 충족하지 아니하게 된 경우에는 주식초과 보유분에 대하여 증여세 또는 가산세를 부과한다.

① 출연재산 운용소득의 80% 이상을 직접 공익목적사업에 사용할 것

② 출연자(재산출연일 현재 해당 공익법인등의 총 출연재산가액의 1%에 상당하는 금액과 2천만원 중 적은 금액 이하를 출연한 자는 제외) 또는 그의 특수관계인이 이사의 5분의 1을 초과하지 아니할 것. 다만, 제38조 제12항 각 호에 따른 사유로 출연자 또는 그의 특수관계인이 이사 현원의 5분의 1을 초과하여 이사가 된 경우로서 해당 사유가 발생한 날부터 2개월 이내에 이사를 보

충하거나 교체 임명하여 출연자 또는 그의 특수관계인인 이사가 이사 현원의 5분의 1을 초과하지 않게 된 경우에는 계속하여 본문의 요건을 충족한 것으로 본다.

③ 상속세 및 증여세법 제48조 제3항에 따른 자기내부거래를 하지 않을 것

④ 상속세 및 증여세법 제48조 제10항 전단에 따른 광고·홍보를 하지 않을 것

신고대상 공익법인이 신고하지 아니한 경우에는 신고해야 할 과세기간 또는 사업연도 종료일 현재 그 공익법인 등의 자산총액의 0.5%를 가산세로 부과한다.

(6) 전용계좌 개설·사용의무

공익법인(종교법인 제외)은 직접 공익목적사업과 관련하여 받거나 지급하는 수익과 지출이 있는 경우에는 직접 공익목적사업용 전용계좌를 사용하여야 한다. 전용계좌란 공익법인이 공익목적사업의 용도로만 사용되는 것으로서 금융기관에 개설한 계좌를 의미하며, 공익법인별로 둘 이상 개설할 수 있다. 이러한 전용계좌는 공익법인에 해당하게 된 날(기획재정부장관이 공익법인 등으로 고시하여 설립일부터 공익법인으로 보는 경우에는 고시일)부터 3개월 이내에 전용계좌 개설 신고서를 납세지 관할세무서장에게 신고하여야 하며, 전용계좌를 변

경·추가하는 때에는 사유발생일부터 1개월 이내에 납세지 관할세무서장에게 신고하여야 한다. 전용계좌 사용의무 대상거래에 해당하는 경우로서 전용계좌를 사용하지 아니한 경우에는 전용계좌를 사용하지 아니한 금액의 0.5%, 전용계좌를 개설·신고하지 아니한 경우에는 다음 중 큰 금액을 가산세로 부과한다.

MAX[①, ②]

① 다음 계산식에 따라 계산한 금액

$$A \times \frac{B}{C} \times 0.5\%$$

A : 해당 각 과세기간 또는 사업연도의 직접 공익목적사업과 관련한 수입금액의 총액

B : 해당 각 과세기간 또는 사업연도 중 전용계좌를 개설·신고하지 아니한 기간으로서 신고기한의 다음 날부터 신고일 전일까지의 일수

C : 해당 각 과세기간 또는 사업연도의 일수

② 전용계좌 사용의무대상 거래금액 합계액의 0.5%

국가 또는 지방자치단체로부터 출연받은 재산 및 출연받은 재산을 정기예금으로 운용하는 경우 당해 정기예금계좌는 전용계좌 사용의무 대상이 아니다.

(7) 결산서류 공시의무

자산총액 5억원 이상이거나 해당 과세기간 또는 사업연도

의 수입금액과 출연받은 재산의 합계액이 3억원 이상인 공익법인은 결산서류 등을 사업연도 종료일부터 4개월 이내에 국세청 홈택스에 직접 공시하여야 한다. 다만 종교법인은 제외한다. 국세청장, 납세지 관할 지방국세청장 또는 세무서장은 공익법인이 결산서류 등을 공시하지 아니하거나 그 공시내용에 오류가 있는 경우에는 해당 공익법인 등에게 1개월 이내의 기간을 정하여 공시하도록 하거나 오류를 시정하도록 요구할 수 있으며, 공시요구 및 오류시정요구 불이행시 재무상태표상 자산총액의 0.5%에 상당하는 금액을 가산세로 부과한다. 그리고 총자산가액이 5억원 미만이면서 해당 과세기간 또는 사업연도의 수입금액과 출연받은 재산의 합계액이 3억원 미만인 공익법인(내국법인의 발행주식총수 등의 5%를 초과하여 보유하고 있는 경우 제외)은 간편서식으로 공시할 수 있다.

(8) 공익법인 등의 회계기준 적용의무

공익법인 등이 외부 회계감사의무, 결산서류 등의 공시의무를 이행할 때에는 기획재정부 공익법인 회계기준 심의위원회에서 정하는 회계기준을 따라야 한다. 다만 의료법에 따른 의료법인 또는 사립학교법에 따른 학교법인, 국립대학법인 서울대학교 설립·운영에 관한 법률에 따른 국립대학법인 서울대학교, 국립대학법인 인천대학교 설립·운영에 관한 법률에 따른 국립대학법인 인천대학교는 제외한다. 공익법인 회계기준은 2018년 1월 1일 이후 개시하는 사업연도 분부터 적용하며, 이 기준 시행 이후 최초로 개시하는 회계연도의 직전 회계연도 종료일의 총자산가액의 합계액이 20억원 이하인 공익법인과 이 기준 시행일부터 2018년 12월 31일까지의 기간 중에 신설되는 공익법인은 이 기준 시행 이후 최초로 개시하는 회계연도와 그 다음 회계연도에는 단식부기를 적용할 수 있다.

(9) 기부금영수증 발급내역 작성·보관·제출 의무

기부자에게 기부금영수증을 발급하는 법인은 기부자의 성명, 주민등록번호 및 주소, 기부금액 등이 포함된 기부자별 발급내역을 작성하여 발급한 날로부터 5년간 보관하여야 하며, 기부금영수증을 발급하는 법인은 해당 사업연도의 기부금영수증 총 발급건수 및 금액 등이 적힌 기부금영수증 발급합계표를 해당 사업연도의 종료일이 속하는 달의 말일부터 6개월 이내에 관할세무서장에게 제출하여야 한다. 다만 2021년 7월 1일 이후 전자기부금영수증을 발급하는 분부터는 제출하지 않는다. 기부금영수증을 발급하는 법인이 기부금영수증을 사실과 다르게 발급하거나 기부자별 발급명세를 작성·보관하지 아니한 경우에는 가산세가 부과된다. 기부금영수증상의 기부금액을 사실과 다르게 적어 발급한 경우에는 영수증에 적힌 금액과 발급하여야할 금액과의 차액의 5%, 기부자의 인적사항 등을 사실과 다르게 적어 발급하는 등의 경우에는 영수증에 적힌 금액의 5%를 가산세로 부과하고 기부자별 발급명세를 작성·보관하지 아니한 경우에는 작성·보관하지 아니한 금액의 0.2%를 가산세로 부과한다.

(10) (세금)계산서합계표 등 자료제출의무

과세자료는 거래 상대방의 세원을 포착하여 과세의 근거가 되게 하는 자료이며 과세자료 제출의무는 국가·지방자치단체 를 포함한 모든 납세의무자가 부담하고 있는 협력의 의무이 다. 수익사업이 없는 비영리·공익법인의 경우에도 과세자료제 출의 납세협력의무가 있으므로 수취한 과세자료를 과세당국에 제출하여야 한다. 매입처별 세금계산서 합계표는 해당 과세기 간이 끝난 후 25일 이내에 매출·매입처별 계산서합계표는 매 년 2월 10일까지 납세지 관할세무서장에게 제출해야 한다.

(11) 주무관청보고

해당 주무관청에 사업계획 및 예산서 제출과 전년도 사업 실적 및 결산서를 제출하여야 한다. 예를 들어 장학재단의 경 우 주무관청인 교육청에 사업계획 및 예산서(11월 말)와 전년 도 사업실적 및 결산서(2월 말)를 제출하여야 한다.

● 공익법인에 대한 사후관리

공익법인이 목적사업을 원활히 운영할 수 있도록 상속세 및 증여세법에서는 세제적 혜택을 주고 있으며, 과세관청에서는 이러한 출연재산을 목적사업에 제대로 사용하는지 사후관리를 하고 있다. 이러한 출연재산은 기본재산과 보통재산으로 나뉘며, 기본재산의 경우 보통재산과 달리 변경 또는 처분하는 경우에는 주무관청의 허가가 필요하므로 주의해야 한다. 그리고 기본재산은 법인등기부상 자산으로 기재되므로 등록면허세 등 제반비용이 발생할 수 있다.

(1) 출연재산의 직접공익목적사업 등에 사용

공익법인이 재산을 출연받은 때에는 출연받은 날로부터 3년 이내에 직접 공익목적사업 등에 전부 사용하여야 하고, 3년 이후에도 직접 공익목적사업 등에 계속하여 사용하여야 하며, 공익목적사업 등에 사용하지 않거나 미달 사용시 공익법인에게 증여세가 과세된다. 다만, 직접 공익목적사업 등에 사용함에 있어서 다음에 해당하는 사유 등으로 인하여 3년 이내에 전부 사용하는 것이 곤란하거나 3년 이후 계속하여 사용할 수 없는 경우로서 주무부장관이 인정한 경우에는 납세지 관할 세무서장에게 그 사실을 보고하고, 그 사유가 없어진 날로부터 1년 이내에 해당 재산을 직접 공익목적사업 등에 사용한 경우는 제외한다.

① 법령상 또는 행정상 부득이한 사유 등으로 인하여 사용이 곤란한 경우로서 주무부장관(권한을 위임받은 자 포함)이 인정한 경우

② 해당 공익목적사업 등의 인·허가 등과 관련하여 소송 등으로 인하여 사용이 곤란한 경우

1) 직접공익목적사업의 개념

직접 공익목적사업 등에 사용한 것은 출연받은 재산을 당해 공익법인의 정관상 고유목적사업에 사용하거나 직접 공익목적사업에 충당하기 위하여 수익용 또는 수익사업용으로 운용하는 경우를 포함한다. 다만, 출연받은 재산을 해당 직접 공익목적사업에 효율적으로 사용하기 위하여 주무관청의 허가를 받아 다른 공익법인 등에게 출연하는 것을 포함한다.

① 정관상 고유목적사업

출연받은 재산을 출연받은 날로부터 3년 이내에 정관상 고유목적사업에 사용한 경우에는 이를 적법하게 사용한 것으로 본다. 다만, 다음의 경우에는 제외한다.

㉠ 법인세법 시행령 제56조 제11항(과다인건비)에 따라 고유

목적에 지출한 것으로 보지 아니하는 금액(법인세법 및 조
세특례제한법에 따라 기타의 수익사업 소득금액에 50%를
초과하여 고유목적사업준비금을 설정하는 비영리법인의 경
우에만 해당. 다만, 공익법인의 설립·운영에 관한 법률에
의하여 설립된 법인으로서 고유목적사업 등에 대한 지출액
중 50% 이상의 금액을 장학금으로 지출하여 기타의 수익
사업 소득금액에 대해 80%를 적용하는 경우는 제외)

ⓛ 해당 공익법인 등의 정관상 고유목적사업에 직접 사용하는
시설에 소요되는 수선비, 전기료 및 전화사용료 등의 관리
비를 제외한 관리비

관련예규 및 법령

① 서면4팀-2342, 2006.07.19.
상속세 및 증여세법 시행령 제38조 제2항 본문의 규정에 의하여 공익사
업을 영위하는 공익법인이 관리비로 지출한 금액 중 정관상 고유목적사
업의 수행과 직접 관련된 비용은 직접공익목적사업에 사용한 것으로 보
는 것이다.

② 심사증여2005-0084, 2005.11.30.
공익법인을 최초 설립한 때에 지출한 등록세 등 제비용은 청구법인의 직
접공익목적사업 등에 사용한 금액으로 보는 것이 타당하다.

③ 재재산-322, 2008.02.25.
공익법인이 출연받은 재산을 공익목적사업에 사용된 차입금의 상환에 사
용한 경우에는 직접 공익목적사업에 사용한 것으로 보는 것임.

④ 법인세법 시행령 제56조 제11항

해당 사업연도에 다음 각 호의 어느 하나에 해당하는 법인의 임원 및 종업원이 지급받는 소득세법 제20조 제1항 각 호의 소득의 금액의 합계액(이하 "총급여액"이라 하며, 해당 사업연도의 근로기간이 1년 미만인 경우에는 총급여액을 근로기간의 월수로 나눈 금액에 12를 곱하여 계산한 금액으로 한다. 이 경우 월수의 계산은 제39조 제2항을 준용한다)이 8천만원을 초과하는 경우 그 초과하는 금액은 제6항 제1호에 따른 인건비로 보지 아니한다. 다만, 해당 법인이 해당 사업연도의 법 제60조에 따른 과세표준을 신고하기 전에 해당 임원 및 종업원의 인건비 지급규정에 대하여 주무관청으로부터 승인받은 경우에는 그러하지 아니하다.

1. 법 제29조 제1항 제4호에 따라 수익사업에서 발생한 소득에 대하여 100분의 50을 곱한 금액을 초과하여 고유목적사업준비금으로 손금산입하는 비영리내국법인

2. 조세특례제한법 제74조 제1항 제2호 및 제8호에 해당하여 수익사업에서 발생한 소득에 대하여 100분의 50을 곱한 금액을 초과하여 고유목적사업준비금으로 손금산입하는 비영리내국법인

② 수익용 또는 수익사업용으로 운용

직접 공익목적사업에 충당하기 위하여 수익용 또는 수익사업용으로 운용하는 경우에도 이를 적법하게 사용한 것으로 보며, 수익용으로 운용하여 발생된 운용소득은 직접 공익목적사업에 사용하여야 한다. 출연재산을 정기예금 및 주식 등 금융재산으로 운용하여 발생하는 이자 및 배당소득을 당해 공익법인의 정관상 고유목적사업에 직접 사용하는 경우에는 해당 금융재산 취득도 직접 공익목적사업에 사용한 것으로 본다. 여

기서 수익용 또는 수익사업용 범위에 대해서 세법에서 구체적으로 열거하고 있지 않지만 다음에 설명할 출연재산 매각대금의 경우에는 매각대금으로 그 운용기간이 6월 미만인 수익용 또는 수익사업용 재산은 공익목적사업에 사용하지 않은 것으로 보므로 출연재산의 경우에도 일시적 요구불 예금(보통예금 등)이 아닌 금융재산으로 운용하는 것이 바람직하다.

관련예규

재산세과-4167, 2008.12.10.

상속세 및 증여세법 시행령 제12조 규정에 해당하는 공익법인 등이 재산을 출연 받아 그 출연받은 날부터 3년 이내에 직접 공익목적사업(직접 공익목적사업에 충당하기 위하여 수익용 또는 수익사업용으로 운영하는 경우를 포함)에 사용하는 경우에는 같은 법 제48조 제1항·제2항의 규정에 의하여 그 출연받은 재산의 가액은 증여세 과세가액에 산입하지 아니하는 것이나, 같은 법 제48조 제2항 제3호·제4호의 2의 규정에 의하여 공익법인 등이 출연받은 재산을 수익용 또는 수익사업용으로 운용하는 경우로서 그 운용소득을 직접공익목적사업 외에 사용하는 경우에는 증여세를 부과하는 것이며, 그 운용소득을 직접공익목적사업에 사용한 실적이 같은 법 시행령 제38조 제5항 및 제6항의 기준금액에 미달하는 경우에는 같은 법 제78조 제9항의 규정에 의한 가산세를 부과하는 것이다. 귀 질의의 경우 현금과 주식(같은 법 제48조 제1항의 규정에 의한 주식 등을 합한 것이 당해 내국법인의 의결권 있는 발행주식총수의 100분의5 이하인 경우에 한함)을 출연 받아 금융기관에 예금하여 수입하는 이자 (배당)소득으로 당해 공익법인의 정관상 고유목적사업의 수행에 직접 사용하는 경우에는 그 현금과 주식은 직접 공익목적사업에 사용한 것으로 보는 것이다.

③ 다른 공익법인에게 출연

공익법인이 출연받은 재산을 해당 직접공익목적사업에 효율적으로 사용하기 위하여 주무관청의 허가를 받아 다른 공익법인 등에게 출연하는 경우에는 적법하게 사용한 것으로 보며, 주무관청이 없는 경우에는 관할세무서장의 허가가 필요하다. 하지만 실무적으로 주무관청에서는 다른 공익법인에게 출연하기 위한 허가규정이 따로 없는 경우가 많으므로 이러한 경우에는 관할세무서장의 허가를 받거나 주무관청에 예산 또는 결산보고 시 해당 내용을 함께 기재하여 보고하여야 한다.

> **관련예규**
>
> 상속증여세과-439, 2013.07.30.
> 출연받은 재산을 당해 직접 공익목적사업에 효율적으로 사용하기 위하여 주무관청의 허가를 받아 다른 공익법인 등에게 출연하는 경우에는 직접 공익목적사업에 사용하는 것으로 보아 증여세를 부과하지 아니하는 것으로 주무관청이 없는 경우에는 관할세무서장으로부터 허가를 받아야 하는 것이다.

2) 미사용시 가산세

출연받은 재산을 직접 공익목적사업 등의 용도 외에 사용하거나 출연받은 날부터 3년 이내에 직접 공익목적사업 등에 사용하지 아니하거나, 3년 이후 직접 공익목적사업 등에 계속하여 사용하지 아니하는 경우에는 그 사유가 발생한 날을 증여시기로 보아 공익법인이 증여받은 것으로 보아 증여세가 과세된다. 다만, 불특정다수인으로부터 출연받은 재산 중 출연자별로 출연받은 재산가액을 산정하기 어려운 재산으로써 종교사업에 출연하는 헌금은 증여세 등 적용이 제외되며, 종교사업에 부동산 및 주식 등으로 출연하는 경우에는 증여세 등 적용대상이다.

증여세 과세가액 = ① + ② + ③
① 직접 공익목적사업 등 외에 사용한 재산의 가액
② 3년 이내에 직접 공익목적사업 등에 미사용하거나 미달하게 사용한
 재산의 가액
③ 3년 이후 직접 공익목적사업 등에 계속하여 사용하지 아니한 재산의
 가액

관련예규

대법원2018두-32804, 2018.04.26.
공익법인이 출연일로부터 3년이내에 직접 공익목적사업 등에 사용하지
아니함으로써 증여세 과세사유가 발생하므로 과세사유가 발생한 시점을
기준으로 평가하여야 함.

---

(2) 출연재산의 매각 금액의 직접공익목적 사용

공익법인이 출연받은 재산을 매각하는 경우에는 당해 매각금액을 매각한 날이 속하는 사업연도 종료일부터 1년 이내에

30%, 2년 이내에 60%, 3년 이내에 90%에 상당하는 금액 이상을 직접공익목적에 사용하여야 하며, 공익목적사업에 사용하지 않거나 미달 사용시 가산세 및 증여세가 과세된다. 매각대금이란 출연받은 재산으로 증식된 재산을 포함한 총 매각대금에서 자산매각에 따라 부담하는 국세 및 지방세를 차감한 것을 말한다.

1) 직접공익목적사업의 개념

직접 공익목적사업 등에 사용한다는 것은 매각대금으로 당해 공익법인의 정관상 고유목적사업에 사용하거나 공익목적사업용 또는 수익사업용 재산을 취득하는 경우를 포함한다. 다만, 매각대금으로 일시 취득한 수익용 또는 수익사업용 재산으로서 그 운용기간이 6월 미만인 재산(예, 일시적 요구불 예금 예치) 및 공시대상기업집단 소속 공익법인 등이 해당 기업집단에 속하는 법인의 의결권 있는 주식 등을 취득한 경우는 제외된다.

관련예규

① 재산세과-213, 2009.09.14.
교회 재산을 부목사, 전도사 등의 사택으로 사용함은 직접공익목적 외에 사용한 것이나, 경내에 있는 경우로서 그 목적사업수행을 위하여 사용하는 경우는 공익목적사업사용에 해당하며, 매각대금을 교회가 교인 등에

게 대여기간 6개월 이상으로 대여하고 이자를 수수하는 경우 직접공익목
적사업 사용에 해당하지 않는다.

② 서면4팀-2755, 2006.08.10.

출연받은 재산을 매각한 경우 공익법인 등이 출연받은 재산의 사후관리
규정이 적용되는 것이며, 출연받은 재산에는 수익용 또는 수익사업용 재
산, 운용소득으로 취득한 재산 및 매각대금으로 취득한 다른 재산을 포함
하는 것이다.

③ 서면인터넷방문상담4팀-3696, 2007.12.27.

상속세 및 증여세법 제48조 제2항 제4호의 규정을 적용함에 있어, 공익
법인이 출연받은 재산의 매각대금으로 정관상 고유목적사업의 수행에 직
접 사용하는 자산을 취득하거나 수익용 또는 수익사업용 재산의 취득 및
운용에 사용하는 경우에는 직접공익목적사업에 사용한 것으로 보는 것이
나, 귀 질의의 경우와 같이 매각대금으로 공익법인의 임·직원이 거주할
사택을 취득하는데 사용하는 경우에는 공익목적사업 외에 사용한 것으로
보아 공익법인에게 증여세를 부과하는 것이다.

④ 서면인터넷방문상담4팀-2755, 2006.08.10.

출연받은 재산을 매각한 경우 공익법인 등이 출연받은 재산의 사후관리
규정이 적용되는 것이며, 출연받은 재산에는 수익용 또는 수익사업용 재
산, 운용소득으로 취득한 재산 및 매각대금으로 취득한 다른 재산을 포함
하는 것이다.

2) 미사용시 가산세

출연받은 재산을 매각하고 그 매각대금을 직접 공익목적사
업 외에 사용하거나 매각한 날부터 3년이 지난날까지 90% 이
상을 직접 공익목적사업 등에 사용하지 아니하는 경우에는 공

익법인이 증여받은 것으로 보아 증여세가 과세된다. 그리고 1
년 내에 30%, 2년 내에 60% 이상을 직접 공익목적사업 등에
사용하지 아니할 경우에는 미달하게 사용하는 금액에 대해
10%를 가산세로 부과한다.

<매년 사용기준>

적 요	사용비율	미달 사용하는 경우
1년 이내	30%	미달사용액의 10% 가산세 부과
2년 이내	60%	미달사용액의 10% 가산세 부과
3년 이내	90%	미달사용액을 증여가액으로 하여 증여세 부과

증여세 과세가액 = (①+②)

① 매각대금의 사용기준금액 $\times \dfrac{\text{목적 외 사용금액}}{\text{매각대금}}$

② 사용기준금액 미달분

* 매각대금에는 증가된 재산이 포함되며 당해 자산의 매각에 따라 부담하는 국세 및 지방세는 제외됨

* 사용기준금액 = 매각대금 × 90%

(3) 출연재산 운용소득의 직접공익목적에 사용

공익법인이 출연받은 재산을 수익용 또는 수익사업용으로
운용하여 발생하는 운용소득의 80%에 상당하는 금액을 그 소
득이 발생한 과세기간 또는 사업연도 종료일부터 1년 이내에

직접 공익목적사업에 사용해야 한다. 이 경우 운용소득을 공익사업에 사용함에 있어 사업연도별로 많이 지출하거나 적게 지출할 수 있으므로 사용실적 및 기준금액은 해당 사업연도 또는 해당 사업연도와 직전 4개 사업연도와의 5년간 평균금액을 기준으로 계산할 수 있다. 즉, 해당 사업연도의 사용실적이 기준금액에 미달하더라도 해당 사업연도와 직전 4개 사업연도와의 5년간 평균금액 기준으로 계산한 사용실적이 기준금액에 미달하지 않으면 적정하게 사용한 것으로 보는 것이다. 다만, 사업개시 후 5년이 경과되지 아니한 경우에는 5년간 평균금액 기준을 적용할 수 없다.

1) 운용소득

운용소득이란 출연재산을 해당 과세기간 또는 사업연도의 수익사업이나 예금 등 수익의 원천에 사용함으로써 생긴 소득금액(출연재산과 관련이 없는 수익사업에서 발생한 소득금액 및 출연재산 매각금액을 제외하고, 법인세법 제29조 제1항의 규정에 의한 고유목적사업준비금과 해당 과세기간 또는 사업연도 중 고유목적사업비로 지출된 금액으로서 손금에 산입된 금액을 포함)에서 해당 소득에 대한 법인세 또는 소득세·농어촌특별세·주민세 및 이월결손금을 차감하여 계산한다.

2) 직접 공익목적사업에 사용

직접 공익목적사업에 사용한 것은 당해 공익법인 등의 정관상 고유목적사업에 사용하여야 하며, 고유목적사업의 수행을 위해 직접 사용되는 자산을 취득하는데 소요된 비용을 포함한다. 그러나 법인세법 시행령 제56조 제11항(과다인건비)에 따라 고유목적에 지출한 것으로 보지 아니하는 금액은 제외하며, 출연재산의 사용과 달리 직접 공익목적사업에 충당하기 위하여 수익용 또는 수익사업용으로 운용하는 경우에는 사용한 것으로 보지 않는다.

사용기준금액 = (①-②+③)×80%

① 해당 과세기간 또는 사업연도의 수익사업에서 발생한 소득금액 등

= 해당 과세기간 또는 사업연도의 수익사업에서 발생한 소득금액

+ 고유목적사업준비금과 해당연도 고유목적사업비로 지출된 금액으로서 손금에 산입된 금액

+ 출연재산을 수익의 원천에 사용함으로써 생긴 소득금액(분리과세를 선택한 이자소득도 운용소득에 포함됨)

− 출연재산과 관련이 업는 수익사업에서 발생한 소득금액

− 상속세 및 증여세법 제48조 제2항 제4호에 따른 출연재산 매각금액

− 공익법인이 보유한 주식을 발행한 법인의 합병·분할에 따른 의제배당액(합병·분할대가 중 주식으로 받은 부분으로 한정함)으로서 해당 사업연도 소득금액에 포함된 금액

② 해당 소득에 대한 법인세 또는 소득세·농어촌특별세·주민세 및 이월결손금

③ 직전연도 운용소득 미달사용금액 − 미달금액에 대한 가산세

관련예규

① 재산세과-174, 2010.03.19.

공익법인 등이 출연받은 재산을 수익용 또는 수익사업용으로 운용하는 경우로서 그 운용소득 중 정기 예금한 금액 및 임대보증금 반환에 사용한 금액은 직접공익목적사업 외에 사용한 것으로 보아 증여세를 부과하지는 않으나, 직접공익목적 사용실적에 포함되지 않는다.

② 대법원2007두26711, 2010.05.27.

수익사업에서 발생한 소득금액이라 함은 출연재산으로 영위하는 수익에서 발생한 소득금액만을 의미하고, 출연재산과 무관한 수익사업에서 발생한 소득금액은 포함하지 아니함.

③ 재산세과-273, 2009.09.21.

공익법인 등의 운용소득 사용기준과 관련하여 5년간 평균금액으로 운용소득 사용실적 및 기준금액을 산정하는 경우 결손이 발생한 연도는 0으로 보는 것임.

④ 재재산-724, 2013.10.23.

의료법인이 출연받은 현금으로 병원 등을 신축한 후 의료업을 영위하는 경우 해당 의료업 소득은 사후관리대상 운용소득에 해당하며, 해당 운용소득을 다른 공익 법인에 재출연하는 경우 증여세를 결정하기 전까지 주무관청의 허가를 받은 경우에는 직접 공익목적사업에 사용한 것으로 봄.

⑤ 서면 2022 법인-3223, 2022.09.27.

운용소득 사용기준금액을 5년간의 평균금액으로 계산할 경우, 2021. 12. 31. 이전 사업연도까지는 70%의 의무사용비율을 적용하여야 하고 2022. 1. 1. 이후 개시하는 사업연도 분부터는 80%의 의무사용비율을 적용하여 계산하는 것임.

⑥ 재재산46014-40, 2002.02.15.

공익법인이 비상장법인으로부터 현금배당과 주식배당을 받은 경우

법인세법 제18조의3의 규정(수입배당금 익금불산입)에 의한 익금불산입 금액에 관계없이 현금배당액과 주식배당액 전액을 운용소득으로 보는 것임.

⑦ 기획재정부 재산세제과-724, 2013.10.23.
의료법인이 출연받은 현금으로 병원 등을 신축한 후 의료업을 영위하는 경우 해당 의료업 소득은 사후관리대상 운용소득에 해당하며, 해당 운용소득을 다른 공익법인에 재출연하는 경우 증여세를 결정하기 전까지 주무관청의 허가를 받은 경우에는 직접 공익목적사업에 사용한 것으로 봄.

3) 미사용시 가산세

출연재산의 운용소득을 직접 공익목적사업 외에 사용한 경우에는 공익목적사업 외에 사용한 금액이 운용소득에서 차지하는 비율을 곱하여 계산한 금액을 공익법인이 증여받은 것으로 보아 증여세를 부과한다.

$$\text{증여세 과세가액} = \text{출연재산의 평가가액} \times \frac{\text{목적 외 사용금액}}{\text{운용소득금액}}$$

운용소득을 공익목적사업에 미달하게 사용한 경우에는 미달하게 사용한 운용소득의 10%에 상당하는 금액을 납부할 세액에 가산하여 부과한다.

<출연금의 사용>

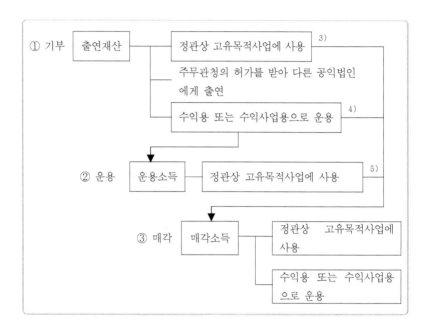

(4) 주식취득 및 보유시의 지켜야 할 일

공익법인이 내국법인의 의결권 있는 주식 또는 출자지분을 출연받거나 출연받은 재산으로 내국법인의 의결권 있는 주식 등을 취득하는데 사용하는 경우 출연받거나 취득한 주식 등과 이미 보유하고 있는 동일 내국법인의 주식 등을 합한 것이 그 내국법인의 의결권 있는 발행주식총수 또는 출자총액(자기주

---

3) 매각일 현재 3년 이상 계속하여 당해 고유목적사업에 직접 사용한 고정자산의 처분으로 인한 양도차익은 법인세 과세제외
4) 양도차익에 대해 법인세를 신고.납부하여야 한다.
5) 매각일 현재 3년 이상 계속하여 당해 고유목적사업에 직접 사용한 고정자산의 처분으로 인한 양도차익은 법인세 과세제외

식과 자기출자지분 제외)의 상속세 및 증여세법 제16조 제2
항 2호에 따른 비율을 초과하는 경우에는 그 초과하는 가액은
증여세 과세가액에 산입한다.

공익법인 등이 특수관계에 있는 내국법인의 주식 등을 보
유하는 경우(국가나 지방자치단체가 설립한 공익법인 등 및
이에 준하는 것으로서 대통령령으로 정하는 공익법인등과 상
속세 및 증여세법 제48조 제11항 각 호의 요건을 충족하는
공익법인 등은 제외)로서 그 내국법인의 주식 등의 가액이 해
당 공익법인의 총 재산가액의 30%(외부회계감사, 전용계좌
개설·사용, 결산서류 등의 공시를 이행하는 공익법인 등은
50%)을 초과하는 경우에는 가산세를 부과한다.

구분	판정기준	적용대상6)		한도	의무 위반시
출연· 취득	출연받을 때 또는 출연재산 으로 취득 시 지분율	상호출자제한기업집단과 특수관계 있 는 경우 또는 상증법 제48조 제11항 요건을 불충족한 경우		5%	초과분 증여세 부과
		상증법 제48 조 제11항 요건을 충족 한 경우	일반적인 경우	10%	
			의결권 미행사를 정관 에 규정한 자선·장학· 사회복지 목적 법인	20%	
			출연자와 특수관계 없 는 내국법인 주식으로 주무관청 승인받음	한도 없음	

			10% 초과 출연분 3년 이내 특수관계 없는 자에게 매각	한도 없음	
			공익법인의 설립·운영에 관한 법률 및 그 밖의 법령에 따라 취득하는 경우	한도 없음	
보유	계열기업 의 주식보 유시 총재 산가액 대 비 비율	상증법 제48 조 제11항 요건을 불충 족한 경우	일반적인 경우	30%	초과보 유분 가산세 부과
			외부회계감사, 전용계 좌 개설·사용, 결산서 류 등의 공시 이행	50%	
		상증법 제48조 제11항 요건을 충족한 경우		한도 없음	

1) 초과 출연시 과세제외 하는 경우

① 지분율 20%까지 과세제외 (아래 요건 모두 충족 시 적용)

㉠ 상호출자제한기업집단과 특수관계에 있지 않은 상속세 및 증여세법 제48조 제11항의 요건을 모두 충족한 공익법인

㉡ 출연받은 주식의 의결권을 행사하지 않을 것(공익법인 정 관에 규정)

㉢ 자선·장학 또는 사회복지(직전 3개 사업연도 평균 직접공 익 목적사업 지출액의 80% 이상 자선·장학 또는 사회복지 활동에 지출하거나, 사회복지사업법상 사회복지법인)를 목

적으로 할 것

Tip 상속세 및 증여세법 제48호 제11항(이전 성실공익법인)

① 출연재산 운용소득의 80% 이상을 직접 공익목적사업에 사용할 것
② 출연재산가액의 1%이상을 직접 공익목적사업에 사용할 것(2024년 1월 1일 이후 개시하는 사업연도 분부터 삭제. 2023년 사업연도는 종전 규정 또는 개정규정 중 선택 적용)
③ 출연자 및 그 특수관계인이 이사 현원의 5분의 1을 초과하지 아니할 것. 다만, 상속세 및 증여세법 시행령 제38조 제12항의 사유(이사의 사망 또는 사임, 특수관계인에 해당하지 아니하던 이사가 특수관계인에 해당하는 경우)로 5분의 1을 초과한 경우로서 해당 사유가 발생 한 날부터 2개월 이내에 이사를 보충하거나 개임하여 5분의 1을 초과하지 아니하게 된 경우에는 계속하여 요건을 충족한 것으로 본다.
④ 상속세 및 증여세법 제48조 제3항에 따른 자기내부거래를 하지 않을 것
⑤ 상속세 및 증여세법 제48조 제10항에 따른 광고·홍보를 하지 아니할 것

② 지분율 한도 없이 과세제외 (아래 중 하나에 해당 시 적용)

㉠ 상속세 및 증여세법 제48조 제11항의 요건을 모두 충족한 공익법인 또는 국가·지방자치단체가 출연하여 설립한 공익법인으로서 상호출자제한기업집단과 특수관계에 있지 않은 공익법인 등이 그 공익법인의 출연자와 특수관계에 있지 아니한 내국법인의 주식 등을 출연받고 주무관청이 공익법인의 목적사업을 효율적으로 수행하기 위하여 필요하다고 인정하는 경우

㉡ 상호출자제한기업집단과 특수관계에 있지 않은 상속세 및

증여세법 제48조 제11항의 요건을 모두 충족한 공익법인 등이(공익법인 등이 설립일부터 3개월 이내에 주식 등을 출연받고, 설립된 사업연도가 끝난 날부터 2년 이내에 해당 요건을 충족하는 경우 포함) 발행주식 총수 등의 10%를 초과하여 출연받은 경우로서 초과보유일로부터 3년 이내에 초과하여 출연받은 부분을 주식 등의 출연자 또는 그의 특수관계인 이외의 자에게 매각하는 경우

③ 공익법인의 설립·운영에 관한 법률 및 그 밖의 법령에 따라 내국법인의 주식 등을 출연하는 경우

2) 초과 취득시 과세제외 하는 경우

① 상속세 및 증여세법 제48조 제11항의 요건을 모두 충족한 공익법인 또는 국가·지방자치단체가 출연하여 설립한 공익법인으로서 상호출자제한기업집단과 특수관계에 있지 않은 공익법인 등이 그 공익법인의 출연자와 특수관계에 있지 아니한 내국법인의 주식 등을 취득하고 주무관청이 공익법인의 목적사업을 효율적으로 수행하기 위하여 필요하다고 인정하는 경우

② 공익법인의 설립·운영에 관한 법률 및 그 밖의 법령에 따라 내국법인의 주식 등을 취득하는 경우

③ 산업교육진흥 및 산학연협력촉진에 관한 법률에 따른 산학협력단이 주식 등을 취득하는 경우로서 다음 요건을 모두 갖춘 경우

㉠ 산학협력단이 보유한 기술을 출자하여 같은 법에 따른 기술지주회사 또는 벤처기업 육성에 관한 특별조치법에 따른 신기술창업전문회사를 설립할 것

㉡ 산학협력단이 출자하여 취득한 주식 등이 기술지주회사인 경우에는 발행주식총수의 50% 이상(산업교육진흥 및 산학연협력촉진에 관한 법률 제36조의 2 제1항에 따라 각 산학협력단이 공동으로 기술지주회사를 설립하는 경우에는 각 산학협력단이 출자하여 취득한 주식등의 합계가 발행주식총수의 50% 이상을 말한다), 신기술창업전문회사인 경우에는 발행주식총수의 30% 이상일 것

㉢ 기술지주회사 또는 신기술창업전문회사는 자회사 외의 주식 등을 보유하지 아니할 것

3) 초과 보유시 가산세 제외 하는 경우

다음의 공익법인 등에는 계열기업 주식보유 한도를 위반하는 경우에도 가산세 규정을 적용하지 않는다.

① 상속세 및 증여세법 제48조 제11항의 요건을 모두 충족한 공

익법인

② 국가·지방자치단체가 설립한 공익법인 등 및 이에 준하는 것으로서 다음 중 어느 하나에 해당하는 공익법인 등

㉠ 국가·지방자치단체가 출연하여 설립한 공익법인 등이 재산을 출연하여 설립한 공익법인 등

㉡ 공공기관의 운영에 관한 법률 제4조 제1항 제3호에 따른 공공기관이 재산을 출연하여 설립한 공익법인 등

㉢ ㉡의 공익법인 등이 재산을 출연하여 설립한 공익법인 등

3) 미사용시 가산세

공익법인이 동일한 내국법인의 주식을 5%(10%, 20%)초과하여 보유하는 경우에는 초과부분을 증여세 과세가액에 산입하여 증여세가 과세된다. 그리고 공익법인이 주식처분유예기간 경과 후에도 특수관계에 있는 내국법인의 주식을 총자산가액의 30%(회계감사, 전용계좌의 개설·사용, 결산서류 등의 공시를 이행하는 공익법인 등에 해당하는 경우에는 50%)를 초과할 경우에는 초과하는 가액에 대하여 매 사업연도말 현재 시가의 5%에 상당하는 금액을 가산세로 부과한다.

4) 주식초과보유 공익법인의 의무이행 여부 신고제

동일한 내국법인의 의결권 있는 주식 등을 그 내국법인 발

행주식총수 등의 5%를 초과하여 출연받거나 취득한 공익법인과 특수관계에 있는 내국법인의 주식을 총자산가액의 30%(50%)를 초과하여 보유하는 공익법인은 상속세 및 증여세법 제48조 제11항의 요건을 모두 충족하여야 하며, 해당하는 요건을 충족하지 않은 경우에는 주식초과 보유분에 대해 상속세 및 증여세 또는 가산세가 부과된다.

그리고 이러한 공익법인은 사업연도 종료일부터 4개월 이내에 다음의 서류를 납세지 관할 지방국세청에 제출하여야 하며, 신고하지 아니한 경우에는 신고해야 할 과세기간 또는 사업연도 종료일 현재 그 공익법인 등의 자산총액의 0.5%에 상당하는 금액을 가산세로 부과한다.

① 별지 제22호 서식에 따른 공익법인등 의무이행 신고서

② 해당 공익법인등의 설립허가서 및 정관

③ 별지 제25호의 4 서식에 따른 운용소득 사용명세서

④ 별지 제26호의 2 서식에 따른 이사등 선임명세서

⑤ 별지 제26호의 3 서식에 따른 특정기업광고 등 명세서

⑥ 별지 제31호 서식 부표 4에 따른 출연받은 재산의 공익목적사용 현황

⑦ 별지 제32호 서식 부표 2에 따른 출연자 등 특수관계인 사용수익명세서

(5) 출연재산 일정비율 의무 사용

총자산가액 5억원 이상이거나 해당 사업연도 수입금액과 출연재산가액 합계액이 3억원 이상인 공익법인 및 동일한 내국법인의 의결권 있는 주식 등을 그 내국법인 발행주식총수 등의 5%를 초과하여 보유하고 있는 공익법인은 매년 출연재산가액의 1%(동일주식 10% 초과 보유시 3%)를 직접 공익목적사업에 사용하여야 한다.

1) 출연재산가액

직접 공익목적사업에 사용해야 할 과세기간 또는 사업연도의 직전 사업연도 종료일 현재 재무상태표 및 운영성과표를 기준으로 다음의 계산식에 따라 계산한 가액을 말한다. 다만, 공익법인등이 상속세 및 증여세법 시행령 제41조의 2 제6항에 따른 공익법인 등(주식보유관련 의무이행신고대상 공익법인 등)에 해당하거나 제43조 제3항에 따른 공익법인 등(외부회계감사를 받지 않아도 되는 소규모법인)에 해당하지 않는 경우로서 재무상태표상 자산가액이 상속세 및 증여세법 제4장 재산의 평가에 따라 평가한 가액의 70% 이하인 경우에는 제4장에 따라 평가한 가액을 기준으로 다음의 계산식에 따라 계산한다.

> 수익용 또는 수익사업용으로 운용하는 재산(직접 공익목적사업용 재산
> 은 제외)의 [총자산가액 - (부채가액 + 당기 순이익)]

총자산가액 중 해당 공익법인이 3년 이상 5년 미만 보유한 유가증권시장 또는 코스닥시장에 상장된 주권 상장법인의 주식의 가액은 직전 3개 과세기간 또는 사업연도 종료일 현재 각 재무상태표 및 운영성과표를 기준으로 한 가액의 평균액으로 하고, 해당 공익법인 등이 5년 이상 보유한 경우의 가액은 직전 5개 과세기간 또는 사업연도 종료일 현재 각 재무상태표 및 운영성과표를 기준으로 한 가액으 평균액으로 한다.

2) 직접 공익목적사업에 사용

직접 공익목적사업에 사용한 것은 당해 공익법인 등의 정관상 고유목적사업에 사용하여야 하며, 출연받은 재산을 해당 직접 공익목적사업에 효율적으로 사용하기 위하여 주무관청의 허가를 받아 다른 공익법인 등에게 출연하는 것을 포함한다. 그러나 법인세법 시행령 제56조 제11항(과다인건비)에 따라 고유목적에 지출한 것으로 보지 아니하는 금액은 제외한다. 이 경우 직접 공익목적사업에 사용함에 있어 사업연도별로 많이 지출하거나 적게 지출할 수 있으므로 해당 공익목적사업 개시후 5년이 지난 경우에는 사용실적 및 기준금액은 해당 사

업연도와 직전 4개 사업연도와의 5년간 평균금액을 기준으로 계산할 수 있다. 즉, 해당 사업연도의 사용실적이 기준금액에 미달하더라도 해당 사업연도와 직전 4개 사업연도와의 5년간 평균금액 기준으로 계산한 사용실적이 기준금액에 미달하지 않으면 적정하게 사용한 것으로 보는 것이다.

3) 미사용시 가산세

기준금액에서 직접 공익목적사업에 사용한 금액을 차감한 금액의 10%를 가산세로 부과하나, 2024년 1월 1일 이후 개시하는 사업연도 분부터 주식 5% 등 초과보유 공익법인은 200%를 가산세로 부과한다. 다만, 다음의 공익법인은 상속세 및 증여세법상 가산세가 부과되지 않는다.

① 상속세 및 증여세법 시행령 제12조 제1호의 사업을 영위하는 공익법인(종교법인)

② 사업연도 종료일 현재 재무상태표상 자산총액의 합계액이 5억원 미만이면서 당해 사업연도 수입금액과 그 사업연도에 출연받은 재산가액의 합계액이 3억원 미만인 공익법인

③ 법인세법 시행령 제39조 제1항 1호 바목에 따른 공익법인 중 공공기관의 운영에 관한 법률 제4조에 따른 공공기관 또는 법률에 따라 직접 설립된 기관

관련예규

법인세과—4335, 2020.12.07.

공익법인 등이 상속세 및 증여세법 제48조 제2항 제7호(출연재산 일정 비율 의무사용)의 기준금액을 사용하는 것과 관련하여 같은 법 제48조 제2항 제5호에 따른 운용소득 사용 기준금액을 합산한 금액 이상을 직접 공익목적사업에 사용해야 하는 것은 아님.

(6) 출연자 등의 이사 취임시 지켜야 할 일

출연자 또는 그와 특수 관계에 있는 자가 공익법인 등(의료법인은 제외)의 이사 현원의 1/5를 초과하여 이사가 되거나, 당해 공익법인 등의 임직원이 되는 경우에는 가산세를 부과한다. 다음의 요건에 해당하는 경우 지출된 직·간접 경비 전액에 대해 가산세를 부과한다.

① 출연자(재산출연일 현재 해당 공익법인 등의 총출연재산가액의 1%에 상당하는 금액과 2천만원 중 적은 금액을 초과하여 출연한 자) 또는 그의 특수관계인이

② 시행령 제38조 제11항에서 규정하고 있는 공익법인(의료법인 제외) 등의

③ 현재 이사 수(5명 미만은 5명으로 봄)의 1/5을 초과하여 이사(이사회의 의결권을 갖지 아니하는 감사는 포함되지 아니함)가 되거나 임·직원(이사 제외)이 되는 경우

다만, 이사의 사망 또는 사임, 특수관계인에 해당하지 아니하던 이사가 특수관계인에 해당되어 1/5을 초과한 경우로서 해당 사유가 발생한 날부터 2개월 이내에 이사를 보충하거나 개임(改任)하는 경우, 임·직원 중 의사, 학교의 교직원, 아동복지시설의 보육사, 도서관의 사서, 사회복지시설의 사회복지사 자격소지자, 박물관·미술관의 학예사, 연구기관의 연구전담요원에 대해서는 가산세가 부과되지 않으며, 교사, 교장, 교감, 총장, 학장 등 학교의 교직원은 사립학교법 제29조에 따른 학교에 속하는 회계로 경비를 지급하는 경우만 해당한다.

관련예규

① 서면 2017 법령해석재산-2963, 2019.04.24.
출연자 또는 그와 특수관계인이 공익법인의 임원이 되는 경우 그 사람과 관련하여 지출된 직·간접경비에 상당하는 금액 전액을 매년 가산세로 부과하고 직·간접경비에는 수익사업과 관련된 경비도 포함됨.

② 재산세과-210, 2009.09.14.
공익법인 등의 이사취임 관련 제한 위반으로 가산세가 부과된 경우로서, 해당 직·간접경비를 환수하는 경우에는 가산세를 환급한다는 별도의 규정은 없음.

③ 법령해석과-4167, 2020.12.17.
상속세 및 증여세법 제48조제8항에 따라 출연자 및 출연자의 특수관계인이 공익법인 이사의 1/5을 초과하여 초과 이사와 관련된 지출경비에 대해 가산세를 부과할 경우 해당 이사가 임기가 끝난 후 연속하여 이사에 임명된 경우 동 이사의 취임시기는 최초취임일임.

(7) 특정기업의 광고 등 행위 금지

공익법인이 특수관계에 있는 내국법인의 이익을 증가시키기 위하여 정당한 대가를 받지 아니하고 광고, 홍보를 하는 경우에는 가산세를 부과한다.

1) 가산세를 부과하는 광고·홍보

① 신문·잡지·텔레비전·라디오·인터넷 또는 전자광고판 등을 이용하여 내국법인을 위하여 홍보하거나 내국법인의 특정상품에 관한 정보를 제공 하는 행위
② 팜플렛·입장권 등에 내국법인의 특정상품에 관한 정보를 제공하는 행위
다만, 내국법인의 명칭만을 사용하는 홍보는 제외한다.

2) 광고·홍보에 대한 가산세
위 ①의 경우 : 당해 광고·홍보매체의 이용비용
위 ②의 경우 : 당해 행사비용 전액

(8) 자기내부거래시 사후관리

자기내부거래라 함은 특수관계자간에 내부거래를 통하여 무상으로 이익을 이전하는 것을 말하는 것으로, 공익법인이 출연받은 재산, 출연받은 재산을 원본으로 취득한 재산, 출연

받은 재산의 매각대금 등을 출연자 및 그와 특수관계 있는 자에게 정당한 대가를 받지 않고 사용·수익하게 하는 경우에는 그 제공된 이익에 상당하는 가액을 공익사업에 사용하지 아니한 것으로 보아 증여세를 과세한다.

① 출연재산을 무상으로 사용·수익하게 하는 경우 : 해당 출연재산가액을 증여가액으로 과세

② 통상적인 지급대가보다 낮은 가액으로 사용·수익하게 하는 경우 : 그 차액에 상당하는 출연재산가액을 증여가액으로 과세

$$\text{당해 출연재산가액} \times \frac{(\text{정상적인 대가} - \text{실제 지급한 대가})}{\text{정상적인 대가}}$$

(9) 공익법인 수혜자범위에 대한 사후관리

공익법인이 출연받은 재산을 사회전체의 불특정다수인의 이익을 위하여 사용하지 아니하고 출생지·직업·학연 등에 의하여 특정계층에만 공익사업의 혜택이 제공되는 경우에는 출연받은 재산을 공익목적에 맞게 사용하지 아니한 것으로 보아 공익법인에 대하여 증여세를 과세한다. 다만, 해당 공익법인의 설립 또는 정관의 변경을 허가하는 조건으로 주무부장관과 기획재정부장관이 협의하여 공익사업 수혜자의 범위를 정하는

경우에는 증여세 과세대상에서 제외하고 있다. 대부분의 장학회가 여기에 해당하며, 공익법인이 특정지역 자녀의 장학금 지원사업을 정관에 명시하고 출연자도 같은 목적으로 출연한 경우 증여세 과세대상에 해당하지 않는다.

(10) 공익법인 해산시 잔여재산에 대한 사후관리

공익법인이 보유하고 있는 재산은 공익사업을 목적으로 출연된 재산이므로 공익법인이 공익사업을 종료하고 해산시에는 그 잔여재산을 국가·지방자치단체 또는 당해 공익법인과 유사한 공익사업을 영위하는 공익법인에 귀속시켜야 한다. 공익법인이 사업을 종료한 때의 잔여재산을 국가·지방자치단체 또는 동일하거나 유사한 공익법인에 귀속시키지 아니한 경우 해당 재산가액을 당해 공익법인이 증여받은 것으로 보아 증여세가 과세되며, 그 귀속자에 대하여 증여세(영리법인의 경우 법인세)가 과세된다.

> **관련예규**
>
> 상속증여세과-426, 2013.07.26.
> 주무부장관의 인가를 받아 학교법인이 다른 학교법인에 흡수합병됨으로써 종료하는 학교법인의 잔여재산 전부가 다른 학교법인에 귀속되어 동일한 공익목적사업에 사용되는 경우에는 증여세 과세문제가 발생하지 않는 것임.

● 공익법인의 제출서류7)

구분	출연재산 보고서 제출대상 공익법인	외부전문가 세무확인대상 공익법인
대상 법인	출연받은 재산이 있는 모든 공익 법인	총자산가액 5억원 이상이거나 수 입금액과 출연받은 재산가액의 합계액이 3억원 이상인 공익법인
제출 대상 서류	1. 공익법인 출연재산 등에 대한 보고서 2. 출연재산·운용소득·매각대금 의 사용계획 및 진도 내역서 3. 출연받은 재산의 사용명세서 4. 출연재산 매각대금 사용명세 서 5. 운용소득의 사용명세서 6. 주식(출자지분)보유명세서 7. 이사 등 선임명세서 8. 특정기업광고 등 명세서	1. 공익법인 등의 세무확인서 2. 공익법인 등의 세무확인 결과 집계표 3. 출연자 등 특수관계인 사용수 익명세서 4. 수혜자 선정 부적정명세서 5. 재산의 운용 및 수익사업내역 부적정명세서 6. 장부의 작성·비치 의무 불이행 등 명세서 7. 보유부동산 명세서
	– 주무관청에 제출한 결산서류가 있는 경우 함께 제출(서면제출) – 외부전문가 세무확인대상 공익법인은 일반공익법인이 제출하는 서 식 외에 세무확인서, 세무확인결과 집계표 등을 추가제출 하여야 함 – 외부전문가 세무확인서 등 제출제외 공익법인도 일반공익법인이 제출하는 보고서 제출하여야 함	
제출 방법	– 홈택스서비스(www.hometax.go.kr) 〉 세무 업무별 서비스 〉 공익 법인종합안내 〉 신고/보고 〉 출연재산보고서 제출 – (제출기한) 사업연도 종료일부터 4개월 이내	

7) 2024 공익법인 세무안내, 국세청, 2024.2., p228

구분	출연재산 보고서 제출대상 공익법인	외부전문가 세무확인대상 공익법인
제출 제외 법인		1. 총자산가액 5억 미만이면서 수입금액, 출연받은 재산가액의 합계액이 3억 미만인 공익법인 2. 불특정다수인으로부터 출연받은 공익법인(출연자 등이 5%미만 출연) 3. 국가 또는 지방자치단체가 출연하여 설립한 공익법인으로 감사원의 회계검사를 받는 공익법인

"세무사님. 공익법인에 해당할 경우 챙겨야 할 것들이 너무 많네요."

"네. 그렇습니다. 공익법인에게 세제적 혜택을 주는 만큼 공익사업을 성실하게 수행하지 않거나 조세회피 또는 탈루의 수단 등으로 이용하는 것을 방지하기 위하여 세법에서는 출연재산 등의 사용 및 보고의무 등 각종 규정이 있으므로 주의하셔야 합니다."

"그래도 저희는 세무사님이 옆에 계셔서 꼼꼼히 잘 챙겨주시니 다행이네요. 감사합니다."

"그렇게 말씀해주시니 제가 더 감사하네요. 언제든지 궁금한 사항이 있으시면 편하게 질문해 주세요."

"네. 알겠습니다. 이제 한해가 지나 조금은 알 것도 같은데 해야 할 일이 너무 많아 머리 속이 복잡하네요. 일하면서 궁금한 사항이 있으면 그때그때 문의 드리겠습니다. 앞으로도 잘 부탁드립니다."

법인세법상 공익법인의 의무

(1) 법인세법상 공익법인

법인세법상 공익법인이란 법인세법 시행령 제39조 제1항 제1호 각 목에 열거된 다음의 비영리법인(단체 및 비영리외국 법인 포함)을 말한다.

① 사회복지사업법에 따른 사회복지법인

② 영유아보육법에 따른 어린이집

③ 유아교육법에 따른 유치원, 초·중등교육법 및 고등교육법에 따른 학교, 국민 평생 직업능력 개발법에 따른 기능대학, 평생교육법 제31조 제4항에 따른 전공대학 형태의 평생교 육시설 및 같은 법 제33조 제3항에 따른 원격대학 형태의 평생교육시설

④ 의료법에 따른 의료법인

⑤ 종교의 보급, 그 밖에 교화를 목적으로 민법 제32조에 따라 문화체육관광부장관 및 지방자치단체의 장의 허가를 받아 설립한 비영리법인(소속단체 포함)

⑥ 민법 제32조에 따라 주무관청의 허가를 받아 설립된 비영리법인, 비영리외국법인, 협동조합기본법 제85조에 따라 설립된 사회적협동조합, 공공기관의 운영에 관한 법률 제4조

에 따른 공공기관(공기업 제외) 또는 법률에 따라 직접 설립 또는 등록된 기관 중 지정요건을 모두 충족한 것으로서 국세청장(관할세무서장을 포함)의 추천을 받아 기획재정부장관이 지정하여 고시한 법인

(2) 의무사항

법인세법상 공익법인(종교단체 제외)은 다음의 의무를 이행하여야 하며, 법인세법 시행령 제39조 제1항 제1호 바목의 공익법인은 지정기간(④의 경우에는 지정일이 속하는 연도의 직전 연도를 포함) 동안 해당 의무를 이행해야 한다.

① 법인세법 시행령 제39조 제1항 제1호 바목 1)부터 3)까지의 요건을 모두 충족할 것(법인세법 시행령 제39조 제1항 제1호 바목에 따른 법인만 해당)

② 다음 구분에 따른 의무를 이행할 것

㉠ 민법상 비영리법인 또는 비영리외국법인의 경우 : 수입을 회원의 이익이 아닌 공익을 위하여 사용하고 사업의 직접 수혜자가 불특정 다수일 것. 비영리외국법인은 추가적으로 재외동포의 출입국과 법적 지위에 관한 법률 제2조에 따른 재외동포의 협력·지원, 한국의 홍보 또는 국제교류·협력을 목적으로 하는 사업을 수행할 것. 다만, 상속세 및 증여세

법 시행령 제38조 제8항 제2호 단서(공익법인등의 설립·정관 변경 허가 조건으로 주무부장관·기재부장관이 협의하여 공익사업 수혜자의 범위를 정한 경우)에 해당하는 경우에는 해당 의무를 이행한 것으로 본다.

ⓛ 사회적 협동조합의 경우 : 협동조합 기본법 제93조 제1항 제1호부터 제3호까지의 사업 중 어느 하나의 사업을 수행할 것

ⓒ 공공기관 또는 법률에 따라 직접 설립 또는 등록된 기관의 경우 : 사회복지·자선·문화·예술·교육·학술·장학 등 공익목적 활동을 수행할 것

③ 기부금 모금액 및 활용실적을 매년 사업연도 종료일부터 4개월 이내에 해당 공익법인과 국세청의 인터넷 홈페이지에 각각 공개할 것. 이 경우 국세청의 인터넷 홈페이지에는 연간 기부금 모금액 및 활용실적 명세서(법인칙 별지 제63호의 7서식)'에 따라 공개할 것. 다만, 상속세 및 증여세법에 따른 표준서식에 따라 공시하는 경우에는 기부금 모금액 및 활용실적을 공개한 것으로 본다.

④ 해당 공익법인의 명의 또는 그 대표자의 명의로 특정 정당 또는 특정인에 대한 공직선거법 제58조 제1항에 따른 선거운동을 한 것으로 권한 있는 기관이 확인한 사실이 없을

것.

⑤ 각 사업연도의 수익사업의 지출을 제외한 지출액의 80% 이상을 직접 고유목적사업에 지출할 것. 또한, 사업연도 종료일을 기준으로 최근 2년 동안 고유목적사업의 지출 내역이 있을 것.

⑥ 상속세 및 증여세법 제50조의 2 제1항에 따른 전용계좌를 개설하여 사용할 것

⑦ 상속세 및 증여세법 제50조의 3 제1항 제1호부터 제4호까지의 서류 등을 사업연도 종료일로부터 4개월 이내에 해당 공익법인등과 국세청의 인터넷 홈페이지를 통하여 공시할 것. 다만, 직전 사업연도의 총자산가액이 5억원 미만이고 수입금액과 출연 재산가액의 합계액이 3억원 미만인 경우는 제외.

⑧ 상속세 및 증여세법 제50조의 4에 따른 공익법인 등에 적용되는 회계기준에 따라 주식회사 등의 외부감사에 관한 법률 제2조 제7호에 따른 감사인에게 회계감사를 받을 것. 다만, 직전 사업연도의 총자산가액이 100억원 미만이면서 직전 사업연도의 수입금액과 출연재산가액의 합계액이 50억원 미만이고 출연재산가액이 20억원 미만인 경우, 상속세 및 증여세법 시행령 제12조 제2호의 사업을 영위하

는 법인(학교, 유치원) 등은 제외한다.

(3) 의무이행 여부 보고 및 점검

1) 의무이행 여부 보고

법인세법상 공익법인(종교단체와 해당 사업연도에 기부금 모금액이 없는 어린이집 및 유치원 제외)은 매 사업연도 종료일부터 4개월 이내에 국세청장에게 법인세법 시행규칙 별지 제63호의 10서식에 따라 의무이행 여부를 보고해야 하며, 국세청장은 의무이행 여부를 보고하지 않은 공익법인에 대하여는 보고기한으로부터 2개월 이내에 의무이행 여부를 보고하도록 지체없이 요구해야 한다.

2) 의무이행 여부 점검

국세청장은 공익법인으로부터 보고받은 내용을 점검해야 하며, 그 점검결과 기부금 모금액 및 활용실적을 공개하지 않거나 그 공개 내용에 오류가 있는 경우에는 기부금 지출 내역에 대한 세부내용을 제출할 것을 해당 공익법인에 요구할 수 있고, 공익법인은 해당 요구를 받은 날부터 1개월 이내에 기부금 지출 내역에 대한 세부내용을 제출해야 한다.

공익법인의 종합부동산세

(1) 종합부동산세란

종합부동산세는 과세기준일(매년 6월 1일) 현재 국내에 소재한 재산세 과세대상인 주택 및 토지를 유형별로 구분하여 합산하여 과세관청에서 고지하는 세금이다. 1차로 부동산 소재지 관할 시·군·구에서 관내 부동산을 과세유형별로 구분하여 재산세를 부과하고, 2차로 각 유형별 공제액을 초과하는 부분에 대하여 주소지 관할세무서에서 종합부동산세를 부과한다.

(2) 종합부동산세 계산방법

개정 이전의 종합부동산세는 법인이 보유하고 있는 주택의 공시가격의 합계에서 6억원을 공제한 후 공정시장가액비율을 곱하여 계산된 종합부동산세 과세표준에 대해 누진세율을 적용하여 2주택 이하인 경우에는 0.5% ~ 2.7%를, 3주택 이상인 경우에는 0.6% ~ 3.2%의 세율을 적용하여 과세하였으며, 전년 대비 급격히 세부담이 증가되는 것을 방지하기 위하여 세부담 상한이 적용된다.

하지만 개정을 통하여 법인이 보유한 주택에 대해 기본공제 6억원을 폐지하였으며, 종합부동산세율은 2주택이하인 경우 2.7%, 3주택 이상이면 5%의 종부세율이 적용된다. 또한 법인의 경우 세부담 상한 적용이 배제되어 급격히 세부담이 증가될 수 있다.

(3) 공익법인 일반세율 적용 신청

상속세 및 증여세법에서 정하는 공익법인의 경우에는 주택분 종합부동산세 부과시 단일 최고세율 2.7% 또는 5%가 아닌 개인과 동일하게 일반 누진세율을 적용받을 수 있다. 이러한 공익법인과 사회적기업 육성법에 따른 사회적기업 및 협동조합 기본법에 따른 사회적협동조합, 종중의 경우 합산배제 신고기한인 9월 16일부터 9월 30일에 신청이 가능하며, 대상자는 매년 신청해야만 개인과 동일하게 일반 누진세율 및 기본공제 등 적용이 가능하다.

● 비영리법인 세무일정1)

일자	신고 내용	신고 서류	비고
1월 25일	세금계산서합계표 제출	매입세금계산서합계표 ※ 수익사업을 영위하는 경우 부가가치세 신고	관할 세무서
1월말	근로소득 간이지급명세서	전년도 하반기	관할 세무서
2월 10일	계산서합계표 제출	매출·매입계산서합계표	관할 세무서
2월말	전년도 사업실적 및 결산서 제출	사업실적 총괄표 해당 결산서류(외부전문가세무확인)	해당 주무관청
	기타소득 등 지급조서 제출	기타소득, 이자·배당소득, 연금소득 지급조서	관할 세무서
3월 10일	근로(연말)소득 등 지급조서 제출	근로(연말)소득, 퇴직소득, 사업소득, 종교인소득 지급조서	관할 세무서
3월말	법인세 신고·납부	과세표준신고서 등 이자소득에 대한 법인세환급	관할 세무서
	고용·산재보험 신고		국민건강 보험공단
4월말	출연재산 명세서 제출	공익법인출연재산 등에 대한 보고서외 7종	관할 세무서
	기부금모금액 및 활용실적 공개	기부금모금액 및 활용실적 명세서 제출	
	외부전문가 세무확인서	공익법인 등의 세무확인서외 6종 ※ 재무상태표상 총자산가액 5억원 또는 수입금액과 출연받은 재산금액이 3억원 이상인 공익법인	

1) 회계연도가 12월말 법인인 경우

일자	신고 내용	신고 서류	비고
4월말	결산서류 공시	※ 재무상태표상 총자산가액 5억원 또는 수입금액과 출연받은 재산금액이 3억원 이상인 공익법인은 표준서식에 따라	국세청 홈페이지
	기부금 모금액 및 활용실적 공개	법인세법 시행령 제39조 제1항 제1호에 따른 공익법인(종교법인 제외) 및 기재부장관이 지정한 한국학교, 전문모금기관	국세청 홈페이지
	공익법인의 의무이행 여부 등 보고		관할 세무서
6월말	기부금영수증 발급합계표 제출	기부금영수증 발급합계표	관할 세무서
7월 25일	세금계산서합계표 제출	매입세금계산서합계표 ※ 수익사업을 영위하는 경우 부가가치세 신고	관할 세무서
7월말	근로소득 간이지급명세서	당해 연도 상반기	관할 세무서
8월말	법인세 중간예납(수익사업이 있는 법인 중 전년도 법인세 납부실적이 있는 공익법인)	이자소득만 있는 공익법인의 경우 제외	관할 세무서
11월말	사업계획 및 예산서 제출	사업계획 총괄표 해당 예산 서류	해당 주무관청
매월 10일	갑근세, 사업소득세, 기타소득세 신고·납부	원천이행상황신고서	관할 세무서
	주민세 신고·납부	주민세특별징수	
	4대 보험 납부		건강보험 공단
매월말	사업·기타소득 간이지급명세서 및 일용근로소득 지급명세서 제출	기타소득의 경우 인적용역 관련 소득만 해당	관할 세무서

◼ 비영리법인의 해산 및 청산

(1) 해산

법인운영을 중단할 경우 법인은 해산을 하여야하며, 해산이란 법인의 본래의 적극적 활동을 그만두고 청산(잔무의 처리와 재산의 정리)에 들어가는 것을 말한다.

1) 해산사유

① 정관에 정한 존립기간이 만료되었거나 정관에 정한 해산사유가 발생한 경우

② 법인의 목적을 달성하였거나, 목적달성이 불능인 경우

   - 목적달성 불능여부는 사회적 통념에 따라 정해져야 함

③ 법인이 채무를 갚지 못하여 파산한 경우

   - 법인이 채무를 갚지 못할 경우 이사장은 지체 없이 파산신청을 해야 함.

   - 파산신청을 게을리 할 경우 500만원이하의 과태료가 부과됨(민법 제97조).

④ 감독청이 설립허가 취소를 한 경우

⑤ 사원(회원)이 없는 경우에 사단법인은 해산해야 한다(사단법인만의 해산사유).

   - 정관에서 정한 의결정족수를 충족한 총회의 결의에 따

라 해산함

- 정관에 다른 규정이 없으면 사원총수 4분의 3이상의 동의에 의해 해산함

2) 해산절차

법인이 해산한 때(파산에 의한 해산의 경우를 제외한다)에는 그 청산인은 민법 제85조 제1항의 규정에 의하여 취임 후 3주간 내에 해산의 사유 및 연월일, 청산인의 성명 및 주소와 청산인의 대표권을 제한한 때에는 그 제한을 주된 사무소 및 분사무소 소재지에 등기를 하여야 하며, 해산 등기를 완료한 후 지체 없이 다음의 서류를 갖추어 주무관청에 법인해산신고서를 제출하여야 한다.

<필요서류>

① 해산허가 신청서

② 해산사유서

③ 재산목록

④ 재산 청산조서

⑤ 잔여재산 처리에 관한 의견서

⑥ 정관

⑦ 이사회 회의록 및 총회 회의록

⑧ 법인등기부등본

해산은 민법 제86조에 의거 신고사항이나 정관상 주무관청의 해산허가를 받도록 규정되어 있는 경우도 있다.

(2) 허가취소

민법 제38조의 규정에 의해 법인이 목적이외의 사업을 하거나 설립허가의 조건을 위반하거나 기타 공익을 해하는 행위를 한 때에는 주무관청은 그 허가를 취소할 수 있다.

1) 취소요건

① 법인이 목적이외의 사업을 한 경우

② 설립허가의 조건을 위반한 경우

③ 거짓이나 그 밖의 부정한 방법으로 설립허가를 받은 경우

④ 목적달성이 불가능하게 된 경우

⑤ 공익법인의 설립·운영에 관한 법률 또는 공익법인의 설립·운영에 관한 법률에 따른 명령이나 정관을 위반한 경우

⑥ 정당한 사유 없이 설립허가를 받은 날로부터 6개월 이내에 목적사업을 시작하지 아니하거나 1년 이상 사업실적이 없을 때

⑦ 기타 공익을 해하는 행위를 한 때

㉠ 법인의 기관이 공익을 침해하는 행위를 하거나 그 총회가 그러한 결의를 한 경우로 법인의 행위란 기관의 행위로서

이사장 개인의 행위이고 기관으로서 한 행위라고 볼 수 없
는 것은 공익을 해하는 행위로 인정하기 곤란하다.

ⓛ 법인 설립당시에는 그가 목적하는 사업이 공익을 해하는
것이 아니었으나 그 이후의 사정변동에 의하여 그것이 공
익을 해하는 경우

> **사단법인 설립허가 취소처분 취소 (대법원 1977. 8. 23. 선고 76누145
> 판결)**
>
> 비영리법인의 설립허가의 취소는 민법 제38조 규정에 해당하는 경우에
> 만 가능하므로 비영리법인의 존재가 공익을 해한다고 볼만한 사정이 없
> 고 한편 감독관청에 제출할 서류를 기한보다 지연하여 제출한 사실만으
> 로 설립허가 조건을 위배하였다하여 설립허가를 취소하는 행위는 재량권
> 의 범위를 심히 일탈한 위법한 처분이다.

2) 취소처분에 대한 구제

법인설립허가 취소는 행정처분이므로 이에 대한 불복시 행
정심판, 행정소송을 통해 취소처분을 취소하는 취소심판(소
송) 또는 취소처분의 무효확인심판(소송)을 제기할 수 있다.
취소의 직접적인 상대방은 물론 제3자라 하더라도 그 처분의
취소나 변경에 관하여 법률상 구체적 이익이 있으면 특별한
사정이 없는 한 당사자 적격이 인정된다.

(3) 잔여재산처분의 허가

1) 잔여재산 처분의 허가대상

해산한 법인의 잔여재산은 정관으로 정하는 바에 의하여 국가 또는 지방자치단체 등에 인도하여야 하며, 정관으로 귀속 권리자를 지정하지 아니하였거나 이를 지정하는 방법을 정하지 아니한 때에는 이사 또는 청산인은 주무관청의 허가를 얻어 그 법인의 목적에 유사한 목적을 위하여 재산을 처분할 수 있다. 그러나 사단법인에 있어서는 총회의 결의가 있어야 한다. 국고 등의 보조를 받거나 공익성이 강한 법인의 경우 잔여재산 처분시 주무관청의 허가를 고려하여야 하며, 그 어떠한 경우에도 그 구성원에게 분배될 수 없다.

2) 필요서류

① 잔여재산처분허가신청서
② 처분사유서
③ 처분하고자 하는 재산의 소재지, 종류, 수량 및 금액
④ 처분방법 및 처분계획서
⑤ 사단법인의 경우 총회의 결의록 사본 1부

(4) 청산

청산이란 해산에 들어간 법인의 잔무를 처리하고 재산관계를 정리하는 절차를 말하며, 청산은 청산인이 담당한다. 청산

절차는 파산으로 해산하는 경우와 기타의 원인으로 해산하는 경우로 구별되며, 전자의 경우는 파산법에 정한 절차에 따르므로 주무관청이 관여할 사항이 없고, 후자의 경우 민법에서 규정하는 절차에 따라 법원이 이를 감독하고 주무관청이 관여하게 된다.

1) 청산법인

청산법인은 본래의 법인과 동일성을 유지하며, 해산한 법인의 권리능력은 청산의 목적 범위내로 제한된다.

2) 청산인

청산인은 이사에 갈음하여 사무집행과 대표권을 가지며, 이사가 청산인이 되지만, 정관 또는 총회(이사회)의 결의에 따라 청산인을 달리 정할 수 있다. 다만, 법인은 청산인이 없을 경우 직권 또는 이해관계인이나 검사의 청구에 의해 청산인을 선임할 수 있다.

3) 청산절차

청산절차는 민법의 규정에 따르며, 제3자의 이해관계에 중대한 영향을 미치기 때문에 강행규정이며, 청산절차는 해산절차의 마지막 단계와 연결되어 진행된다.

① 해산등기

청산인은 취임 후 3주간 내에 관할 등기소(주사무소, 분사무소)에 해산 등기를 하여야 하며, 해산 등기를 완료한 후에는 지체 없이 주무관청에 법인해산신고서를 제출하여야 한다.

② 청산사무 집행

해산 전부터 계속 중인 사무를 모두 종결하고 채권 추심 및 채무 변제에 들어가며, 정관이 정하는 바에 의하여 국가 또는 지방자치단체 등에 잔여재산을 인도하여야 한다.

㉠ 채권신고의 최고(催告)를 공고 : 청산인 취임 날로부터 2개월 내 3회 이상 실시하고 해산허가를 득하고 채권신고의 공고 후 최고기간의 종료시(2개월 이상)까지 채무의 변제를 금지함.

㉡ 법인세 신고·납부 : 해산등기일로부터 90일 이내

㉢ 공익법인 세무확인서 등 신고·납부 : 해산등기일로부터 90일 이내

③ 청산등기 및 신고

청산을 종결한 때에는 청산인은 민법 제94조의 규정에 의하여 3주간 내에 이를 등기하고 청산종결신고서에 청산등기부 등본을 첨부하여 주무관청에 제출하여야 한다.